Das Buch

Der Roman über die gefährlichsten Jahre einer Frau: Vom ersten Mann bis zum hoffentlich letzten. Studentin Tilla Silber will eine richtige Frau werden, was leider nicht einfach ist bei all den seltsamen Unterschieden zwischen Männern und Frauen.

Hier gehts um die weiblichen Lebensziele: Schön sein, Sex haben, Sohn bekommen, Superfrau werden, Schuldgefühle haben. Und um die typischen Frauenprobleme: Was muss eine Frau alles tun aus Liebe? Das größte Problem: Wie bringt man Männern bei, was Frauen wollen?

Die Autorin

Eva Heller studierte Soziologie und Psychologie. Ihre Romane »Beim nächsten Mann wird alles anders«, »Der Mann, der's wert ist« und »Erst die Rache, dann das Vergnügen« wurden weltweit übersetzt, u. a. in Amerika, China, Frankreich, Griechenland, Indien, Japan, Russland, Spanien, Türkei. Heller schrieb auch das Standardwerk über Farbpsychologie »Wie Farben auf Gefühl und Verstand wirken«. Und die viel gelobten Kinderbücher »Die wahre Geschichte von allen Farben« und »Das unerwartete Geschenk«.

Eva Heller

Welchen soll ich nehmen?

Roman

Ullstein

Besuchen Sie uns im Internet:
www.ullstein-taschenbuch.de

Umwelthinweis:
Dieses Buch wurde auf chlor- und säurefreiem Papier gedruckt.

Ullstein Verlag
Ullstein ist ein Verlag der Ullstein Buchverlage GmbH, Berlin.
1. Auflage Oktober 2004
© 2004 by Ullstein Buchverlage GmbH, Berlin
© 2003 by Ullstein Heyne List GmbH & Co. KG, München
Umschlagbild: Eva Heller
Gesetzt aus der Minion
Satz: LVD GmbH, Berlin
Druck und Bindearbeiten: Ebner & Spiegel, Ulm
Printed in Germany
ISBN 3-548-25891-3

Widmung für Leserinnen:
Es hat keinen Sinn, ewig über die Männer zu jammern,
wir müssen lernen, mit dem vorhandenen Material zu arbeiten.

Widmung für Leser:
Zum Dank dafür, dass immer mehr Männer meine Bücher lesen,
gibts hier für Männer sehr praktische Tipps,
wie man sich bei Frauen beliebt macht.

1. Kapitel

Ich bin Tilla Silber und mit siebzehn glaubte ich, eine richtige Frau ist man erst, wenn man mit einem Mann geschlafen hat, deshalb beginnt meine Geschichte damals.

Alle wahren Geschichten haben etwas Belehrendes, als wären die eigenen Erfahrungen die einzig möglichen, aber andere haben das Gleiche erlebt, trotzdem enden ihre Geschichten anders.

Damals mit siebzehn war Marti mein erster Freund, und garantiert waren wir verliebt, doch ich erinnere mich deutlicher daran, dass wir nie über Liebe sprachen, weil wir so cool waren. Sicher dachte ich ständig an Marti, sprach ständig über Marti, aber dass das die fundamentalste Form von Liebe ist, wusste ich noch nicht.

Liebe ist alles Mögliche. In einem Rätsel, dessen Lösung »Liebe« ist, darf nur ein Wort nicht vorkommen, das ist das Wort »Liebe«. So war es bei uns.

Nur eines wussten wir genauer: Liebe ist Sex. Immer wenn seine Mutter ihre Theater-Oper-Konzert-Abos absaß, die Geburtstags- und Weihnachtsgeschenke von Marti, taten wir es bei ihm, als wäre das unser Pflichtprogramm. Es störte mich nicht, dass wir nicht oft miteinander ins Bett gingen – so nannten wir das damals, nicht bumsen, vögeln oder ficken, denn so aufregend wars nicht.

Mein Vater hatte einst gesagt, wenn man nicht verheiratet ist, muss man kein langweiliges Eheleben führen. Marti fand das auch, denn es war auch die Meinung seiner Mutter. Sie hatte Marti gepredigt: »So was tut man nur, wenn man Kinder will.« Und sie sagte ernsthaft: »In eurem Alter macht man es nur mit dem Mund« – sie glaubte, Oralsex ist, wenn man über Sex nur redet.

Meine Mutter, die gemerkt hatte, dass ich heimlich die Pille nahm, war nicht so naiv mir zu glauben, dass Marti mir nur Nachhilfe in Mathe und Physik gibt. Sie hätte vielleicht sogar geduldet, dass Marti mich zu sexuellen Übungszwecken aufsucht, aber ich wollte das nie, das Aufregendste am Sex war für mich die Heimlichkeit. Das Verbotene in dreifacher Finsternis: Rollo runter, Decke drüber, Augen zu.

In den Anfangszeiten meines Sexlebens war mir nur wichtig, nie mehr kindische Jungfrau zu sein. Sogar Lady Diana, die damals, Anno 1981, als blitzbrave Kindergärtnerin den fast doppelt so alten Charles heiratete, war bei ihrer Hochzeit nicht mehr Jungfrau. Die meisten Mädchen meiner Klasse bewunderten Diana, weil sie so viel Busen hatte, und glaubten, mit mehr Busen könnten auch sie Prinzessin werden. Ich wollte nie Prinzessin werden. Ich wollte eine richtige Frau werden. Und das bedeutete für mich: Eine Frau mit viel Erfahrungen.

Ich war immer der vernünftige Typ, und so sah ich aus. Ich trug Brille, weil kurzsichtig. Keine Kontaktlinsen, dann hätte ich nicht so vernünftig ausgesehen. Weil ich Silber heiße, war meine Brille silbern. Und ich hatte massenhaft silberne Ringe und Ketten.

Meine Haare sind naturbelassen mittelbraunblond, meine Augen grün-blau-grau gesprenkelt. Ich bin mittelgroß, war nie zu dick und nie zu dünn, sogar mein Busen, mein Hintern, meine Oberschenkel, meine Beine, meine Füße, meine Ohren sind weder zu klein noch zu groß, weder zu dick noch zu dünn. Sogar meine Haut ist normal, was eher unnormal ist, denn normal ist, dass man zu fettige oder zu trockene Haut hat. Ich war vernünftig angezogen: Jeans, T-Shirt, Pulli. Wenn man so aussieht, hat das den Vorteil, dass man nicht auffällt, so schaffte ich es ohne Mühe, eine mittelmäßige Schülerin zu sein.

Das Auffallendste an mir war mein Vorname: Tilla. Klar, wäre ich ein Junge, hätten sie mich Till genannt. Tilla ist ein typischer Wir-haben-uns-einen-Jungen-gewünscht-aber-jetzt-machen-wir-das-Beste-draus-Name. Nun heißt mein fünf Jahre jüngerer Bruder Malte, und ich darf froh sein, dass ich nicht Malta oder Maltine heiße.

Bei Tilla denkt man an Till Eulenspiegel, diesen mittelalterlichen Komiker. Eulenspiegels Devise: Nicht alles glauben, was andere, die sich für besser halten, über sich behaupten. Und mein Vater sagte, Eulenspiegel ist für ein Mädchen ein besseres Vorbild als die frommen Märtyrerinnen, denen zu Ehren die meisten benannt werden, denn Märtyrerinnen sterben für ihren Glauben, und das ist unvernünftig, denn man glaubt viel Falsches.

Marti, eigentlich spießig Martin, war zwei Jahre älter als ich, trug immer eine Lederjacke und große Silberringe. Wir hatten uns auf dem Schulhof kennen gelernt. Da alle fanden, wir würden optisch super zusammenpassen, war es logisch, dass wir uns ineinander verliebten. Marti war immer cool, das fand ich toll, auch ich hatte keine Lust auf kitschige Liebe.

Meine damalige Freundin Ellen schrieb jeden Morgen hundertmal »Sebastian ich liebe dich« in ein Heft, als sie ihre Hefte Sebastian eines Tages zeigte, sprach er mit ihr kein Wort mehr. Obwohl sie allen geschworen hatte, sie bringt sich um, tat sie es doch nicht. Sie malte nur völlig uncool ein Heft voll mit heulenden Herzchen.

Ich lernte von Marti: Egal, was man tut, man tut es cool. Und er hatte immer witzige Sprüche drauf, fand ich auch toll.

Martis Lebensziel war Maschinenbauingenieur zu werden. Und er sagte, es wär nur logisch, dass er bumst wie eine Maschine, die Löcher stanzt. Penetrieren war für ihn das Gleiche wie perforieren.

Beim ersten Mal, als er nach dem kurzen Zwischenstopp beim Jungfernhäutchen so weit in mich reinrutschte, dass es das gewesen sein musste, und das bisschen Blut war dann der Beweis, sagte Marti: »Oozapft is.«

Und ich hatte in dem Moment sagen wollen: »Ich liebe dich«, aber es ging zu schnell. Ich fand den Vergleich unpassend, ich war kein angestochenes Bierfass. Außerdem waren wir keine Bayern, sondern Schwaben. Er hätte mir, hatte ich in einem Aufklärungsbuch einst gelesen, für das einmalige Geschenk danken sollen. Andererseits, da ich nicht mehr Jungfrau sein wollte, hätte auch ich ihm danken müssen für seine einmalige Leistung. Aber das war in dem Buch nicht vorgesehen.

Hätte er kinomäßig gefragt: »Wars schön für dich?«, hätte ich lügen müssen. Ich war froh, dass es nicht war, wie ich gelesen hatte: schmerzvoll, bluttriefend und sehr, sehr langwierig. Alles falsch. So ein Jungfernhäutchen ist nicht widerstandsfähig wie die Folie von vakuumverpackten Erdnüssen, nein, so ein Jungfernhäutchen ist sogar von Natur aus gelocht, sonst ginge ja in eine Jungfrau kein Tampon rein beziehungsweise käme aus einer Jungfrau kein Menstruationsblut raus. Meine Entjungferung war, ehrlich gesagt, nicht dramatischer, als ein kleines Loch im Socken, durch das der kleine Zeh passt, zu einem größeren Loch auszudehnen, durch das der große Zeh passt. Nur ging das Entjungfern viel schneller.

Das Erlebnis war nicht so, dass ich gedacht hätte, das muss ich jetzt ständig haben. Auch Marti war nicht so scharf auf Sex, denn seine Mutter hatte nicht nur gepredigt, dass man Sex nur der Vermehrung wegen erduldet, sondern auch: »Das tut man nur, wenn man verheiratet ist.« Natürlich wollte Marti nicht heiraten.

Ich auch nicht. Allenfalls, wenn ich alt bin. Damals dachte ich, das wäre wenn ich dreißig bin, – einer der kleineren Irrtümer meines Lebens.

2. Kapitel

Bekanntlich ist die Familie an allem schuld. Mein Vater war Unternehmer, was sich besser anhört, als es war, denn reich waren wir nicht, und ich wusste nie, was er unternahm. Er sagte oft: »Man muss alte Brücken abreißen, was Neues unternehmen.« Als Kind glaubte ich, er sei Brückenabreißer.

Als ich sechzehn war, verschwand mein Vater. Er schickte dann unregelmäßig wenig Geld. Und hatte immer wieder neue Adressen.

Ich hatte gerade Abitur, da war er plötzlich in Spanien, in einem Krankenhaus, an Herzversagen gestorben. Viel später fragte ich meine Mutter, warum Vater weggegangen war, sie sagte: »Weil er es wollte.« Sonst nichts.

Ich schämte mich lang, dass ich nicht geheult hatte, als ich von seinem Tod erfuhr, aber warum sollte ich? Als er noch bei uns war, wirkte er immer abwesend. Er interessierte sich nie für mich – der Gerechtigkeit halber muss ich sagen, dass er sich noch weniger für Malte interessierte.

Mein Bruder war Mutters Privatbesitz. Malte verdrängte als Baby seinen Vater auf die mamaabgewandte Seite, als Kleinkind aus dem Ehebett, als Schulkind aus der Fernsehprogrammwahl, schließlich aus Mamas Leben. Einen Sohn zu haben war der einzige Lebenstraum meiner Mutter, der sich ohne größere Verzögerung verwirklichte.

Ansonsten hatte sie nach ihrem Abitur nur das Lebensziel, reich zu heiraten – sie nannte es standesgemäß. Leider machte sie einen folgenschweren Fehler: Sie wurde schwanger von meinem Vater. Sie heirateten sofort und heimlich.

Ihre vornehme Bürokraten-Familie lehnte meinen Vater ab, seine Erscheinung war zwar vornehm genug, bedauernswerterweise aber nicht sein Einkommen aus seinen wechselnden Unternehmungen. Ihre Familie behauptete, er sei ein Mitgiftjäger. Meine Mutter wurde sofort enterbt, was sehr eindrucksvoll war, jedenfalls bis sich Jahre später herausstellte, dass ihre Eltern außer ihrer Vornehmheit nichts zu vererben hatten.

Umso erfreulicher die Überraschung nach dem Tod meines Vaters. Er hatte eine hohe Lebensversicherung abgeschlossen, davon bekamen meine Mutter, mein Bruder und ich je ein Drittel. Endlich hatte es sich für meine Mutter doch noch gelohnt, mit meinem Vater verheiratet zu sein.

Sie kaufte sich von ihrem Erbteil die Hälfte vom kleinen Edelrestaurant »Zum Zwitscherbaum«. Heißt so, weil ein Baum davor steht, in dem scharenweise Vögel zwitschern und irgendwelche hervorragend schmeckende Insekten fressen. Natürlich schmeckt es auch den Gästen hier hervorragend.

Der andere Teilhaber ist Maître Moser, ein genialer Koch. Meine Mutter ist keinesfalls seine Mätresse. Maître Moser, etwas jünger als sie, versteht sich zwar gut mit ihr und nennt sie als echter Schwabe nicht Freya, sondern Freyale, interessiert sich aber weder für Frauen noch für Männer, nur fürs Kochen. Maître Moser unterteilt die Menschheit nicht nur in Jäger und Sammlerinnen, es gibt noch eine dritte Kategorie, die Krone der Schöpfung: Köche.

Meine Mutter muss dafür sorgen, dass er ungestört kochen kann. Sie ist zuständig für Organisation und Repräsentation, ein Job wie geschaffen für ihr großes Talent, das Vornehmsein. Im Restaurant finden viele Feiern statt. Meine Mutter trägt ständig vornehme Kostümchen, das sei sie ihren Gästen schuldig. Seit sie endlich von der High Society unserer Stadt anerkannt wird, ist sie vornehmer als alle, die schon vor ihr dazu gehörten.

(Den Namen unserer Stadt muss ich verschweigen, meiner

Mutter ist es peinlich, eine Tochter zu haben, die mittlerweile so vielen Männern beibrachte, was sie im Bett zu tun haben.)

Meine Mutter wollte nicht, dass ich studiere, das sei eine Investition ins Ungewisse. Dagegen wäre ideal, würde ich mich ebenfalls in ihrer Edelgastronomie verwirklichen, das wäre auch das ideale Ambiente, um einen Ehemann kennen zu lernen. Meine Mutter glaubt, mit ein bisschen gutem Willen könnte ich jeden heiraten, den sie für standesgemäß hält.

Marti war ihr nicht gut genug, »er hat keine Tischmanieren«, klagte sie, denn Marti hatte nach dem Essen cool gerülpst. Allerdings war Marti zu jung, um über ihn Endgültiges sagen zu können: Unter den schwäbischen Maschinenbauingenieuren gab es durchaus Spitzenverdiener.

Was aus Marti wird, war ungewiss, was aus mir werden sollte, war keine Frage: Ich sollte werden wie meine Mutter und auch so aussehen. Ständig fragte sie: »Warum trägst du eine Brille?« Da kann man nur antworten wie der Wolf dem blöden Rotkäppchen: »Damit ich dich besser sehen kann.« Kontaktlinsen seien viel kleidsamer und viel kleidsamer sei, wenn ich meine Haare wie meine Mutter dezent blond färbte, und wie viel kleidsamer seien Kleider.

Immer wieder mal schenkte sie mir ein Abo von Brigitte oder Freundin oder Cosmopolitan oder Für Sie – abwechselnd wegen der Geschenkprämien. Mich interessierte aber nie der Modeteil. Als ich auf allen Fotoseiten sah, dass es Mode war, massenhaft Silberschmuck zu tragen, hörte ich damit auf. Denn nun wars nicht mehr mein Markenzeichen, es war nur Mode. Ich las am liebsten die Rubriken der FrauenratgeberInnen, die alle frauengemäßen Probleme besprachen, von Geschlechtskrankheiten bis Fleckentfernung. So wuchs ich auf im Glauben, dass es für alles eine vernünftige Lösung gibt.

Mit meiner Erbschaft hatte ich Geld für mindestens fünf

Jahre. Studieren war die vernünftigste Art abzuwarten, bis ich wusste, was ich wollte. Mein Spruch war damals: »Das Leben ist ein Kaufhaus, ich hol mir was ich will.«

3. Kapitel

Als mittelmäßige Abiturientin ohne spezielle Begabungen, ohne spezielle Interessen hatte ich endlose Möglichkeiten der Studienfächer. Noch ehe ich wusste, was ich studieren will, hatte ich ein tolles Zwei-Zimmer-Apartment in Uni-Nähe. Die eigene Wohnung war meine Unabhängigkeitserklärung an meine Mutter.

Das Apartment gehörte Julia, sie war so schön und ständig mit ihren langen blonden Haaren beschäftigt. Julia gab sich so viel Mühe schön zu sein, dass es echt Arbeit war und erwartete deshalb, dass man ihre Mühe honorierte, indem man von ihr nicht mehr verlangte, als schön zu sein. Jeder hielt sich daran, egal, was sie quatschte, man sagte: »Wie schön.« Alles andere nahm sie sowieso nicht zur Kenntnis. Sie konnte sich das leisten, ihr Vater kümmerte sich um alles. Julia war im Gymnasium eine Klasse über mir gewesen, ihre Eltern hatten ihr die sogenannte Studentenbude zum Abi geschenkt. Schon nach zwei Semestern stellte Julia fest, dass man an unserer neuen Provinz-Uni weder Medizin noch Jura studieren konnte, wie sollte sie hier einen künftigen Klinikchef oder künftigen Bundesgerichtshofpräsidenten kennen lernen? Logischerweise kauften Julias Eltern noch ein Apartment im geeigneten München, und ich durfte das alte mieten.

Die Miete war reichlich hoch, denn ihr Vater hatte ausgerechnet, dass es günstiger war, das Apartment möbliert zu vermieten. Und Julia durfte sich in München neue Möbel kaufen. Das Apartment war fast so schön wie Julia, ich wollte es unbedingt, zahlte alles. Und Marti fand das alles gut so, schließlich hatte ich ja das Geld.

Marti war egal, was ich studiere, aber er war unbedingt dafür, dass ich studiere. Zwei seiner Freunde hatten nämlich berufstätige Freundinnen und die klagten ständig über den Stress mit berufstätigen Frauen: Die müssen mitten in der Nacht aufstehen, haben keine Zeit, sich um die Wohnung zu kümmern, halten ihren Chef für wichtiger, haben zu wenig Freizeit, wollen ständig wissen, wann ihr Typ endlich verdient und sie nie mehr arbeiten müssen – Marti waren Berufstätige zu uncool. Ich sollte studieren, solange ich es mir leisten konnte. Alles andere würde sich irgendwann ergeben. Die Zukunft lag in weiter Ferne.

Seit ich die Wohnung hatte, war Marti meist bei mir, offiziell wohnte er aber bei seiner Mutter. Offiziell bedeutete finanziell: Da er offiziell nicht bei mir wohnte, bezahlte er auch nichts. Obwohl er schon als Student nebenbei gut verdiente bei einer Maschinenbaufirma, die ihn sofort nach seinem Ingenieurabschluss einstellen wollte. Im Gegensatz zu mir wollte seine Mutter niemals Geld von ihm. Er war ihr einziges Kind, ihr Mann war viel älter gewesen und gestorben, als Marti noch klein war. Für Martis Mutter war Marti jede Mark wert, die man in ihn investierte.

Außerdem erklärte Marti ausführlich, dass seine Anwesenheit in meiner Wohnung keinerlei Mehrkosten verursache außer monatlich vier Rollen Klopapier – großzügig kalkuliert. Seinetwegen könnte ich die Heizung sogar runterdrehen. Die Bettwäsche müsste ich seinetwegen nicht öfter wechseln. Das Klo müsste auch ohne seine Zusatznutzung geputzt werden. Er würde auch keinen Staub verursachen, im Gegenteil, er würde an seinen Klamotten den Staub aus dem Haus schleppen. Seine Dreckwäsche brachte er sowieso seiner Mutter. Er spülte lediglich das von ihm benutzte Geschirr und Besteck ab, sofort nach dem Essen, und räumte es sofort weg. Damit war für ihn der Haushalt erledigt.

Dabei war er immer ölig, weil er mit Freunden eine Werkstatt gemietet hatte, wo er sich aus Autoabfällen vom Schrottplatz einen Sportwagen bastelte. Als ich mich über seine Fingerabdrücke überall aufregte, wollte er seine Mutter zu mir schicken, zum Putzen. Nur über meine Leiche. Sie benutzte die uralten Unterhosen ihres toten Manns als Putzlappen. Und mich hielt sie für eine Schlampe. Sie sagte Marti: Ein Mann braucht keine Frau um ein richtiger Mann zu sein. Aber ich dürfte dankbar sein, dass Marti ausgerechnet mich auserwählt hatte.

4. Kapitel

»Der Sinn des Lebens ist es, nach immer mehr Erfahrung zu streben«, war das Fazit meines Abi-Aufsatzes gewesen. Thema: »War Goethes Faust ein Gewinner oder Verlierer?« Ich machte deutlich, dass Faust, obwohl er viel falsch machte und nie zufrieden war, sich ewig strebend bemühte, und deshalb muss er natürlich ein Gewinner sein. – Wäre er faul und trotzdem erfolgreich, müsste man den Faust nicht in der Schule lesen. Und ich schrieb: »Bildung ist überlieferte Erfahrung, die man braucht, um zu erkennen, was die Welt im Innersten zusammenhält.« Ich bekam prompt 14 Punkte. Deutsch war mein bestes Hauptfach.

Nun wollte ich der Bildung wegen studieren, und zwar allgemein und umfassend Geisteswissenschaften. »Ich studiere Geisteswissenschaften« hört sich großartig an, als hätte man den Sinn des Lebens schon gefunden.

Germanistik, Sprachen, Literaturwissenschaft, Kunstgeschichte sind Geisteswissenschaften. Mathematik, Physik, Chemie, Biologie und so weiter sind Naturwissenschaften. Aber obwohl der Geist als Sphäre des Männlichen gilt und die Natur als Sphäre des Weiblichen, sind Studenten der Naturwissenschaften meist männlich, dagegen die der Geisteswissenschaften überwiegend weiblich. Das war die erste Überraschung. Meine neue Welt hatte einen deutlichen Frauenüberschuss.

Die nächste Überraschung: Die meisten Frauen, die Geisteswissenschaften studieren, wollen Lehrerin werden – ich war nun in der Welt künftiger Lehrerinnen. Einerseits das Gefühl, statt Räuber plötzlich Polizist zu sein, andererseits hatte ich nie davon geträumt, Polizistin zu werden.

Für Marti war Geisteswissenschaftlerin was ähnliches wie Geisterfahrerin. Er drängte mich, den Führerschein zu machen: Frauen müssen Auto fahren können, damit Männer zu viel trinken können. Ihm genügte das als Sinn meines Lebens.

Aber mir nicht. Wo beginnt man, den Sinn des Lebens zu suchen? Vor allem, wo findet man ihn? Es war nicht spannend, in Anglistik die Einflüsse unbekannter englischer Romane auf unbekannte amerikanische Romane zu analysieren oder sich in Kunstgeschichte die Theorien über den nicht existierenden Unterschied zwischen abstrakter Kunst und gegenstandsloser Kunst anzutun. Am ätzendsten waren in Germanistik die hochlangweiligen Minnelieder, bei denen wir das spätmittelalterliche Ideal vom Zusammenwirken von Liebe, Lust und Verstand begreifen sollten. Dabei klagten die Minnesänger nur ständig, dass sie keine ins Bett bekamen:
»Ich bekomme keine Befriedigung,
ich bekomm kein Mädchen rum.
Wenn ichs probier, sagt sie: »Ja, nein …«
Solche Texte sind doch nur erträglich, wenn sie Mick Jagger singt.

Und dieses Zusammenwirken von Liebe, Lust und Verstand hatte keinen Bezug zu meinem Leben. In meinem Bett lag ständig Marti. Ab und zu taten wir es kurz und cool, damit es sich lohnte, dass ich die Pille nahm. Marti sagte statt »Empfängnisverhütung« witzboldmäßig »Verhängnisverhütung«, und so sah ichs auch.

Aber etwa ab dem dritten Semester wurde immer deutlicher, dass immer mehr Studentinnen das anders sahen. Ihre praxisrelevante Antwort auf alle theoretischen Fragen nach dem Sinn des Lebens war: Werde schwanger.

Mehr und mehr präsentierten ihren Bauch als Schatzkammer in der ihr Thronfolger rumorte, konkurrierten miteinander, wessen Schwangerschaft komplizierter verlief. Nach der Entbindung präsentierten sie sich als Super-Mutter-Studentin, die ihr Frischgeborenes eisern lächelnd brüllen ließ, gleichzeitig Vorträge mitschrieb plus gleichzeitig die Stirn in interessierte Falten legte. Die Devise war: Wer ein Kind geboren hat, kann alles, denn eine Geburt ist die kreativste Tat, die eine Frau vollbringen kann. Wenn sie dann im nächsten Semester ihrem Baby und dem Kindsvater zuliebe den Rest ihres Studiums aufs Rentenalter verschoben, verließen sie die Uni als Frauen, die wussten, wie ihre Zukunft funktionierte.

Überflüssigerweise hatte meine Mutter die Eltern der schönen Julia kennen gelernt, Frau und Herrn Haber, sie wohnten in der Nähe vom Zwitscherbaum, hatten genug Geld um Stammgäste zu sein. Meine Mutter wurde Julias Hofberichterstatterin: Kaum war die schöne Julia nach München gezogen, machte sie Furore. Julia war bereits mit einem Münchner Barbesitzer verheiratet: Ja, verheiratet. Und seine Bar sei eine Lizenz zum Gelddrucken. Und Julia hatte ihr Studium natürlich aufgegeben, gleich als sie den Barbesitzer kennen lernte, und die stolzen Eltern hatten meiner Mutter die Hochzeitsfotos gezeigt. »So eine elegante Braut«, schwärmte sie hingerissen, »und diese wunderschönen Haare, du musst endlich zu einem guten Frisör.« Undsoweiter. Und für Julias Eltern habe sich die Investition in Julias Studium sehr gelohnt.

Meine Mutter hat die Angewohnheit, genau das, was ihr

am Wichtigsten erscheint, in Sätzen zu verkünden, die mit »übrigens« beginnen. Sie hält es für damengemäße Zurückhaltung, ihre Holzhammerschläge als beiläufige Bemerkungen zu tarnen. Sie sagte: »Übrigens, Julia ist natürlich schwanger.« Ich sagte nur wütend: »Wie schön.«

5. Kapitel

Marti dachte nicht daran, über den Sinn des Lebens nachzudenken. Er dachte an seinen Schrott-Sportwagen, den er in der Mache hatte. Und seine Zukunftsvision: Nach dem Studium wäre natürlich Schluss mit alten Autos, dann könnte er sich einen Mercedes leisten. Zum Glück war es nicht mehr wie früher, heute konnte auch ein cooler Typ wie Marti Mercedes fahren, war nicht mehr spießig. Martis ganzer Lebenssinn passte in eine Ausgabe von Auto&Motor&Sport.
Ich kam in seiner Zukunft nur als Beifahrerin vor. Und als Putzfrau. Ich regte mich endlos auf.
Marti keifte: »Ich soll dir Geld geben, weil ich hier übernachten darf! Und zusätzlich deinen Küchenboden und dein Klo putzen! Da geh ich lieber zu einer Domina, wenn ich bei der den Boden wische, steht die in Lederstrapsen mit Peitsche und gespreizten Beinen über mir, das sind geilere Aussichten als bei dir.« Und er sagte noch fünfmal »Domina«. Als hätte der kleine Motor, der sein Maschinenbauerhirn antrieb, einen neuen Gang eingelegt.
»Was willst du mit einer Domina! Geh zu deiner Mama! Bums mit dem Staubsauger deiner Mutter, der schluckt alles, da wird nichts dreckig!« Ich lachte gemein, im Fernsehen hatte ein durchgeknallter Typ erklärt, welche sextechnischen Möglichkeiten ein Staubsauger bietet, aber viele Männer klemmen sich dabei den Pimmel in die Saugdüse, was höllisch wehtut.

Am nächsten Tag rief Marti an, sagte neckisch: »Spreche ich mit dem Dominastudio Tilla Silber, Expertin für Staubsauger-Erotik?«

Ich würgte sofort das Telefon ab.

Er rief wieder an, das sei nett gemeint gewesen, im Grunde sei jede richtige Frau eine Domina. »Denn jede Frau will die Männer beherrschen und will, dass die Männer dafür zahlen, das ist das Naturgesetz des Geschlechterkampfs«, quatschte er hochtrabend.

Das ärgerte mich noch mehr, so gesehen war ich die unfähigste Domina der Welt, ich putzte selbst und zahlte selbst. Ich beriet mich mit einer alten Freundin, Psychologie war ihr Hobby, und sie kannte auch Marti. Sie sagte, Marti sucht eine Frau, die ist wie seine Mutter, und seine Mutter kennt keinen Sex, jedenfalls keinen Sex, dessen Zweck Sex ist. Seine Mutter kennt aber Putzen und Putzen um des Putzens willen, und da ist nur logisch, dass Marti Sex mit Putzen verbindet. Und ich müsste mich darauf einstellen, wenn ich Marti halten will.

Sollte ich nun meine Küche zum Domina-Studio umdekorieren? Nicht mal die progressivsten Frauenzeitschriften hatten dafür Einrichtungsvorschläge.

Was tat er eigentlich, um mich zu halten? Ich rief ihn an, wollte es wissen. Als er irgendwas quatschte von Erfahrungen, die jeder Mann braucht, reichte es mir.

Als er wieder auftauchte, hatte ich mich vorbereitet. Ich herrschte ihn an wie eine Domina: »Her mit meinem Hausschlüssel. Und jetzt ab in den Keller.« Sein Restgerümpel stand bereits in zwei Plastiktüten vor meiner Kellertür. Und ich schrie ihm die berühmten drei Worte hinterher: »Es ist aus.«

6. Kapitel

Erst zwei Wochen später verkündete er telefonisch: »Jetzt kommt mein letzter Versuch: Ich hab dir Rosen geschickt.« Ich war so verblüfft, ich weiß nicht mehr, was ich sagte. Er nuschelte devot: »Da stehen doch alle Frauen drauf.«

Marti schickt mir Rosen! Marti, der einst in der Kneipe zu einem Rosenverkäufer gesagt hatte: »Ich hab nicht vor, ihr heute einen Heiratsantrag zu machen, kommen Sie in zwanzig Jahren wieder.«

Ich verbrachte das Wochenende mit Warten auf die Rosen. Und mit Telefonieren. Jeder, die in meinem Telefonbuch stand, erzählte ich, Marti schickt mir Rosen, damit er zu mir zurückkehren darf. Jede sagte, dann meint ers ernst. Jede war neidisch. Mindestens heimlich.

Erst am Montag kamen die Rosen. Das heißt, da fand ich sie im Briefkasten, in einem Briefumschlag. Zwei Stück. Zwei geknickte Micker-Rosen.

Alle, die ich angerufen hatte, riefen an, warum ich mich nicht wieder gemeldet hätte, Marti hätte doch Rosen geschickt, oder doch nicht?

Ich sagte nur: »Ich hab sie sofort in den Müll geworfen. Damit kriegt er mich nicht rum!«

7. Kapitel

Der Unterschied zwischen Männern und Frauen besteht heute nicht mehr darin, dass ein Mann Erfahrungen braucht und eine Frau abwartet, bis er sie hat. Eigene Erfahrungen sind besser.

Bei den Briefkästen begegnete ich eines Samstags einem, der ein bisschen aussah wie Marti, aber älter, nicht so kindisch, er hatte seine dunklen Haare zum Pferdeschwanz gebunden. Obwohl er so cool aussah, war sein Gesicht irgendwie weise und traurig. Er sagte: »Du wohnst direkt über mir, bist du Studentin? Du stehst immer so spät auf.«

In diesem Haus mit vierundzwanzig Parteien, vier pro Etage, war er mir nie aufgefallen. »Ich bin der Gunter«, sagte er. Und weise und traurig: »Das tut mir sehr leid für dich, dass dein Freund dich verlassen hat.«

»Woher weißt du das?«

»Früher ging oft zweimal hintereinander die Klospülung. Und dein Bett schabte manchmal an der Wand. Nicht oft.«

Ich wurde rot. War es peinlicher, dass er uns gehört hatte, oder peinlicher, dass er uns nicht oft gehört hatte?

»Meine Freundin hat mich auch verlassen«, lächelte er traurig, »dies ist ein Haus der verlassenen Seelen.« Dann musste er joggen, er trainierte für den Marathonlauf. Einige Abende später hörte ich Musik in Gunters Wohnung. Ich beschloss runterzugehen, um einen wichtigen Punkt richtig zu stellen: Marti hatte mich nicht verlassen, ich hatte ihn rausgeschmissen.

Er begrüßte mich erfreut, aus seiner Wohnung roch es nach seltsamen Muffdüften, ich hörte das Plink und Ploink fernöstlicher Musik. »Möchtest du mit mir eine Tasse guten Tee genießen?«

Oh ja. Seine Wohnung war eine fremde Welt. Beige Bastmatten, beige Sitzkissen, Töpfe mit Bambusgras, an der Wand eine Papierrolle mit Schriftzeichen. Sein Teeservice dunkelrot mit goldenen Drachen. Voller Ruhe zündete er eine große Kerze an. Hätte Marti nie gemacht, dem fiel zu Kerze höchstens Zündkerze ein.

Gunter war in China und Japan gewesen, das hatte ihn tief beeindruckt, seitdem sei er total abgeklärt. Nachdem seine Freundin ihn verlassen hatte, war seine Devise: Tee trinken und abwarten. Und wenn der Asiate Tee trinkt, dann ist es wie Meditation.

Und die Musik war so melancholisch. Ich wurde noch melancholischer, als er erzählte, wie kurz nur mein Bett an der Wand schabte, und ihm sei rätselhaft, wie diese europäischen Männer mit ihrer Hektik eine Frau sexuell befriedigen könnten. Und er betrachtete mich mitleidig, als sei ich Inbegriff der sexuell frustrierten Europäerin. Und all das sagte er sehr bedächtig, mit einer gurrenden Stimme, mit vielen Pausen, als bedenke er jedes Wort, und drehte dabei bedächtig seine Zigaretten.

Ich war glücklich, dass er beeindruckt war, weil ich Geisteswissenschaften studierte, das sei im Grunde genommen auch seine Sphäre, obwohl ich mir der Gefahr bewusst sein müsste, dass ein Studium nur aufgesetztes Wissen bringt, die wahre Weisheit jedoch von innen kommt. Und als ich ihn fragte, was er sonst so macht, sagte er: »Ich verwalte Zeit.« Und er wurde sehr philosophisch und erklärte mir, dass Zeit einerseits begrenzt ist, aber andererseits endlos. Und das Einzige auf der Welt, was gerecht verteilt ist, das ist die Zeit, denn jeder Mensch hat jeden Tag gleich viel davon. Und Menschen, die nie Zeit haben, sind selbst daran schuld. Und er nimmt sich seine Zeit, wann immer er sie braucht. Und um mehr Zeit für sein Leben zu haben, hatte er sich ganz bewusst gegen ein Studium entschieden und war zur Bundespost gegangen. Er war im gehobenen Dienst, war Stellenvorsteher und zuständig für Arbeitseinteilung. Schon seit dem Tag, als er Beamter geworden war, ließ er seine Haare wachsen, um denen zu zeigen, dass er sich nicht ans System verkaufte. Und ihm war völlig egal, wie viel er verdiente, demnächst würde er wieder befördert werden und wieder mehr verdienen, das geschah in seiner Laufbahn ganz automatisch, dabei war ihm Geld nur lästig. Er war jetzt dreiunddreißig, und es konnte sein, dass er von einem Tag auf den anderen aufhörte und nach China ging. Deshalb sagte er: »Häng dein Herz nicht an mich.«

Mich überkam Herzklopfen, ich überlegte, ob ich mein Herz trotzdem an ihn hängen solle. Es war toll, wie Gunter über seine Gefühle sprach. Es gab noch andere Werte, als cool zu sein. Ziemlich spät kam ich in meine Wohnung zurück, erfüllt von Staunen: Ich kannte einen Guru!

Einen Sonntag später ergab es sich, dass er ums Haus joggte, und dann gingen wir spazieren, es war ein herrlicher Herbsttag. Gunter pflückte mir einen Löwenzahn und sagte, innerlich lehne er Rosen ab, die Dornen hätten ein schlechtes Karma, aber der Löwenzahn sei wie keine andere Blume Symbol der Liebe – dieses Erblühen und dieses Weggeblasenwerden. Da stand ich und versuchte glücklich zu lächeln, was mit einem Löwenzahn nicht einfach ist.

Als wir vom Spaziergang zurückkamen, tranken wir wieder Tee. Gunter sagte, seine Freundin sei schlechten Einflüssen erlegen und hätte an ihm viel gut zu machen, nur hätte sie diese Erkenntnis bisher verdrängt. Sie hieß Inga, er nannte sie Yinga, das passe viel besser zu ihr, denn Yinga hatte eine unheimliche Begabung für das Übersinnliche. Und die Bedächtigkeit seiner Sprache und der gurrende Ton waren so gurumäßig, dass ich mich fühlte wie in der Hütte eines chinesischen Weisen. Nur wenn er wie eine Meditationsformel immer sagte »so ischs na au wiader«, erinnerte ich mich, dass wir in Schwaben waren.

Um Mitternacht hatte ich genug Tee getrunken, ging hoch und ließ die Spülung im Klo nicht laufen, es wäre ein unsinnliches Geräusch gewesen.

So ging es einige Wochen. Gunter besuchte mich einmal in meiner Wohnung, aber die hatte schlechtes Karma, und er sagte: »Dein Bett steht falsch.« Klar, wenn es an der Wand schabt. Aber Gunter erklärte: »Der Mann soll bei der Vereinigung der Körper nach Osten gerichtet sein, denn im Osten geht die Sonne auf.«

Und ich hängte mein Herz an ihn, weil er so anders war als Marti. Aber nichts geschah.

Gunters Schlafzimmertür war immer geschlossen. Ich konnte nie heimlich reinsehen, denn direkt vor der Tür hingen wie eine Alarmanlage Klangröhren, deren Klingelklangel Dämonen vom Schlafzimmer fernhalten sollten, Und auch mich?

Allmählich wurde ich neidisch auf Inga oder Yinga, weil ich keine Begabung fürs Übersinnliche hatte. Offenbar nicht mal fürs Sinnliche.

Eines Abends sagte Gunter, Yinga hätte ihm vorgeworfen, in seiner derzeitigen Inkarnation dominierten die weiblichen Elemente, deshalb ergreife er nie die Initiative.

Ich überlegte: Wenn eine Frau die sexuelle Initiative ergreift, was ergreift sie dann bei einem Mann? Ich traute mich nicht. Aber beim nächsten Besuch fragte ich nach der dritten Tasse Tee: »Wann zeigst du mir dein Schlafzimmer?«

Er lächelte weise. »Bist du bereit?«

»Aber hallo«, sagte ich verblüfft, als ich endlich drin war. Die Decke war mit Spiegelkacheln beklebt. Über dem flachen beigen Bett hing an jeder Ecke und in der Mitte eine rotgoldene Papierfigur an langer Spirale, alle wippten lautlos auf und ab. Es waren die fünf chinesischen himmlischen Tiere: der Phönix, die Schildkröte, der Tiger, der Drache, in der Mitte die Schlange.

»Ich bin der Phönix, der ewig neu geboren wird«, sagte Gunter und nickte dazu wie der Phönix wippte. »Was bist du?«

Ich fühlte mich wie ein Versuchskaninchen und schwieg versuchskaninchenmäßig. Frisst der Phönix Kaninchen?

Er sagte: »Ich spüre es, dein Element ist das Wasser, mein Element ist das Holz, willst du mich umfließen?«

Ich wagte nicht zu fragen, wie das geht. Ich hatte gedacht, zuerst küsst er mich und so. Ich bekam Schuldgefühle, weil ich zu unerotisch wirkte: Modeexperten empfehlen für solche

Anlässe zärtliche Seide, verführerische Spitze oder die erotische Transparenz moderner Mischgewebe, aber keine labberigen Pullis mit Flusen. Eine innere Stimme sagte mir: »Ich habs ja gleich gesagt, das wird nichts.« Es war die Stimme meiner Mutter. Ich ergriff die Initiative und zog mich selbst aus, bis auf meinen Slip, setzte mich aufs Bett.

Er entzündete die roten Kerzen, die auf schwarzen Tellern auf dem Boden standen, links und rechts vom Bett. Dann zog er sich langsam aus, ganz. Er nahm sogar das Gummi von seinem Pferdeschwanz und breitete seine Haare aus. Meine Mutter sagt immer: »Lange Haare – kurzer Verstand, bei Männern trifft das eindeutig zu.« Denn sah man je einen Arzt oder Rechtsanwalt, überhaupt einen Akademiker mit Pferdeschwanz? Oder irgendeinen Erfolgreichen? Einen Unternehmer oder Politiker mit Pferdeschwanz? Nein, nein, nein. Männer mit langen Haaren sind Versager. Immerhin war Gunter Beamter im gehobenen Dienst. Natürlich wäre das meiner Mutter nicht gehoben genug.

Gunter verscheuchte die Lebensweisheiten meiner Mutter, er sagte: »Nun wollen wir Geist und Körper vereinigen.«

In Situationen, in denen ich nicht durchblicke, geht mir alles durch den Kopf, was ich je gehört und gelesen habe. Und jetzt fiel mir ein Satz ein, den ich einst in einem Roman gelesen hatte: »Seine Hände trieben mich zum Wahnsinn!« – nun kapierte ich, was das wirklich bedeutete: Gunter fummelte allüberall an mir rum, stocherte mit beiden Daumen gleichzeitig in meinen Achselhöhlen, in den Kniekehlen, in den Ohren, sogar zwischen den Zehen – als würde er in jedem Winkel meines Körpers Zigaretten drehen. Ich wusste nicht, was ich wo spüren sollte. War das die Beschwörung meines Geistes? Ich hoffte, er beginnt bald mit der Vereinigung der Körper, er ließ sich Zeit. Ich sagte: »Übrigens, ich nehm die Pille.«

»Ich habe es gespürt«, murmelte er weise, »die Schildkröte

ist das Fruchtbarkeitssymbol, sie hat sich von dir weggedreht.«

Ich war völlig fertig, bis er endlich in mich kam.

Ich hätte nicht gedacht, dass man so langsam bumsen kann. Ich sah ihn über mir in den Spiegelkacheln, seine Hinterseite aufgeteilt in Quadrate. Die fünf himmlischen Papptiere wippten an ihren Spiralfedern rauf und runter. Und Gunter rauf und runter. Und das Bett mönchsmäßig hart. Endlich hörte er auf zu dippen und zu wippen, er keuchte nicht mal, als er sagte: »Nach chinesischer Liebeslehre ist es nicht gut, wenn sich ein Mann zu schnell ergießt.«

Was bedeutete, er machte nur eine kurze Pause.

Zweite Etappe: Die Tiere wackelten nervtötend, und alle grinsten gemein. Trotz des Geklimpers der chinesischen Musik fiel mir ein Operettensong ein: Ja, bei der Post gehts nicht so schnell ... ja, bei der Post ... Endlich war Ende.

»Erst beim dritten Mal soll sich der Mann ergießen.« Und seine Hände trieben mich wieder zum Wahnsinn.

»Ich bin etwas müde«, sagte ich schlapp.

Als wüsste er es ganz genau, fragte er: »Bist du frigide?«

»Nein, nur dauert es so lange. Bei meinem früheren Freund ...«

»Europäer«, sagte er verachtungsvoll. »Wahrscheinlich hat er nie deine Säfte zum Fließen gebracht.«

»Ja.« Wenn Marti schuld war, wars mir Recht. Alles tat mir weh. Ich versuchte einen Themenwechsel: »Warum hast du die Spiegelkacheln überm Bett?«

»Die Energie, die ich an dich abgebe, wird durch die Spiegel reflektiert und kehrt zu mir zurück. Zusätzlich ist die Schlange über mir ein sehr starkes Potenzsymbol.«

Oh je. Und er fing wieder an. Nun bewegte er sich etwas schneller. Das war angenehmer. Ich versuchte eins zu werden mit dem wippendem Potenzsymbol. Der Phönixvogel drehte sich wippend zu mir und grinste arrogant, als wäre Vögeln so einfach.

Und dann ergoss er sich. Die chinesische Liebeslehre empfiehlt dazu anscheinend fünf kurze Stöhner.

»Ich kann nicht mehr«, stöhnte ich solidarisch.

Der Phönix, der Drache, die Schildkröte, der Tiger, die Schlange wippten weiter. »Vielleicht bist du eher der Morgentyp?«, fragte er mitleidig. »Sollen wir warten, bis die Sonne aufgeht?« Ich sagte, ich könnte nur in meinem eigenen Bett einschlafen, und schleppte mich davon. Ich hatte Schuldgefühle, weil ich so wenig Erfahrung hatte. Und Sex als Geduldspiel gefiel mir überhaupt nicht. Aber ich konnte froh sein, dass einer wie Gunter mich in die Geheimnisse der Erotik einweihte.

Zwei Tage später fand ich im Briefkasten ein flaches kleines Päckchen, etwas in roter Folie verpackt mit goldenen Schriftzeichen. Darin ein Keks und ein gedrucktes Zettelchen:

>>Fördernd ist Beharrlichkeit,
das Wasser kocht zur rechten Zeit.
Wenn das Feuer brennt.<<

Keine Ahnung, was das bedeutete. Gunter sagte, es sei ein chinesischer Glückskeks, er hatte nicht gewusst, was drin steht, er hatte ihn intuitiv ausgewählt. Die Interpretation sei eindeutig: Mein Element sei das Wasser, und Freitag wäre Vollmond, der ideale Termin, um das Wasser zum Kochen zu bringen.

Diesmal qualmten außer den Kerzen rings ums Bett Räucherstäbchen. »Sie brennen für dich, dir fehlt das Element Feuer.« Dann stellte er allerdings fest, dass es mir auch am eigenen Element mangelte, er kam nicht in mich rein, weil ich zu trocken war. »Tränke deine Jadepforte«, sprach er.

Ich starrte ihn an.

»Im Badezimmer.«

Ich ahnte, was er meinte, ging ins Bad und brauste mir Wasser in die Jadepforte. Es klappte tatsächlich. Wasser ist ein gutes Gleitmittel.

Eine Ewigkeit wippte er auf mir, ich überlegte, wie sein Ding auf chinesisch heißt – Fruchtbarkeitsstäbchen?

In der Pause zeigte er mir ein altchinesisches Pornobuch mit hübsch gemalten Bildern. Typisch altchinesisch ist es, wenn sie dabei ihre Beine auf seine Schultern legt. So kann er sein Fruchtbarkeitsstäbchen besonders tief in die Jadepforte stecken. Das Buch war ins Deutsche übersetzt, und ich las, dass in dieser Position auch ihre Jadeperle in der Goldenen Furche stimuliert wird, so nennen die Altchinesinnen ihre Klitoris.

Ich wollte weiterlesen, er wollte weitermachen.

Und Gunter murmelte dabei bedächtig vor sich hin, als würde er etwas zählen, und als ich fragte: »Was zählst du da?«, murmelte er: »Eintausend liebende Stöße.« Und irgendwann merkte ich, dass er es in einem exakten Rhythmus machte: neun flache Stöße, ein tiefer Stoß, neun flache, ein tiefer, neun flache, ein tiefer. Und als ich dachte, jetzt macht er eine Pause, wars nur ein anderer Rhythmus: fünf flache Stöße, ein tiefer Stoß, fünf flache, ein tiefer, fünf flache. Darauf ein Positionswechsel, nun von hinten, deshalb konnte ich dabei die Schriftzeichen hinterm Bett betrachten. »Was bedeuten die Schriftzeichen?«

Aha. Pause. Reden und dippen konnte er nicht gleichzeitig. So allmählich bekam ich ihn in Griff.

Es war ein japanisches Gedicht, ein Haiku. Ich ließ es mir gern ausführlich erklären. Ein Haiku ist ein dreizeiliges Gedicht ohne Reime. Die erste Zeile hat 5 Silben, die zweite 7, die dritte 5. In diesen 17 Silben muss alles untergebracht sein: der Wandel der Natur, die Gesetze des Wandels, das Reifen und Vergehen. Leider hatte Gunter die deutsche Übersetzung seines Haikus verloren, er wusste nur, wie es anfing: Der Weg ist das Ziel.

Nun setzte Gunter seinen Weg fort, diesmal mit dreimal flach und einmal tief, dreimal flach und einmal tief …, eine Ewigkeit, bis er fünfmal stöhnte, als wären es die letzten Silben eines Haikus, die das Vergehen beschreiben.

Tadel war in seiner Stimme: »Ich spüre Barrieren bei dir. Ich spüre, du bist zu verkörperlicht. Das sollte nicht sein bei einer Studentin der Geisteswissenschaften.«

Ich wurde sauer. »Ich studiere nicht auf Geisha, sondern Germanistik. Was hat deine Yinga studiert?«

»Sie musste nicht studieren. Ihr Talent für die Übertragung des Geistigen ist echt angeboren.«

»Was macht sie beruflich?«

»Spielt für sie genauso wenig eine Rolle wie für mich.« Ich wartete, bis er sich endlich erinnerte: »Im früheren Leben war sie kaiserliche Kurtisane.«

Trotzdem fragte ich: »Und im jetzigen?«

»Ich glaube Fernmeldetechnikerin.«

In diesem Moment fiel eine Kachel von der Decke. Sogar bei den Kacheln führte das endlose Gewippe zur Materialermüdung.

»Du strahlst falsche Gedanken aus«, sagte Gunter. »Du störst die Energie meines Raums.« Er betrachtete die billige Baumarkt-Spiegelkachel, als wäre sie unersetzbar wertvoll. Er betrachtete sorgfältig jede Kante. Erst als er sicher war, dass sie makellos war, sagte er: »Du brauchst eine andere Atemtechnik, sonst wird deine Zungenspitze nie kalt.«

»Warum soll die kalt werden?«

»Wird die Zungenspitze kalt, hatte die Frau einen Orgasmus.« Als er von hinten weitermachte, streckte ich ihm heimlich die Zunge raus. So wird sie auch kalt.

Ich las gerade in Brigitte einen hochinteressanten psychologischen Artikel über den Schatten, den die Vorgängerin auf eine neue Beziehung wirft, und wie man allmählich diesen Schatten verdrängt, einfühlsam natürlich, da rief meine Mutter an. Ihr war aufgefallen, dass ich schon lang nichts mehr von Marti erzählt hatte. Ob das was zu bedeuten hätte? Ich sagte ihr, was es bedeutete.

»Ach«, seufzte meine Mutter, »endlich. Ich habs ja immer gesagt, wegen Marti lohnt es sich nicht zu studieren. Ein Mann, der beim Essen rülpst.«

Ich hatte schon hundertmal gesagt, dass ich nicht wegen Marti studiere, sondern meinetwegen. Und Marti hatte nur einmal beim Essen gerülpst. Jedenfalls in Anwesenheit meiner Mutter, er war nur zweimal eingeladen. Und er hatte sich nicht ständig, sondern nur einmal mit der Gabel am Kopf gekratzt.

»Wenn du schon studierst, kannst du einen Mann aus besseren Kreisen kennen lernen.«

»Ich hab bereits was Besseres.«

»Was ist er von Beruf?«

»Philosoph.« War eigentlich nicht gelogen.

Meine Mutter ist nicht blöd. Sie weiß, dass es solche und solche Philosophen gibt, nämlich arme und reiche. Sie fragte: »Was ist sein Vater von Beruf?« Natürlich, man muss Geld nicht selbst verdienen, man kanns auch erben.

»Pass auf, für Gunter spielen Geld und Karriere überhaupt keine Rolle. Er will ein einfaches, schlichtes Leben. Er zieht wahrscheinlich demnächst zu meditativen Studien nach China.«

»Übrigens«, sagte meine Mutter, »Julia hat jetzt einen Sohn.«

»Wie schön.«

8. Kapitel

Und dann meldete sich Marti wieder. Mindestens drei Monate hatte ich nichts von ihm gehört. Er rief an, er hätte eine große Überraschung für mich.

»Bringst du wieder Rosen?« Und die Wut stieg wieder in mir hoch.

Er schwor, er würde mich nicht verarschen.

Er rauschte an mit seinem Sportwagen, der endlich TÜV hatte, stieg dynamisch aus, als wäre er der Prinz, der mich endlich zur Prinzessin macht. Der schwarze Austin blitzte eindrucksvoll im Sonnenschein.

»Wer hat den geputzt?«

»Selbstverständlich ich.« Er zeigte mir die Schönheit der Felgen mit seinen schwarzgeränderten Fingernägeln. Wahrscheinlich gefielen ihm die schwarzen Ränder, weil sie zur Farbe des Wagens passten. Er ist der Typ Mann, der eher sein Auto wäscht als sich selbst, um eine Frau zu beeindrucken.

Ich sagte, Äußerlichkeiten wie Sportwagen interessieren mich nicht, für mich zählt geistige Größe. Und da sein Horizont nicht größer ist als ein Autoreifen, ist das nichts für mich als Geisteswissenschaftlerin. Und deutete an, dass ich vielleicht demnächst nach China gehe, zu meditativen Studien.

Er cool: »Es gibt noch mehr Frauen auf der Welt.«

»Ja«, sagte ich, »schönen Gruß an deine Mutter.«

Und dann wieder ein Glückskeks im Briefkasten, die Folie war aufgeschnitten, mit einer Büroklammer wieder zugeklammert, auf dem Zettel stand:

»Du blickst mir nach mit herabhängenden Mundwinkeln.
Pflege der Kuh bringt Heil.«

Es stellte sich heraus, dies war eine Einladung in ein China-Restaurant, Gunter hatte mehrere Glückskekse öffnen müssen, bis er den dazu passenden Spruch fand.

Ein Studentenlokal, wärs nicht chinesisch gewesen, hätte man es gammlig genannt. Gunter empfahl alles mögliche Glibberige, ich wollte lieber kross Gebackenes. Nachdem er mir die Wichtigkeit einer ausgewogenen Ernährung dargelegt hatte, nahm ich glibberige Austernpilze. Aber als ich sie auf der Gabel wippen sah, schob ich sie Gunter rüber.

Er trank auch zum Essen Tee, ich hätte lieber Wein gehabt, aber wenn der Herr Tee wählt, darf die Dame keinen teuren

Wein trinken, als Tochter einer Restaurant-Besitzerin hält man sich an diese Gesetze.

Ich erzählte von meinen Schwierigkeiten, Studieninhalte zu finden, die wirklich einen Sinn machen, Gunter sagte, beim Essen soll man nicht über schwierige Themen reden, das stört die Verdauung. Also redeten wir über seine früheren Inkarnationen. Gunter war kaiserliches Reitpferd gewesen, genau damals, als Yinga kaiserliche Kurtisane war, daher ihre Seelenverwandtschaft! Und als er schließlich sagte: »Geistes-erfahrungen sind viel bedeutender als Geisteswissenschaften«, war ich überzeugt, dass mir Gunter den wahren Sinn des Lebens zeigte. Mit ihm würde auch mein Leben bedeutsam werden.

Als er gezahlt hatte, fragte mich der Kellner, ob ich noch was wünsche, ich wünschte nichts mehr, worauf mir der Kellner eine Rechnung hinlegte. »Ich dachte …«, fing ich an.

»Er sagte, getrennt«, erklärte der Kellner.

Gunter lächelte weise: »Ich hatte die Gedanken an alles Mate-rielle ausgeschaltet. Lad ich dich ein andermal ein.«

Der Kellner wartete ungeduldig, ich zahlte eilig. Ich hatte Schuldgefühle, dass ich geglaubt hatte, wenn mich Gunter zum Essen einlädt, zahlt er auch. Ihm war jeder Gedanke an Geld wesensfremd.

Er hatte die Kachel mit doppelseitigem Klebeband wieder an-geklebt. Das Geflacker der roten Kerzen war rasend hektisch, verglichen mit Gunters Rauf und Runter.

Um mich zu konzentrieren, versuchte ich ein Haiku zu dich-ten:

Gunter so munter	(5 Silben)
Beim Wippewipp. Nun runter!	(7 Silben)
Oh, Gunter, gib Ruh.	(5 Silben)

Ein sehr gutes Haiku, fand ich, enthielt alles – Werden, Reifen, Vergehen und die Regungen des Herzens. Leider stellte ich fest, dass ein Gedicht keine Zauberformel ist. Schließlich schob ich Gunter von mir runter, zu heftig, drückte meinen Fuß gegen seine Hüfte – und kippte die Kerze neben mir um. Es war eine große Kerze, sie hatte lang gebrannt, entsprechend massenhaft kippte rotes Kerzenwachs auf den Bastmattenteppich.

Sofort war er neben mir. »Bist du verrückt!«

Ich war auch entsetzt, doch zum Glück war die Kerze sofort ausgegangen, nichts brannte.

»Das Wachs geht nie wieder raus!« Er wischte mit der Hand im Wachs rum, was den Fleck vergrößerte.

Fleckentfernung ist ein Dauerthema der Frauenzeitschriften. Ich rief: »Man muss das Wachs trocknen lassen, und dann abpopeln und dann rausbügeln und dann mit Benzin …«

Gunter schrie: »Hast du eine Haftpflichtversicherung?«

Nein. Und als hätte sich alles gegen mich verschworen, stieß ich gegen den Papiertiger und er fiel von der Decke und knickte den Schwanz ab. Ich floh.

Ich wartete, dass er sich wieder meldete. Einige Nächte meditierte ich direkt über seinem Bett. Einmal steckte ich wütend alle meine Stecknadeln in eine Banane, aber da ich leider keine übersinnlichen Kräfte besitze, hörte ich keinen Ton von unten.

Nach einer Woche fand ich im Briefkasten einen aufgeschnittenen Glückskeks, auf dem gedruckten Zettel stand:

> »Das Vergangene ist vorbei.
>
> Das Kleine geht hin, das Große kommt herbei.«

Mittlerweile konnte ich die Botschaften interpretieren: Der Fleck war weg und Gunter tat es Leid, dass er deswegen ausgerastet war. Männer können mit so was nicht gut umgehen. Ich verzieh ihm.

Als ich abends bei ihm klingelte, lächelte er. Und er drehte sich eine Zigarette und sagte, ich sollte mich entspannen, und dann verkündete er: »Nächste Woche ziehe ich weg.«

»Nach China?«

Nicht direkt. Sein Vorgesetzter hatte Gunters fällige Beförderung mit einem Ortswechsel kombiniert. Er sollte in ein Kuhdorf 150 Kilometer entfernt. Dort gab es noch mehr Zeit zu verwalten als hier. Eigentlich gefiel ihm das nicht, und er könnte ablehnen, aber dann würde es mit der nächsten Beförderung dauern und der organische Fluss seiner Karriere wäre gestört. Und die Post würde selbstverständlich den Umzug bezahlen, und er könnte den Teppich, den ich unrettbar ruiniert hatte, als Umzugsschaden angeben.

Mir fiel nichts besseres ein als: »Du wolltest mich zum Essen einladen.«

Er nickte, ging in die Küche, brachte drei Glückskekse, alle aufgeschnitten: »Die hab ich übrig. Die sind für dich.«

»Du meinst, die Kekse sind essbar?«

Er nickte und lächelte.

Und hinterher dachte ich, eigentlich hab ich mit ihm Schluss gemacht, denn als er sagte, ich könnte ihn ja besuchen, dachte ich nur, was er mich mal könnte, und warf die Glückskekse auf den Teppich und zertrat sie.

Und ich warf ihm noch ein Haiku in den Briefkasten:

> Hinweg ins Kuhdorf,
> Gunter. Rutsch mir den Buckel
> runter. Sparschwein, du.

Ende.

Einige Wochen später rief Marti an, ich soll jetzt aus dem Fenster sehen, ich könnte gleich was ganz Tolles sehen. Ich sagte, ich wolle ihn nur unter der Bedingung wiedersehen, dass er sich ändert.

Minuten später fuhr er mit seiner Karre vor, hupte, bis ich ans Fenster ging. Er stieg aus, öffnete das Verdeck und auf dem Beifahrersitz saß eine Blondine. Ich konnte nicht erkennen, wers war. Er winkte hoch, mit einem Finger. Ich zeigte ihm auch einen Finger. Dann röhrte er ab. Cool bis ans Ende.

Ich schrieb auch Marti eine Postkarte: »War das auf dem Beifahrersitz deine Mutter mit einer Faschingsperücke?«

Die erste Liebe muss keinesfalls die große Liebe sein, sagen die FrauenratgeberInnen. Und die zweite Liebe ist oft nur eine Übergangsphase, um die erste zu vergessen.
Anfügen kann ich: Wenn der Erste ein oberflächlicher Witzbold war, glaubt man zu schnell, der Zweite wäre ein tiefsinniger Weiser.
Hätte ich geahnt, wie viele viel interessantere Männer ich noch kennen lernen würde, hätte ich diese Kapitel viel früher beendet. Alles war aus.

9. Kapitel

Ich hatte genug von Männern. Außerdem war es total in, Single zu sein. Nur stellte ich dann fest, dass es total out war, allein zu sein. Ich versuchte mein Glück bei den Frauen. Das war schwieriger als erwartet, denn wenn ich mal eine nette Frau kennen lernte, kannte die garantiert einen netten Mann, mit dem sie sich eindeutig lieber unterhielt als mit mir.
Dann lernte ich in einem Kunstgeschichte-Seminar Katharina kennen. Auch sie war derzeit Single und auch sie war es gern. Und wie ich hatte sie aufgehört, die Pille zu nehmen, so sehr fühlten wir uns als Singles. Spontan beschlossen wir, gemeinsam durch die Kneipen zu ziehen.
»Du siehst lesbisch aus«, sagte Katharina vorwurfsvoll, als wir den ganzen Abend in einer knackvollen Kneipe zwischen Dutzenden von Typen standen, die uns ignorierten. Und sie sagte, ich mit meinem Brillen-Look und den unschicken Jeans und dem unschicken Pulli wirke so unweiblich, dass die Männer denken müssten, wir wären ein Lesbenpaar, ich der Macker, sie die Tusse.

Katharina hatte sich für die Kneipe aufgerüscht, mit necki-
schem Röckchen und einem breiten Band im Haar, wodurch
ihre roten Locken in die Höhe standen. Sah toll aus, nur so
was Flippiges passte überhaupt nicht zu mir.
Katharina aber wollte mich unbedingt auf den rechten Weg
bringen, bei sich zu Hause färbte sie meine Haare rot wie ihre,
schnippelte irre Zacken rein und gab dann zu, dass ich nicht
der Typ dafür war. Eine Woche später hielt ich es mit den roten
Stoppelfransen nicht mehr aus, Katharina färbte meine Haare
kackbraun und hatte nie wieder Zeit, mit mir wegzugehen.
Ich hatte versagt als Begleitfrau zum Männeraufreißen.

Allgemein wird empfohlen, in einen Verein einzutreten, um
nette Leute kennen zu lernen. Nur hatte ich keine Interessen,
die zu einem Verein passten. Schließlich entdeckte ich den
Aushang einer StudentInnengruppe, die nannte sich »Alternativ leben, alternativ studieren«.
An einem Freitagabend ging ich hin. In einem kleinen dunklen
Seminarraum saßen acht Frauen im Kreis im Schneidersitz
und starrten zum Boden. Da lag ein kreisrundes schwarzes
Papier mit weißen Buchstaben, Kerzen standen drumrum.
Eine hielt ein Pendel über den Kreis, plötzlich war in der Luft
ein Summen, sie sagte leise: »Eindeutig ein L. Vielleicht sogar
zwei L.«
Die neben ihr schüttelte den Kopf: »Ein Name mit T und A
und L, wer soll das sein? Ich wette, es ist Agnes.«
Ich wusste einen Namen mit diesen Buchstaben, wagte aber
nichts zu sagen.
Die Pendlerin pendelte wieder, wieder das Summen: »Und
ein X.«
»Oder Pandora?«, sagte die Kopfschüttelnde.
»Der hat er am Abend, ehe er abhaute, das Rad repariert. Da
dacht ich noch, da läuft doch was.«
»Das X kann auch für einen anderen Buchstaben stehen«,

sagte die Pendlerin, sie hatte lange blonde Haare. »Aber auf jeden Fall ein T.«

Mir war mittlerweile eingefallen, dass auch Elisabeth, Waltraud, Lätitia ein T, ein A und ein L enthalten.

»Schreibt man Pandora nicht mit T? Die ist schon ewig scharf auf ihn. Trotzdem sagt mir mein Bauch, er ist mit Agnes abgehauen.«

Tragische Stille.

»Hallo«, sagte ich hektisch munter, »ich wollte mal vorbeikommen, ich interessier mich für alternative Lebensplanung.«

Die Pendlerin sah mich unerfreut an: »Was bist du für ein Sternzeichen?«

Natürlich weiß ich mein Sternzeichen, aber ich sagte wie immer zuerst meinen Geburtstag, es ist der 24. September, genau neun Monate nach Weihnachten, ich bin die Bescherung, die den Weihnachtsfreuden meiner Eltern folgte. Wenn man von meinem Geburtsdatum Rückschlüsse auf meinen Charakter ziehen kann, dann zuerst den, dass ich pünktlich bin. Stimmt auch, meistens.

Eine mit schwarzen, hexenmäßigen Haaren sagte: »Mit Waagen kann ich gar nicht, die sind immer so abwägend.«

Eine andere: »Waagen hab ich total satt.« Konnte man verstehen, sie war furchtbar dick.

Die, die glaubte, Agnes sei mit ihrem Macker davon: »Ich kann dir Geschichten von Waagen erzählen. Die tun nur so.«

Die Hexenhaarige zischte: »Hört endlich auf damit.« Sie raufte sich die Haare, riss sich eins aus, überreichte es der Pendlerin: »Wir wollten heute endlich pendeln, wo ich den Vater meines Kindes kennen lerne.«

Die Pendlerin knüpfte routiniert das Haar ans Pendel, nachdem sie ein anderes Haar abgerissen hatte. Das Summen begann wieder, sogar ich summte mit. Das Pendel schwebte im Kreis, pendelte sich ganz eindeutig aus über B. Dann über N. »BN! In Bonn?«, flüsterte eine.

Ein A. Gebannt summten wir. Ein K.

»Eindeutig«, sagte die Pendlerin leise, »B N A K gibt BANK.«

»Ich lerne ihn kennen auf einer BANK? Meinst du Bank wie Sparkasse?«

»Ich meine gar nichts, das Pendel sagt es«, sagte die Pendlerin säuerlich.

»Oder eine Parkbank?«

»Das musst du selbst wissen«, sagte die Pendlerin, »möglich wäre auch Spielbank.«

Eine, die bisher nichts gesagt hatte: »Oder Sandbank.«

Ich traute mich endlich auch was zu sagen: »Oder Spermabank.«

Die Hexenhaarige sah mich an, als könnte sie mich in einen Lebkuchen verzaubern und dann fressen. »Künstliche Methoden kommen für uns nicht in Frage.«

Die Dicke sagte: »Ich finds echt Scheiße, dass hier immer nur Frauen antanzen. Nur Frauen, das schreckt jeden Mann ab.«

»Ich geh ja schon«, sagte ich. Keine widersprach.

Auch für diese alternativen Frauen war der Sinn des Lebens die Männersuche. Nur die Mittel waren anders. Vielleicht gibt es doch nur zwei Sorten von Frauen: Frauen, die einen Mann suchen, und Frauen, die einen gefunden haben.

10. Kapitel

Über ein Jahr war ich schon Single, als mich vor der Mensa ein unglaublich toller Typ anlächelte. Zuerst glaubte ich nicht, dass er mich meint, und sah mich um. Doch, er kam direkt auf mich zu.

»Entschuldigung, dass ich dich anspreche.«

Ich lächelte hypnotisiert.

»Ich möchte dich näher kennen lernen. Ich schreibe gerade meine Diplomarbeit. Ich studiere Psychologie.«

Ich konnte nur nicken, als er mir seinen Studentenausweis zeigte, auf dem Foto sah er sogar noch besser aus. Und er hieß Patrick. Und er wollte die Lebensziele und Lebensstrukturen von StudentInnen transparent machen.

»Interessiert mich total.« Ich folgte ihm begeistert in die Cafeteria.

Er setzte sich mir gegenüber, trug in einen Fragebogen mein Geschlecht ein, mein Alter, meine Studienfächer. Ich sagte ihm, wie ich heiße. Leider brauchte er meinen Namen nicht, die Befragung sei total anonym. Aber er lächelte mich an.

»Soll ich dir die Fragen vorlesen?«

Verlockend, von diesem Mann vorgelesen zu bekommen, andererseits könnte er glauben, ich könnte nicht lesen. Bei Männern weiß man nie, was sie denken. Also las ich selbst: »Wissenschaftliche Lifestyle-Studie zur empirischen Exploration existenzieller Trends bei StudentInnen.« Ich sah ihn an, als hätte ich das kapiert.

Er lächelte, schlug die nächste Seite auf: »Hier gehts los.«

1. Wie häufig hast du Sex? Bitte kreuze deine Häufigkeit an:
mehrmals täglich
täglich
mehrmals pro Woche
zweimal pro Woche
einmal pro Woche
mehrmals pro Monat
...

Meine Häufigkeit war unten, ganz unten, nur einen Schritt entfernt von »noch nie«.

Patrick lächelte. Wie dieser Typ aussah, hatte er mehrmals täglich. Ich fühlte mich endlos sexlos. Mit einem letzten Rest von Ehrlichkeit verzichtete ich auf »mehrmals täglich«, nahm nur »täglich«. – Außerdem war ja nicht gefragt worden, wie man Sex hatte. Sex allein ist auch Sex, oder?

2. Wie viele Sexpartner hattest du bisher?

Natürlich tat ich, als müsste ich nachdenken. Lange nach-denken. Ich dachte an Marti und schrieb die 1 hin, dahinter für den von der Post die 2. Machte 12. Ich log nur der Wissen-schaft zuliebe. Ich wollte eine gute Testperson sein.

3. Wie viele Sexpartner hast du zurzeit?

Männliche und weibliche Sexpartner getrennt eintragen. Ich hatte gerade gelesen, dass manche Frauen lügen, sie wären lesbisch, um bei Männern den Missionarstrieb zu wecken, denn dann wollen viele Männer beweisen, mit ihnen wärst du nie wieder lesbisch. Andererseits sei die Lüge riskant, denn noch mehr Männer denken, Frauen werden nur lesbisch, weil kein Mann sie will. Vorsichtshalber schrieb ich nur bei »der-zeitige männliche Sexpartner« eine 2 hin.

4. Deine bevorzugten Sexualpraktiken:

… ich starrte auf den Fragebogen.

Patrick lächelte: »Du kannst, je nach deiner sexuellen Band-breite, beliebig viele Möglichkeiten ankreuzen. Mach dich locker, machs ganz spontan.«

Ich beschloss, spontan jede zweite Möglichkeit anzukreuzen. Das ergab ein Nein bei »Fellatio ohne Spermagenuss«, dafür Ja bei »Fellatio mit Spermagenuss«. Ich merkte, dass er mich beobachtete, sah ihn an, er lächelte toll: »Du weißt, was gut ist.« Es ergab sich auch ein Ja bei »Cunnilingus«. Ich hatte es schon angekreuzt, als mir einfiel, dass sich das nur auf Frauen bezieht, und wenn ich als Frau das ankreuze, bin ich folglich bi. Na prima: Bi ist das Beste überhaupt, weil man für alle offen ist. Aber dann blickte ich nicht mehr durch und wagte zu fragen: »Was ist Spanisch?«

Patrick lächelte toll: »Wenn er dir zwischen den Brüsten kommt.«

»Ach so.« Wie viel Busen braucht man dafür? Nein, so viel Busen hab ich nicht.

»Griechisch ist Analsex«, erklärte er ungefragt.

Ich nickte, als hätte er was vom kleinen Einmaleins erzählt.
Irgendwo kam die Frage:

Hast du Sex mit Haustieren oder sonstigen Tieren?
Nicht mal mit jedem zweiten. Weder mit Hamster noch
Hund, schon gar nicht mit Schlangen oder Eidechsen.

Wie oft onanierst du?
Ich kreuzte an: Einmal pro Jahr.
– Täglich Sex und täglich onanieren erschien mir zu viel. Mit
dieser Lüge hatte ich die Lüge vom Anfang perfekt ausge-
glichen.

Welche Hilfsmittel benutzt du beim Onanieren?
Bitte beachten: Die alphabetische Reihenfolge beinhaltet
keine Wertung. Mehrere Antworten sind möglich.
Alles wurde angeboten: Obst und Gemüse von Aubergine,
Banane bis Zucchini; allerlei Haushaltsgeräte: Kartoffel-
stampfer, Kochlöffel, Nudelholz, auch Wäscheklammern;
Bürsten jeder Art: Haarbürsten, Spülbürsten, Zahnbürsten;
das letzte war: Zeitschriften.
Was man mit einer elektrischen Zahnbürste machen kann,
weiß jedes kleine Mädchen. Aber mit einer Zeitschrift? Steckt
man die rein, oder steckt man was rein, oder liest man sie? Ich
kreuzte nur »Hände, eigene« an. Für einmal im Jahr genügt das.
Plötzlich die Frage:

Dein Konsumverhalten beim Sex?
Alphabetisch geordnet alles Trinkbare von Aperitif, Bier,
Champagner bis Wasser und Weißwein. Dahinter alles Essbare
von Chips bis Wurstwaren. So viel, ich nahm nur jedes vierte.
Endlich die allerletzte Frage:

Wie hoch ist dein Haushalts-Netto-Einkommen?
»Was ist denn das?«
Patrick erklärte, ein Freund von ihm arbeite in der Werbung,
und der hätte ihm gesagt, die Frage sei die Wichtigste überhaupt, denn je weniger Geld die Leute haben, desto weniger
können sie sich leisten.

»Weniger Sex?« Reichte mein Haushalts-Netto-Einkommen für so viel Sex?

Patrick erklärte: »Sozial schwache Studentinnen können sich keine teuren Dildos leisten. Manche sind so arm, dass sie mit Gurken onanieren müssen, obwohl viele dagegen allergisch sind.«

»Gurken?« Ich war echt entsetzt. »Die sind doch viel zu klein.«

Plötzlich war in Patricks Blick Bewunderung. Er sah auf die Tischplatte, als er sagte: »Es gibt auch Frauen, die mit einer durchschnittlichen Gemüsegurke zufrieden zu stellen sind.«

»Gemüsegurke?«, sagte ich noch entsetzter. »Ich dachte, du meinst Essiggürkchen. Ich kauf nur, aber nur zum Essen …«, ich verstummte. Aus seiner Bewunderung war genau so plötzlich Verachtung geworden. Als hätte er sich denken können, dass die Männer, die ich kannte, nur Essiggürkchen hatten, wo andere bestückt waren mit Gemüsegurken.

Ich kreuzte das zweithöchste Haushalts-Netto-Einkommen an, passte wahrscheinlich am besten zur zweithöchsten Sexhäufigkeit.

Kaum war ich fertig, stand er auf. Nach seinem Diplom wollte er einen Aushang machen, an den Anschlagbrettern am Eingang der Mensa, da könnte ich die Ergebnisse lesen. Er ging hinaus.

Ich froh quatschend hinterher. Abgesehen von dem kleinen Irrtum mit der Gurke, hatte ich den Fragebogen so gut beantwortet, dass ich durchaus eine interessante Frau für ihn sein musste. Und ich sagte: »Sex ist das Wichtigste überhaupt, aber für mich als Frau gehören Sex und Liebe natürlich untrennbar zusammen.« – Wenn Frauen im Fernsehen und in Illustrierten über Sex reden, sagen sie das immer dazu.

Da quatschte er die Nächste an, ob er sie näher kennen lernen dürfte … eine unscheinbare Dicke, die ihm garantiert nichts zu bieten hatte.

Nach vielen Wochen entdeckte ich endlich den Aushang. Diplom-Psychologe Patrick dankte allen StudentInnen, die an seiner Befragung mitgewirkt hatten. Die Ergebnisse seien so sensationell, dass er die Studie sogar an eine Werbeagentur verkaufen konnte, die wollte sie einsetzen für eine realistischere Darstellung der StudentInnen in der Werbung.

Die wichtigsten Ergebnisse: Über 90 % aller StudentInnen hatten »mehrmals täglich« Sex. Die Studentinnen mit durchschnittlich 3 Sexpartnern, die Studenten sogar mit 5 Sexpartnern. Fast alle waren bisexuell orientiert. Insgesamt hatte die Durchschnittsstudentin 24 Sexpartner und 3 Partnerinnen gehabt, der Durchschnittsstudent sogar 35 Sexpartnerinnen und 15 Sexpartner.

Mir schwindelte. Leider musste ich auch feststellen, dass jede Durchschnittsstudentin sexuell mehr im Programm hatte als ich. Griechisch und französisch machten es alle, fast alle auch spanisch und sogar italienisch – und ich wusste nicht mal, wie das geht.

11. Kapitel

Die Bedeutung von Sex im Leben der StudentInnen hatte ich eindeutig unterschätzt. Ich musste meine sexuellen Defizite aufarbeiten.

Hannes lernte ich kennen bei einem Gruppenreferat in Germanistik. Er war der einzige Mann in der Gruppe, was natürlich auch viel erklärt.

Wir sollten die Tiefensymbolik von Märchen analysieren, unsere Arbeitsgruppe das Märchen Rumpelstilzchen von den Gebrüdern Grimm. Weil ich die uni-nächste Wohnung hatte, traf sich die Arbeitsgruppe bei mir.

Wenn man sich für eine Arbeitsgruppe meldet, staunt man, dass Leute, die aussehen, als hätten sie ganz andere Interessen, sich für die gleiche Gruppe melden. Dann staunt man, dass die Leute, die beim ersten Treffen alles wussten, alles machen wollten, zum nächsten Termin nicht mehr auftauchen. Beim ersten Treffen waren wir zehn, beim dritten nur noch vier.

Es waren: Petra – als sie sich im Seminar für die Referatgruppe Rumpelstilzchen meldete, hatte ich mich sofort auch dafür gemeldet, sie wusste so viel. Petra erklärte in der Gruppe, sie hätte sich für Rumpelstilzchen gemeldet, weil es eine Vielfalt psychologischer Interpretationen biete.

Ich sagte, ich hätte mich ganz spontan entschieden, das war immer das beliebteste Argument, macht immer einen guten Eindruck, wenn man nicht nachdenkt.

Sabine fand Rumpelstilzchen wichtig, weil es dabei um das Thema Kinderwunsch geht, und sie war letztes Jahr schwanger gewesen, hatte das Kind im zweiten Monat verloren, war dann depressiv geworden, weil sie nicht wusste, wann sie wieder schwanger wird, worauf sie ihr Freund verlassen hatte und sie noch depressiver wurde, weil sie nun auch nicht wusste, von wem sie wieder schwanger werden sollte. Eine unheimlich traurige Geschichte. Erst beim dritten Treffen heulte sie nicht mehr, sagte, sie wäre jetzt bereit, sich dem Thema Rumpel-stilzchen zu stellen.

Ab diesem dritten Treffen war Hannes dabei, er hatte vorher keine Zeit gehabt, er musste ständig jobben. Er konnte seine Stirn in Falten legen wie Wellblech, was sehr intellektuell wirkte. Und er trug einen Ohrring, denn er studierte auf dem zweiten Bildungsweg, und es war wie ein Gesetz: Männer, die auf dem zweiten Bildungsweg studieren, tragen einen Ohr-ring. Hannes brauchte dringend Scheine, sonst bekam er kein Geld mehr übers Bundesausbildungsförderungsgesetz, dann wäre Schluss mit Bafög. Er wusste nicht mehr, was er schon alles studiert hatte, er wusste nur warum: Bafög. Er erklärte uns, nun hätte er sich für ein Frauenstudium entschieden, das könnte er nebenher runterreißen.

Wir fanden das diskriminierend.

Hannes sagte, er würde hier diskriminiert. Unsere Professorin, die er »Frau von Quote« nannte, sei bekanntlich nur durch die Frauenquote zu ihrem Job gekommen.

Petra sagte, Geschlechtsquoten für Professoren gebe es seit Gründung der Universitäten, nur war früher die Männerquote 100 Prozent. Und schlug eine Männerquote vor bei Putzfrauen. Ich schlug eine Männerquote bei Kosmetikverkäuferinnen vor, damit man als normal aussehende Frau nicht immer Minderwertigkeitskomplexe bekommt. Mit dieser Diskussion verging der Nachmittag. Beim nächsten Treffen hatte Hannes Rumpelstilzchen immer noch nicht gelesen. Damit wir endlich anfangen konnten, rekapitulierte Petra das Märchen:

Ein angeberischer Müller will seine Tochter reich verheiraten, prahlt deshalb vor dem König, seine Tochter könnte Gold machen aus Stroh. Der König sagt: Dann nehm ich deine Tochter. Und nimmt sie mit in sein Schloss, sperrt sie in eine Kammer voller Stroh, das soll sie über Nacht zu Gold zu machen, falls nicht, wird sie morgens geköpft.

Natürlich kann das Mädchen das nicht, sie heult, da kommt aus einer Ritze ein gräulicher schrumpeliger Wicht. Er kann angeblich Stroh zu Gold machen, nur nicht umsonst. Sie gibt ihm ihre goldene Halskette. Am Morgen ist alles Stroh zu Gold gemacht, der König hocherfreut. Aber am Abend sperrt er sie mit noch mehr Stroh wieder ein. Dasselbe noch mal: Wicht kommt aus der Ritze, diesmal gibt sie ihm ihren Ring fürs Goldmachen. Das Gleiche in der dritten Nacht. Jetzt hat sie nichts mehr, um ihn zu bezahlen. Da verlangt der Wicht das erste Kind, das sie gebären wird. Sie hat keine andere Wahl, sie verspricht es.

Der König hat endlich genug Gold, heiratet die Müllerstochter, nun ist sie Königin. Sofort bekommt sie ein Kind. Da taucht nachts aus der Ritze der Wicht auf und will das Kind holen. Die Königin will ihr Baby nicht hergeben, sagt zu dem

Wicht: Ich weiß nicht mal, wie du heißt. Er sagt: Und das ist gut so. Falls du meinen Namen rausfindest, kannst du das Kind behalten.

Wie im Märchen üblich, hat sie wieder drei Nächte Zeit. Die Königin lässt überall rumfragen, wie so ein Wicht heißen könnte. Als er in der ersten Nacht aus der Ritze kommt und sie alle Namen nennt, die man ihr vorgeschlagen hat, sind alle falsch. Das gleiche in der zweiten Nacht. Am Tag vor der letzten Nacht gerät einer der Namensucher der Königin in den finstersten Wald, da hüpft dieser Wicht rum und singt den berühmten Spruch: »Oh, wie gut, dass niemand weiß, dass ich Rumpelstilzchen heiß.«

Als der Wicht in der dritten Nacht aus der Ritze kommt und die Königin sagt: »Ich weiß es, dein Name ist Rumpelstilzchen!«, zerplatzt der Wicht vor Wut. Peng! Ende des Märchens.

Als Kind denkt man sich nichts bei solchen Märchen, nichts, was mit Sex zu tun hätte. GermanistikstudentInnen wissen, dass alles viel mehr mit Sex zu tun hat, als Leute, die nicht Germanistik studieren, ahnen können. Es war uns sofort klar, der Wicht ist selbstverständlich ein Penis.

»Was kommt sonst aus einer Ritze, wie aus einem Unterhosenschlitze«, sagte ich, »und vorzugsweise nachts, gräulich und schrumpelig? Rumpelstilzchen ist ein Spitzname.« Das offenbarte neue Zusammenhänge: In Schwaben heißt der Penis umgangssprachlich Spitz. Eine schwäbische Nudelspezialität, Nudeln so lang und dick wie ein kleiner Finger oder eben wie der Penis eines Buben, heißen Bubespitzle – nur Fremde sagen dazu Schupfnudeln. Und von Spitz kommt der Ausdruck Spitzname, ursprünglich der Name, den Männer ihrem Pimmel geben.

»Der Name Rumpelstilzchen ist eindeutig«, sagte Petra, »ein kleiner Stiel, der rumpelt. Dass er am Schluss platzt, symbolisiert einen Orgasmus.«

Ebenso klar, wie die Müllerstochter Stroh zu Gold machen soll: Früher schliefen arme Leute auf Stroh, also war Stroh gleichbedeutend mit Bett – die Müllerstochter soll sich hochschlafen.

Hannes sagte: »Der König heiratet die Nutte, weil sie so gut im Stroh ist.«

Petra widersprach: »Der König heiratet sie, weil sie viel Geld in die Ehe bringt.«

»Er heiratet sie, weil sie schwanger ist«, sagte Sabine.

Hannes hatte eine neue Theorie: »Dieses Mädchen bezahlt Rumpelstilzchen dafür, dass er sie fickt. Er ist ihr Sextrainer, dem verdankt sie alles. Ich hab mit 83 Frauen gefickt. Die meisten sind so mies im Bett, die können keinen Mann halten, nicht mal für drei Nächte. Darum gehts hier. Besonders mies im Bett seid ihr kopfgesteuerten Germanistinnen.«

Ich sagte: »Nach meinen Erfahrungen sind die vom gehobenen Dienst bei der Post die schlechtesten.«

Petra sagte eisig zu Hannes: »Du verwechselst Frauenstudium mit Studentinnenstudium. Wir wollen jetzt diskutieren, warum Rumpelstilzchen aus seinem Namen ein Geheimnis macht.«

Sabine sagte: »Nur wenn man den Namen des Vaters angeben kann, kann man Unterhaltszahlungen beantragen.«

Hannes schrie dazwischen: »Rumpelstilzchen überschüttet sie mit Gold und macht ihr das Kind, um sie aus der Scheiße zu retten, Rumpelstilzchen will das alleinige Sorgerecht, um sein Kind vor dem Nuttenmilieu zu bewahren, das Einzige, was er dafür verlangt, ist, dass sein edler Name nicht befleckt wird! Trotzdem macht die Nutte Terror! Typisch Frau! Ein Spiegelbild unserer Gesellschaft!«

Sabine sagte, falls sie noch ein Kind bekäme, solche Märchen liest sie nicht vor. Und heute gibt es Vaterschaftstests, um rauszufinden, wer Kindsvater ist, da ist das Märchen echt überholt.

Zum nächsten Treffen erschien Sabine nicht mehr. Hannes sagte, jeder Mann würde sofort merken, dass Sabine total verklemmt ist.

Petra las ihre Notizen vor: »Kernpunkt des Märchens ist der Name des Penis. Dass Männer ihrem Penis einen eigenen Namen geben, liegt daran, dass sie glauben, ihr Sexorgan führe ein eigenständiges Leben mit unabhängigen Entscheidungen. Demzufolge bedeutet die Kenntnis des Penisnamens die Offenbarung heimlicher Phantasien. Werden heimliche Phantasien entdeckt, verlieren sie ihre Wirkung. Kernpunkt des Märchens ist also die Entzauberung durch Vernunft. Was im Licht der Magie als Kraft erscheint, der alles möglich ist, ist im Licht der Vernunft die Verleugnung der unbefriedigenden Realität. Tatsächlich kann Rumpelstilzchen gar kein Gold machen, warum sonst lässt er sich von der Müllerstochter fürs Goldmachen mit Goldschmuck bezahlen? Und obwohl er Symbol der Potenz ist, braucht er ein Kind als Beweis für seine Potenz. Im Klartext: Rumpelstilzchen ist ein Schlappschwänzchen.«

Hannes regte sich auf, diese Interpretation sei der allergrößte Schwachsinn. Und er nenne seinen den »Großen Hannes«, jawohl, und sein Großer Hannes sei kein Schlappschwänzchen. Petra sagte, sie hätte jetzt genug von Rumpelstilzchen und Hannes. Sie würde zu Hause die Zusammenfassung schreiben und das Referat abgeben, natürlich mit all unseren Namen drauf. Sie giftete Hannes an, sein Schein sei sicher, sie als Frau bekäme immer die besten Noten. Falls wir uns nicht mehr im Seminar sehen, schönes Studium noch. Und ging.

Und ich war allein mit Hannes. Er sagte, Petra sei total verklemmt, die hätte nie einen Orgasmus gehabt. Und dann fragte er mich: »Und was ist mit dir? Bist du eine richtige Frau?«

»Wie beweist man das?«, fragte ich cool.

Hannes zog aus seiner Gammeljeans drei aneinander hängende Kondome, hätte er immer dabei, sonst könnte er sich vor

Vaterschaftsklagen nicht retten. »Lust auf den Großen Hannes in Aktion?«

Was sagt man dazu? Er war nicht besonders sympathisch. Andererseits ein Mann mit Erfahrungen. Genau was ich brauchte. Ich sagte ebenso cool: »Nicht hier am Tisch«, meine Mutter hatte mir Tischmanieren gepredigt.

Es war Anfang Mai. Zum Glück war es schon ziemlich dunkel und ich musste nicht die Rollos runterlassen, hätte spießig gewirkt. Er schnappte sich den Gummi über wie ein Profi. Ich bekam Angst, er merkt, dass ich nur Amateur bin. Ich schielte zu ihm hin und sah eine Essiggurke, mehr war da nicht.

Ich lag ganz lässig, ganz nackt auf der Bettdecke, als würde ich das mehrmals täglich machen. Er fing an, mich zwischen den Beinen zu reiben, mit der flachen Hand hin und her. Ein Gefühl, als presst man die Lippen zusammen und einer reibt hin und her über den geschlossenen Mund. Nicht erregend. Abregend. Ich spreizte meine Beine, damit die richtigen Stellen was von dem Gerubbel abbekamen, das klappte aber nicht, weil er gegen meine Schamlippen drückte, als müsste er sie zusammen halten. Ich spreizte meine Beine weiter, damit er endlich an die innere feuchte Seite der Schamlippen kam, da rieb er so lange, bis er das bisschen Feuchtigkeit weggerubbelt hatte. Damit war sein Vorspiel beendet.

Er drängte sich auf mich. Wummerte mit seinem Großen Hannes gegen die Schamlippen, als wärs eine Tür, und wenn man lange genug klopft, kommt jemand raus und macht auf. Kam aber niemand. Er klopfte alles ab, fand den Eingang nicht. Er wollte meine Schamlippen mitsamt seinem Ding in mich hineinstopfen, was reichlich wehtat. Das Kondom hatte längst seine Feuchtigkeit verloren, fühlte sich trocken und heiß an, sein Inhalt wirkte zwar hart, aber nicht wie ein Stemmeisen, sondern wie eine Essiggurke, die würde abbrechen, ehe er damit was auseinander bekam.

Was sollte ich sagen? »Aua, es tut weh da unten«, zu spießig.

Oder: »Meine Möse wird böse«, zu albern. »Mach meine Muschi auf«, sagt nur eine Barbiepuppe. Fotze war zu ordinär. Vagina zu vornehm. Das Problem ist, dass Frauen keine Worte für ihr Teil haben. Bekanntlich nennen viele Männer ihr Ding »Mein bester Freund«, aber keine Frau ihr Ding »Meine beste Freundin«. Wenn Hannes seins »Den Großen Hannes« nannte, sollte ich meins »Die Große Tilla« nennen? Oder besser »Die kleine Tilla«? Wenn er das Rumpelstilzchen hatte, dann ich das Rumpelschlitzchen.

Warum fand er den Eingang nicht? In jeder Frauenzeitschrift stand, der größte Unterschied zwischen Männern und Frauen sei, dass Männer nie nach dem Weg fragen, wenn sie sich verfahren haben. Weil Männer unabhängig bleiben wollen. Sie fahren so lange rum, bis sie den Weg zufällig finden, oder bis andere daran Schuld sind, dass sie sich verfahren haben. War es meine Schuld?

Vielleicht lags daran, dass ich erst mit zwei Männern geschlafen hatte. Vielleicht war bei mir das Loch zu klein? Vielleicht verschwanden bei der Durchschnittsstudentin nach 24 männlichen Sexualpartnern die Schamlippen problemlos im Inneren des Rumpelschlitzchens samt Rumpelstilzchen? Ich überlegte noch, da hatte sich die Sache für ihn erledigt.

Sicher würde er sich nicht mehr melden. Nr. 84 taugte auch nur für eine Nacht. Egal, mir hatte es auch nichts gebracht. Außer 33 % mehr Liebhaber.

Doch eine Woche später tauchte er spätabends bei mir auf, unangemeldet. Als wäre ich allzeit bereit: Tilla-für-die-Kleine-Nummer-zwischendurch. Andererseits fühlte ich mich geschmeichelt, dass er wiedergekommen war und machte auf aktiver Typ mit Stöhnen und so. Obwohl es mich ekelte, über die Pickel auf seinem Rücken zu kratzen. Diesmal fand er den Eingang. Schaffte es aber trotzdem, meine Schamlippen einzuklemmen, was zur Folge hatte, dass meine Feuchtigkeit nicht an seinen Pimmel kam, was zur Folge hatte, dass es nicht flutschte, nur wehtat. Plötzlich erinnerte ich mich an eine Bastelarbeit im Kindergarten, als wir aus Pappe vorgezeichnete Sterne mit Wollfäden nachstickten: Wir stachen unsere Stopfnadeln begeistert in die Pappe, waren begeistert, wenn wir die eingezeichnete Linie ungefähr trafen, fummelten die Nadel durch die Pappe, stachen blind wieder nach vorn, waren begeistert, an welch unerwarteten Stellen die Nadel wieder rauskam. Nur jetzt war ich auf der falschen Seite der Nadel, jetzt war ich die Pappe.

Warum hatte es dieses Problem bei Gunter nicht gegeben? War es seine übersinnliche Begabung, die ihm den Weg zum Ziel wies? Marti als Maschinenbauer hatte technisches Verständnis. Vermutlich hatte der sich einen Konstruktionsplan des weiblichen Geschlechtsapparats angesehen und die Sache fachmännisch begriffen. Marti hatte nie meine feuchtigkeitsbringenden Teile weggeklemmt. Als Maschinenbauer hat man gelernt: Wenn ein Kolben (darunter verstehen Maschinenbauer einen länglichen Gegenstand mit gleichbleibend rundem Durchmesser, wie zum Beispiel ein Penis) in einem Hohlzylinder (das ist ein längliches Loch mit was außen rum, wie zum Beispiel eine Vagina) hin- und herbewegt wird, dann braucht man zwischen Kolben und Hohlzylinder Schmiermittel oder Gleitmittel wie Feuchtigkeit, damit nichts klemmt, sonst gibts Kolbenfresser, du Idiot!

Zum Abschied sagte Hannes, es sei möglich, dass er öfter käme. Ich sagte, als käme es mir auf einen Liebhaber mehr nicht an: »Ich ruf dich an, wenn ich mal wieder Zeit habe.« Sollte ich jetzt wieder die Pille nehmen? Mir war lieber, wenn er ein Kondom benutzte, er kam mir nicht besonders sauber vor.

Natürlich überlegte ich, ob ich das überhaupt will. Die FrauenratgeberInnen schreiben, dass auch heute noch die Beziehung zu irgendeinem Mann jeder Frau mehr Ansehen bringt, als sie durch eigene Leistung je erreichen kann. Und es stimmte: Die

Schwangeren waren so angesehen, weil ihre Männerbeziehung so offensichtlich war. Und die Noch-nicht-Schwangeren in fester Bettbeziehung sagten ständig »mein Freund sagt dazu …«, das machte ihre eigene Meinung doppelt wertvoll. Und Meinungen von Freundlosen sind gar nichts wert.

Natürlich soll man nur aus Liebe mit einem ins Bett gehen. Aber die FrauenratgeberInnen waren sich auch einig, dass man, ehe man andere wirklich lieben kann, zuerst sich selbst lieben muss. Also beschloss ich mit Hannes ins Bett zu gehen aus Eigenliebe.

Er wohnte in einem Studentenwohnheim, war aber nie erreichbar. Als ich schließlich in der Zentrale des Wohnheims nach ihm fragte, sagte man, dieser Hannes sei unbekannt.

Dann stand er zwei Wochen später unangemeldet abends vor meiner Tür. Er wohne unter fremdem Namen im Studentenwohnheim, weil eine Romanistikstudentin ihn verfolge. Romanistikstudentinnen seien die heißblütigsten.

Diesmal klappte es, weil ich mich eigenhändig auffaltete, sogar ohne Einklemmen. Als er drin war, war er sofort leer und weg. Rein, raus, aus die Maus. Damals hießen die Einwegflaschen, die man einfach in den Müll warf, Ex-und-Hopp-Flaschen – ich nannte Hannes heimlich die Sex-und-Hopp-Flasche.

Einige Monate waren wir zusammen, trafen uns aber nicht oft. Im Bett kam er immer zu früh, dafür zu jeder Verabredung zu spät. Mit super Entschuldigungen: »Da kam mir diese Handarbeitslehrerin dazwischen, die machte es mir in Handarbeit.« Einmal war er in einer soziologischen Arbeitsgruppe hängen geblieben: »Die Soziologinnen stehen alle auf Gruppensex.« Dann hatte er eine Theologin getroffen und schwärmte: »Theologinnen wissen, wie man ins Jenseits kommt.«

Ich überlegte ewig, wie ich ihn ärgern konnte. Ich überspielte auf meinem Cassettenrecorder fünfmal hintereinander den Song von Tina Turner »What has Love got to do with it?!«

und ließ das laufen, wenn wir im Bett lagen, aber er fragte nie, was das bedeuten soll. Wahrscheinlich konnte er auch nicht Englisch.

Als ich meinen Seminarschein im Sekretariat abholte, traf ich Petra in der Cafeteria. Als ich erzählte, dass ich Hannes noch treffe, um Erfahrungen zu sammeln, wollte sie wissen, wie die Erfahrungen waren. Dann sagte sie mitleidig: »Psychoanalytiker würden sagen, dieser Druck, wegen Bafög schnell mit dem Studium fertig werden zu müssen, hat sein Sexleben geprägt. Die, die beim Sex schnell fertig werden, sind die Bavögler.«

Nachdem er wieder mal Sex-und-Hopp gemacht hatte, sagte ich: »Vögeln kannst du wie ein Arzt.«

Er, eindeutig geschmeichelt: »Wie kommst du da drauf?«

»Wie ein Narkosearzt. Ich hab überhaupt nichts gespürt.«

Es dauerte, bis er es gerafft hatte, bis er schrie: »Weil du total verklemmt bist.«

Ich schrie zurück: »Weil du mich einklemmst. Du hast bei all deinen Frauen nichts gelernt, herzliches Beileid. Du bist nicht lernfähig.«

»Von allen 56 Frauen, mit denen ich gevögelt hatte, bist du die schlechteste!«

Ich war platt. »Zuerst hast du gesagt, es wären 83! Zählen kannst du auch nicht!«

Er schrie, ich sei eine frigide Nutte. Es war entsetzlich, weil jeder im Haus es hörte, und er schrie nackt vor mir und dabei zitterte sein geknicktes Schwänzchen. Ich bekam Angst, er wird gewalttätig. Ich schnappte meine Jeans, mein T-Shirt, rannte raus, zog mich vor der Tür an, rannte runter vor die Haustür, klingelte wie verrückt bei mir, damit er glaubt, es käme die Polizei, versteckte mich beim Kellereingang, gleich darauf flitzte er die Treppe runter, raus. Aus.

Als ich das Bett frisch bezog, fand ich im Kissen sein versifftes Kondom. Manche Erfahrungen kann man sich sparen. Zu meiner Entschuldigung darf ich aber sagen, dass man vorher nie weiß, welche. Wie Faust sagte: »Es irrt der Mensch, solang er strebt.«

12. Kapitel

Irgendwann studierte ich auch Philosophie, besuchte eine Vorlesung über »Existenzielle Fragen des Lebens«, lernte, dass sich existenzielle Fragen im Lauf des Lebens verändern. Ich wusste leider immer noch nicht, was ich nach dem Studium machen wollte, da war es am vernünftigsten, nebenher zu jobben, so hatte ich länger Geld und konnte länger überlegen, was ich wollte.

Ich sagte beim Studentendienst, ich suche einen Job mit intellektueller Herausforderung, meinem Studium gemäß. So landete ich bei der Uni-Buchhandlung Sartre. Ich war begeistert, ich hatte oft gelesen, dass man in Buchhandlungen scharenweise intellektuelle Männer kennen lernt.

Der Besitzer der Sartre-Buchhandlung hieß Volker Nassauer, genannt Sartre-Volker, hatte einen buschigen Bart, auf dem Kopf viel weniger Haare und eine Wampe wie ein Bierfass.

Als ich ihm erzählte, dass ich Literaturwissenschaft, Germanistik, Englisch und Kunstgeschichte studiere und übrigens sogar Philosophie – das sagte ich als Höhepunkt –, sagte er: »Ich hab Ewigkeiten Philosophie studiert, nicht hier bei den Dorfdeppen, sondern in Berlin, in Wien und in den Staaten.« Beeindruckt versuchte ich zu ignorieren, dass er dabei in seiner Nase popelte. Damit fertig, sagte er in Betrachtung seines Popels: »Ich hab ein Buch über Sartre geschrieben, deshalb heißt die Buchhandlung so.« Er wischte seinen Popel an einer Tragetüte ab, holte ein mitteldickes zerfleddertes Buch: »Kritik der Kritik der dialektischen Vernunft«, darunter stand: »verfasst von Volker Nassauer«. Ich war sehr beeindruckt.

Ich wollte fragen, warum er so wenig zahlte. Als hätte er meine Gedanken gelesen, sagte er: »Bei mir kannst du ein Gefühl für Literatur entwickeln, das lernt man nicht an der Uni, das ist mit Geld nicht aufzuwiegen.«

Es war der richtige Job für mich. Ich arbeitete mindestens drei Nachmittage pro Woche in der Buchhandlung, war die einzige Verkäuferin, und wenn ich da war, ging Volker meist weg. So wurde ich fast-angestellte Buchhändlerin.

Volker war meist im »Lager«, das war das Irish Pub in der Nähe, da trank er Lager. War er im Laden, war er hinten in seinem Büro, da trank er irischen Whiskey.

Wenn wir miteinander sprachen, schimpfte er, der Laden geht scheiße, die Studenten würden von Jahr zu Jahr dümmer, was man daran sehe, dass es Jahr für Jahr mehr Studentinnen gebe. Der ultimative Beweis für den Niedergang des einstigen Volkes der Dichter und Denker.

»Es gibt auch Dichterinnen und Denkerinnen«, sagte ich emanzig.

»Diese Gebrauchslyrik aus Damenhirnchen, dieses Juchzen über Kind und Enkelkind und das Seufzen über die Wechseljahre und die welkenden Herbstblätter und die bösen Buben mit bösen Gewehren, das hat nicht mehr Tiefgang als eine Kaffeetasse.«

Ich sagte, dass bekanntlich auch nicht alles toll ist, was Herrenhirnchen entspringt.

Da sagte Volker: »Jeder weiß, dass Simone de Beauvoir ohne Sartre nichts gewesen wäre, aber Sartre ohne die Beauvoir noch größer.«

Ich hatte das schon öfter gehört und nie gewusst, was ich sagen soll. Klar, war Volker ein Frauenfeind. Ich nahm mir vor, ihn allmählich und unaufdringlich eines Besseren zu belehren.

Volker erklärte, das Ladengeschäft bringe sowieso nichts ein, er mache seinen Umsatz mit dem Versand internationaler

Fachliteratur, die er durch Beziehungen billiger als andere Buchhandlungen besorgen konnte. Es kamen ständig Pakete aus dem Ausland, die er in seinem Büro bearbeitete. Die meisten Kunden bestellten telefonisch und bekamen die Bücher zugeschickt. Volker legte alles fertig verpackt in einen Pappkorb, den brachte ich mit dem Firmengolf zur Post. Der Firmengolf hieß »Rostlaube«, nach einem Institut an der Berliner Uni, da hatte Volker auch studiert.

Nur wenige kamen selbst zum Abholen, im Bestellfach auf den zugeklebten Umschlägen pappte jeweils die Rechnung für medizinische, technische, religiöse Fachzeitschriften und Fachbücher, alle sehr teuer. War Volker nicht da, bekam ich die von Wo-frau-Männer-trifft-Rubriken versprochenen Intellektuellen nur beim Kassieren zu Gesicht, beraten lassen wollten sich alle nur von Volker. War Volker da, bot er seinen Intellektuellen Whiskey an, verkündete, man halte einen philosophischen Plausch, hängte ein Schild an die Bürotür »huis clos« – heißt »Geschlossene Gesellschaft« und ist auch ein Stück von Sartre. Studentinnen kauften die vorrätigen deutschen Fachbücher, die viel billiger waren als die internationale Fachliteratur für Männer. Volker erklärte, Studentinnen geben ihr Geld für Modemist aus, und offensichtlich sei einer deutschen Studentin die Kenntnis einer Fremdsprache nicht zuzumuten.

Wenn eine Frau ein Buch zum Verschenken suchte und an Volker geriet, fragte er: »Für eine Frau? Schöngeistig oder feministisch?« Keine wagte zu fragen, was der Unterschied wäre. Schon kam der nächste Schlag, er empfahl: »Über den angeborenen Schwachsinn des Weibes«, ein Uralt-Pamphlet von einem Zeitgenossen Sigmund Freuds, oder Titel wie »Können Frauen denken?« oder empfahl für Karrierefrauen »So werde ich reich durch Scheidung«. Natürlich sagten alle, sie wollten es sich noch mal überlegen, worauf Volker: »Ja, solltest du noch mal überlegen, ob es wirklich ein Buch sein soll. Für den Anfang vielleicht besser ein Sparbuch.«

Sollte es aber ein Geschenk für einen Mann sein, schleppte Volker eine fette französische Gesamtausgabe von Sartre an. »Ich persönlich lese Sartre immer wieder gern im Original«, verkündete er eindrucksvoll.

War der zu beschenkende Mann ausnahmsweise in Französisch nicht perfekt, präsentierte er seinen englischen Lieblingsautor: James Joyce. »Alle führenden Kritiker teilen meine Ansicht, dass ›Ulysses‹ von Joyce der bedeutendste Roman des 20. Jahrhunderts ist, obwohl schon 1922 geschrieben. Ich habe ihn im englischen Original gelesen, kann ihn aber durchaus in der deutschen Übersetzung empfehlen. Weltliteratur vom Feinsten.« Und Volker erklärte, Joyce hätte den Alltag literaturfähig gemacht, Ulysses ist der erste Roman, in dem einer scheißt und über seine Scheiße und sein Scheißen nachdenkt – das sei die berühmteste Stelle überhaupt. Der Roman erzählt, was ein Mann in 24 Stunden denkt – auf 1 015 Seiten –, da kann man sehen, wie viel ein Mann denkt. Und Volker schwärmte: »Unglaublich, was James Joyce alles in einem einzigen Satz ausdrücken kann.« So kam es, dass die meisten Männer den Ulysses geschenkt bekamen.

Natürlich wollte ich auch den bedeutendsten Roman des 20. Jahrhunderts lesen. Ich suchte die berühmteste Stelle. Da sitzt der Romanheld Leopold Bloom auf seinem »Kackstuhl«, wie Joyce das Klo nennt, und liest Zeitung:

»In Ruhe las er, seinen Drang noch unterdrückend, die erste Spalte und begann, schon nachgebend, doch mit Widerstreben noch, die zweite. Auf ihrer Mitte angelangt, gab er seinen letzten Widerstand auf und erlaubte seinen Eingeweiden, sich zu erleichtern, ganz so gemächlich, wie er las, und immer noch geduldig lesend, die leichte Verstopfung von Gestern ganz verschwunden. Hoffentlich ists nicht zu groß, sonst gehts mit den Hämorrhoiden wieder los. Nein, grade richtig. So. Ah!«

Okay, war ausdrucksvoll. Überhaupt dachte dieser Bloom ständig ans Kacken, und Kacken und Ficken gehörten für ihn zusammen. Sicher hatte alles tiefere Bedeutung, aber sogar wenn ich die Bedeutung entdeckte, wurde ich dadurch nicht schlauer.

Dann kam ein recht netter Typ in den Laden, er hatte zu Weihnachten schon wieder den Ulysses bekommen, wollte ihn umtauschen. »Warum schenken mir Frauen immer so'n Zeug?«, klagte er. »So was les ich nicht.«

»Das ist Weltliteratur vom Feinsten«, zitierte ich Volker, »da steht alles drin, was ein Mann an einem Tag denkt.«

»Kann ich mir doch selbst denken, was ein Mann denkt. Das ist was für Frauen, die wissen wollen, was Männer denken.«

»Mein Chef empfiehlt den Ulysses nur Männern.«

Er schüttelte ungläubig den Kopf. Er hatte auch schon Sartre geschenkt bekommen und Sokrates und Heidegger und schon viermal von Stephen Hawking »Eine kurze Geschichte der Zeit« umgetauscht. – Das hatte ich ihm auch empfehlen wollen, das war der absolute Hit. Aber er jammerte: »Das versteht kein Schwein.«

»Keine einfache Lektüre«, sagte ich wie Volker, »Man muss sich erst in die Problematiken der theoretischen Physik einarbeiten, aber jeder Mann, ders gelesen hat, ist begeistert.«

»Die lügen«, sagte er.

Ich dachte an Volker, der Frauen fragt, obs nicht lieber ein Sparbuch sein soll, und hatte die Idee: »Wie wärs mit »1 000 ganz legale Steuertricks«? – das wird gern gekauft von Männern.«

Ja, das fand er gut. Nur war der Ulysses viel teurer, wir brauchten noch was. Leicht ironisch fragte ich: »Wie wärs mit einem Rechtschreib-Duden?«

Er, völlig ernsthaft: »Brauch ich nicht. Ich studiere Medizin, wir schreiben keine Referate.«

»Aber wahrscheinlich mal eine Doktorarbeit.«

»Die tippt meine Freundin, die hat garantiert einen Duden.«

Ich konnte dem Typ nicht böse sein, es stimmte einfach, was er sagte.

Ratlos gingen wir durch die Regale. Plötzlich griff er nach »Jakob der Lügner« von Jurek Becker und fragte begeistert: »Ist das sein Vater?«

Nein, Jurek Becker ist nicht der Vater von Boris Becker.

»Schade«, sagte er. Und nun erfuhr ich, was ihn wirklich interessierte: Tennis. Er war begeistert, als ich ihm im Verzeichnis lieferbarer Bücher zeigte, was es buchmäßig alles über Tennis gibt. Er bestellte einen Bildband über eine neue Trainingsmethode und es war ihm egal, dass er einiges draufzahlen musste. Er sagte: »Ob ich ein Buch wie Ulysses gelesen hab oder nicht macht keinen Unterschied. Aber wenn ich als Arzt schlecht Tennis spiele, dann glauben die Leute, ich wär ein schlechter Arzt.«

Und als er sich noch herzlich für die Beratung bedankte, war ich überzeugt, dass er mal ein guter Arzt wird.

Und ich überlegte: Was hab ich davon, wenn ich den Ulysses lese? Und beschloss, die restlichen 900 Seiten erst zu lesen, wenn ich das wusste. Nur den letzten Satz noch – und da fand ich raus, der letzte Satz ist ohne Komma 74 Seiten lang. So kann man natürlich viel ausdrücken in einem einzigen Satz.

13. Kapitel

Sartre-Volker hielt mich für zu blöd, einen Mann abzukriegen. Paulus erschien als mein Retter.

Wir lernten uns kennen am 8. März nach einem Vortrag zum Internationalen Frauentag, Thema war »Wir wissen, was wir wollen«. Ich ging hin, weil ich das nicht wusste. Beim Vortrag kam raus, dass es anderen Frauen ging wie mir, die meisten wissen nicht, was sie wollen, meist sagen Männer den Frauen, was sie wollen sollen, es wäre ein großer Schritt vorwärts, würden Frauen sagen, was Männer sollen, damit würde klarer, was Frauen wollen …

Paulus stand nach dem Vortrag vor der Tür und sprach mich an: »Ich würde mich gern mit dir über den Vortrag unterhalten. Ich interessiere mich für Frauen.«

Platt über diese Anmache sagte ich: »Warum ausgerechnet mit mir?«

»Alle anderen gingen in Grüppchen, du bist allein rausgegangen. Da wars am einfachsten, dich anzusprechen.«

Ich war noch platter.

»Ich heiße Paulus Herzberg, ich studiere katholische Theologie«, sagte er überzeugend ernsthaft. Dann: »Ich habe mir überlegt, dass ich dir den Vorschlag mache, ins Café nebenan zu gehen. Ich würde dich einladen, das ist selbstverständlich.«

Seit ich lesen kann, lese ich, dass Männer Frauen einladen. Nur mich hatte bisher noch keiner eingeladen. Ich war bereit, ihm in jedes Café zu folgen.

Ich fand ihn sofort rührend. Und er sah irgendwie rührend aus: viel jünger als ich, er hatte viele Haare und große Zähne und einen leichten Überbiss, als wäre er im früheren Leben ein Esel gewesen, aber wenn man Theologie studiert, war man im früheren Leben sicher was Besseres. Seine Brille war auch silbern, ganz ähnlich wie meine.

Nervös fragte er: »Warum gehst du zu einem Frauenvortrag?«

»Weil ich mich für Frauen interessiere.«

»Bist du lesbisch?«

»Nein.«

»Entschuldige bitte, ich bin nur ehrlich.«

Für einen Theologen ist das okay. Immerhin rauchte er Gauloises, was sehr weltlich wirkte.

Er dachte nach: »Hast du einen Hass auf Männer?«

»Nur wenn sie blöde Fragen stellen. Ich bin eine Frau, und deshalb interessiere ich mich für Frauen. So einfach ist das.«

»Das ist gut«, strahlte er jetzt. »Wenn man schon Frau ist, dann richtig.«

Keine Ahnung, was er damit meinte. Jetzt war ich dran.

»Und ich bin nicht katholisch, höchstens ein bisschen evangelisch. Darfst du als katholischer Theologe überhaupt mit evangelischen Frauen … sprechen?«

»Allgemein verbreitet ist die Ansicht, katholische Theologen wären sexuelle Vegetarier – fleischlos glücklich«, sagte Paulus. »Jeder denkt zuerst ans Zölibat.«

»Ach ja?« Ich tat erstaunt, als hätte ich an was anderes gedacht.

»Das Zölibat ist im Grund nie ein Problem gewesen, da die meisten Männer der Kirche an sexuellen Kontakten mit Frauen nicht interessiert sind. Mein Problem ist, dass ich nicht schwul bin.«

»Du Ärmster.«

»Es ist nicht mehr so schlimm wie früher. Unsere Kirche wird gegenüber nicht-schwulen Geistlichen zunehmend toleranter. Sie zahlt problemlos Alimente für Kinder von Priestern, erwünscht ist lediglich, sie werden katholisch erzogen.« Er sah mich sehr ernsthaft an: »Ich hab auf einer Veranstaltung einen Bischof kennen gelernt, er machte kein Geheimnis daraus, dass sein junger Begleiter sein Sohn war. Heute wird erst ab drei Kindern eine Disziplinarmaßnahme erwogen. Und nur, wenn sie von verschiedenen Frauen sind.«

»Disziplinarmaßnahme?« War das Sterilisation oder Kastration?

»Man wird in den Schuldienst versetzt als Religionslehrer.«

»Willst du Religionslehrer werden?«

»Nein, dazu muss man nicht Priester sein. Ich strebe eine kirchliche Laufbahn an. Mein Vater ist Eisenbahner, wie der Vater unseres Papstes. Sein Traum ist, dass ich mindestens Bischof werde. Er hat mich Paulus genannt, zu Ehren des Apostels Paulus, Begründer der Kirche und all ihrer Regeln. Die meisten Päpste heißen Paulus.« Er erzählte noch mehr Kirchengeschichte, dann sagte er: »Ich möchte Frauen erkennen.«

War er verrückt? Vorsichtig sagte ich: »Frauen, das sind die, bei denen an Hemden und Jacken die Knöpfe links sind. Von weitem erkennt man sie oft schon an den Handtaschen.«

»Ich meine das im biblischen Sinn. Wie es in Moses 1, Kapitel 4, Vers 1 heißt: ›Und Adam erkannte Eva und sie ward schwanger und gebar den Kain‹, erkennen bedeutet, dass er ihr beiwohnt.«

Beiwohnen kannte ich, hört sich an, als ob man zur Untermiete wohnt, bedeutet aber altertümlich bumsen. Ich lächelte unverbindlich: »Hast du schon andere Frauen erkannt?«

Er lächelte verbindlich: »Ja. Allerdings ist diese Thematik bei mir nicht abgearbeitet.«

Bei mir auch nicht, sagte ich aber nicht.

Er nahm eine Visitenkarte aus seiner Brieftasche, überreichte sie mir. Er wohnte in einem Priesterwohnheim. »Jetzt muss ich gehen, ich muss zur Abendandacht.« Er zahlte mein Glas Wein und meinen Kaffee. »Ich würde mich gern weiter mit dir unterhalten. Ich möchte alles wissen über die Gefühlswelt von Frauen.«

Ich, die Geliebte eines künftigen Bischofs? Das gäbe meinem Leben eine höhere Weihe. Und meine Mutter wäre beeindruckt. Ich war es schon jetzt.

14. Kapitel

War ich als Frau typisch genug, um einem Theologen die Gefühlswelt von Frauen zu verdeutlichen? Wenn man Literaturwissenschaft studiert, liegt es nahe, zu dieser Frage die Romane zu konsultieren.

Ich fragte Volker: »Was empfiehlst du von Frauen, die über ihre Gefühle schreiben?«

Er sah mich an, von oben herab, als wär ich ein Gartenzwerg:

»Falls du es noch nicht gemerkt hast, in meinem Laden gibts keine Frauenliteratur.«

»Warum nicht?«

Nun sah er zur Decke und sprach langsam, als kämen seine Worte von einer höheren Instanz: »Frauenliteratur ist keine Literatur, so wie Frauenfußball kein Fußball ist. Was Männer schreiben, heißt schließlich nicht Männer-Literatur, sondern ist Literatur an sich.«

Ich bleib cool, ich sagte: »Komisch, dass sich dann so wenig Männer für Literatur interessieren.«

Zwar gab Volker zu, dass Männer wenig Literatur lesen, aber das sei die Schuld der Frauen, denn Frauen lesen zu viel. Dadurch sei dieser typische Männerbereich für Männer uninteressant geworden. Typische Bereiche der Männer sind traditionell diejenigen, die von Frauen gemieden werden. Und deshalb würden modernere Literaturwissenschaftler die Auffassung vertreten, Pornografie sei die derzeit höchste Literaturgattung.

Ich musste ihn reden lassen, man muss tolerant sein.

Aber am nächsten Tag bestellte eine Germanistik-Studentin drei Frauenromane, sie waren Pflichtlektüre in einem Seminar, denn Reich-Ranicki, unser Rolls-Royce unter den Kritikern, hatte erklärt, diese Romane seien die bedeutendsten Frauenromane der Weltliteratur. Es waren »Madame Bovary« von Gustave Flaubert, erschienen 1856. »Anna Karenina«, von Leo Tolstoi, erschienen 1875. »Effi Briest« von Theodor Fontane, erschienen 1895. Und die Studentin sagte, man müsste sie in dieser Reihenfolge lesen, denn ganz wichtig sei, jeden Roman auf seine Zeit zu beziehen.

Wir wunderten uns gemeinsam, dass seit hundert Jahren kein bedeutender Frauenroman mehr geschrieben wurde. Gab es nichts neueres Bedeutendes über Frauen? Oder war in diesen Romanen alles über alle Frauen für alle Zeiten gesagt? Wir fragten uns auch, warum keine Frau je Bedeutendes über

Frauen geschrieben hatte, wussten aber keine Antwort. Natürlich bestellte ich die drei einzig bedeutenden Frauenromane auch für mich.

Als ich sie bei Volker bezahlte, er gab mir 25 % Rabatt, fragte ich ihn, was er zu diesen Frauenromanen von Männern meint. Er sagte, er liest keine Romane, in deren Titel ein Frauenname vorkommt, allein daran merke der Experte, dass es Werke minderer Qualität sind. Flaubert sei zwar verfilmt worden, aber na ja. Und von Tolstoi bevorzuge er »Krieg und Frieden«. Und Fontane sei jahrzehntelang Kriegsberichterstatter gewesen, da hätte er die wirklich bedeutende Literatur geschrieben.

Hinten auf »Madame Bovary« stand, dies sei einer der größten Romane aller Zeiten, weil Flaubert wie kein anderer Schriftsteller die Gefühle einer Frau beschreiben konnte.

Der Roman spielt um 1840, im ländlichen Frankreich, beginnt mit der Schulzeit von Charles Bovary, er ist schwerfällig, dümmlich, tut, was seine Mutter ihm sagt. Sein Vater hat das Vermögen der Mutter verspekuliert. Mit einem einfachen Studium konnte man damals Landarzt werden, das schafft Charles mit Mühe. Trotzdem ist er mit zwanzig fertig, so kurz war das Studium. Dann besorgt ihm die Mutter eine Praxis und eine reiche Frau. Sie ist fünfundvierzig! Und hässlich und eifersüchtig. Dann stellt sich noch heraus, sie ist gar nicht reich. Nachdem der Schwindel aufflog, stirbt sie praktischerweise sofort.

Charles trifft Emma und liebt sie. Emma ist etwa zwanzig, schön, reizend. Ihre Mutter starb früh, ihr Vater ließ Emma vornehm im Kloster erziehen, wo sie tagsüber fromme Schriften las und nachts heimlich kitschige Liebesromane.

Nun lebt Emma bei ihrem Vater. Der findet Charles langweilig, ist aber froh, dass er Emma will, denn ein Landarzt verdiente wenig und konnte deshalb nur wenig Mitgift verlangen. Und Emmas Vater hat kaum Geld, nur Landbesitz, der nichts einbringt. Emma bekommt zur Hochzeit einen Teil davon überschrieben. Damals mussten die Eltern sogar verheiratete Töchter lebenslänglich finanzieren, und zwar standesgemäß, entsprechend dem Einkommen ihres Mannes.

Das Ehepaar Bovary lebt in einem langweiligen Dorf. Emma, die glaubte, ihr Leben würde aufregend wie in ihren Romanen, ist enttäuscht. Der erste Satz, den sie im Roman spricht: »Mein Gott, warum habe ich geheiratet?«

Als weitere Enttäuschung bekommt sie eine Tochter statt einen Sohn. Und ihre Schwiegermutter nervt sie. Alles ist unendlich langweilig. Endlich lernt sie Rodolphe kennen, einen sehr flotten, sehr reichen Adligen. Seine Hauptbeschäftigung: Frauenverführen. Er ist entzückt von Emma, sie ist so naiv, so dankbar für seine Sprüche. Sie ist unendlich glücklich, fühlt sich wie eine Romanheldin: wie eine Ehebrecherin.

Vier Jahre geht das so. Da ein Landarzt den ganzen Tag unterwegs ist, kann Emma ihren Liebhaber heimlich morgens, mittags, nachmittags, abends in seinem Schloss besuchen. Erstaunlicherweise hat sie nie Angst, schwanger zu werden.

Emma verkauft heimlich ihren Landbesitz, um Rodolphe teure Geschenke zu kaufen, bei ihrem Händler Monsieur Lheureux. Rodolphe schenkt ihr nie was.

Emma will mit Rodolphe in ein elegantes Leben fliehen. Ihm ist das zu stressig, eine Nacht vor der Flucht lässt er sie sitzen. Nervenzusammenbruch Emmas.

Es dauert zwei Jahre, bis sie sich berappelt hat und den nächsten Liebhaber findet: Léon, einen aufstrebenden Juristen, der bald Notar wird. Wieder das Gleiche: Sie gibt ihr letztes Geld aus und schließlich auch das ihres Mannes, um ihren Liebhaber zu treffen und ihm Geschenke zu kaufen. Als sie pleite ist, leiht sie bei ihrem Händler zu Wucherzinsen. Als sie nicht zurückzahlen kann, droht der mit Anzeige. Um die Zwangsvollstreckung abzuwenden, fleht sie Léon an, ihr eine kleine Summe zu leihen. Er will aber nicht, er ist froh, dass er Emma los ist.

Verzweifelt besucht sie ihren einstigen Rodolphe, er ist entzückt, sie wiederzusehen, und will gern sofort mit ihr ins Bett. Aber als sie ihn anpumpt um eine Summe, die viel geringer ist als alles, was sie ihm geschenkt hat, vergeht ihm die Lust. Umgeben von seinen kostbaren Silberleuchtern und Luxusmöbeln behauptet er, er hätte kein Geld. Emma vergiftet sich mit Arsen. Qualvoller Selbstmord. Unhappyend.

Auch für Herrn Bovary, er findet nach ihrem Tod Briefe der Liebhaber und sagt den großen Satz: »Schuld hat das Schicksal.«

Als Leser denkt man: Schuld war Madame Bovary, die ein Leben wollte wie ein Kitschroman. Macht sich eine typische Frau so unvernünftige Illusionen?
Ich überlegte, was ich daraus lernen kann:
Heirate nie einen Langweiler, er wird in der Ehe noch langweiliger.
Hast du einen Lover, aber kein Geld, dann kauf ihm nichts. Er geht auch gratis mit dir ins Bett.

Zweiter bedeutendster Frauenroman: Anna Karenina. Anna ist unglaublich schön, unglaublich anmutig, aus vornehmster, ganz reicher Adelsfamilie. Der Roman spielt um 1870 in Moskau und Petersburg. Auch Anna heiratet sehr jung, ihr Mann, Alexej Karenin, ist zwanzig Jahre älter. Er ist nicht nur langweilig, er ist auch gefühlskalt, im Bett läuft nichts, es bleibt in neun Ehejahren bei einem Sohn. Der erste Satz, den Anna über ihren Mann sagt: »Mein Gott, hatte er schon immer so große Ohren?«
Dann verliebt sich der schicke Offizier Graf Wronskij unsterblich in Anna. Er ist etwas jünger als sie, ebenfalls sehr reich und schön. Nach jahrelangem Ehefrust schmilzt Anna dahin. Sie bekommt ein Mädchen vom Liebhaber. Ihr Ehemann will,

dass sie die Affäre geheim hält. Aber Anna verlässt ihren Mann. Der verweigert die Scheidung. Für ihn als tugendhaften Christen komme das nicht in Frage, vor allem will er den gemeinsamen Sohn für sich behalten. Um Geld gehts nicht, Geld ist kein Problem für Anna, obwohl sie nichts von ihrem Mann bekommt. Sie hat wie alle Frauen dieser High Society mehr Geld in die Ehe gebracht als ihre Männer besaßen, und ihre Mitgift bleibt ihr Geld. Und aus diesem Grund konnten damals die Männer nicht mit ihren Geliebten abhauen. Dass die Herren der feinen Gesellschaft mindestens eine Geliebte hatten, war selbstverständlich. Vor der Heirat sowieso. Die vornehmen Töchter mussten sittsamer sein als Nonnen.

Annas Problem: Früher allseits beliebt, wird sie nun allseits gemieden, denn als fremdgehende Ehefrau ist sie nicht gesellschaftsfähig. Isoliert von allen, klammert sich Anna immer verzweifelter an ihre Liebe, platzt wegen jedem Mist vor Eifersucht. Wronskijs Liebe bröckelt. Um sich zu beruhigen, nimmt Anna immer häufiger Morphium. Und am Ende wirft sie sich vor einen Zug. Wieder Selbstmord.

Was lernen wir daraus? Ein Glück, dass man sich heute scheiden lassen kann, auch wenn der Mann nicht will. Heute hätte das ein Happyend gegeben. Bedeutend vernünftiger als Selbstmord.

Das Letzte: Effi Briest, spielt um 1890. Als reizende 17-jährige heiratet Effi von Briest den 38-jährigen Baron Geert von Instetten. Der wollte einst Effis Mutter heiraten, aber die lehnte ab. Also hat Instetten zwanzig Jahre gewartet, nimmt nun die Tochter. Effi ist ziemlich egal, wen sie heiratet, Hauptsache, sie ist nicht die letzte ihrer Mädchenclique, die geheiratet wird, sie sagt cool: »Jeder ist der Richtige. Natürlich muss er von Adel sein und eine Stellung haben und gut aussehen.«

Effis Ehemann ist auch so ein einmaliger Liebhaber, er machte es offenbar nur in der Hochzeitsnacht. Exakt neun Monate danach bekommt sie eine Tochter – nur ein Mädchen, man ahnt Schlimmes. Instetten ist Landrat in einer öden Gegend in Hinterpommern, man lebt in einem ungemütlichen Haus. Effi langweilt sich unendlich.

Höhepunkt ist eine Kutschfahrt im Winter mit Bekannten, alle Kutschen bleiben im Schnee stecken. Während der Ehemann andern Damen hilft, bleibt Effi in der Kutsche mit dem Major Crampus, es geschieht das Ungeheuerliche, er sagt: »Effi, Effi.« Und überfällt mit heißen Küssen – ihre Hand. Das ist die Sex-Szene. Dann nichts mehr dergleichen.

Endlich wird der Ehemann zum Geheimrat ernannt, man zieht in das interessante Berlin. Aber mit einem langweiligen Mann bleibt das Leben langweilig.

Als Effi nach sechs Ehejahren noch ein Kind will, empfiehlt der Arzt eine Badekur und als zusätzliche Maßnahme soll der Ehemann mitfahren. Der hat aber keine Zeit.

Kaum ist Effi weg, findet der Ehemann zufällig in ihrem Nähkästchen Briefe von diesem Major Crampus, der ihre Hand küsste. So erfährt der Ehemann: Seine Frau ging mit diesem Major mehrmals spazieren! Sonst nichts, von Liebe ist nicht die Rede. Trotzdem weiß Instetten sofort, was er zu tun hat, er fordert den Handküsser zum Duell. Das war 1890, als der Roman spielt, zwar nicht mehr üblich, aber wenn ein Geheimrat meinte, seine Ehre hätte das nötig, wars erlaubt. Natürlich erschießt er Crampus. Und reicht sofort die Scheidung ein. Effi darf nie mehr das Haus betreten, darf ihre Tochter nie mehr sehen und bekommt selbstverständlich keinen Unterhalt. Sie bekommt nur das Restguthaben ihrer Mitgift zurück. Ihre Eltern werden sie künftig finanzieren, aber sie kann nicht ins Elternhaus zurück, der Ehre der Eltern wegen. Mit ihrem alten Dienstmädchen wohnt sie nun sehr bescheiden im schäbigen Teil von Berlin. Aus Frust und Langeweile wird sie krank, immer kränker. Das Dienstmädchen bittet den Exehemann um Hilfe, er überlässt Effi seinen uralten Hund, mit dem sie früher spielte. Effis Vater lobt dafür Instettens Großzügigkeit.

Schließlich darf sie doch in ihr Elternhaus zurück – weil sie an ihrem Elend stirbt. Mit dreißig.

Das Merkwürdige an Effi Briest: Man erfährt nie, was Effi denkt. Fontane war fünfundsiebzig, als er das schrieb – hatte er als alter Mann vergessen, dass auch Frauen denken?

Was man aus Effi Briest lernen kann: Ein Mann, der vor zwanzig Jahren deiner Mutter einen Heiratsantrag machte und es jetzt bei dir probiert, ist nicht zurechnungsfähig. Gut, dass Frauen solche Wahnideen nicht erlaubt sind.

Außerdem lernt man: Wirf Briefe deines Liebhabers sofort weg. Sonst gibts irgendwann garantiert Ärger.

Warte nicht, bis einer dir einen alten Hund schenkt, besorg dir selbst einen neuen.

Heirate nie ein Arschloch. Auch kein adliges, gut aussehendes, geheimrätliches Arschloch.

Und ich fragte mich, warum gibt es für Frauen kein Happy-end in der großen Literatur? Liegt es daran, dass nur große Literaturkritiker wissen, was wirklich große Literatur ist, und alle großen Literaturkritiker selbst alte langweilige Ehemänner sind? Aber was wissen die über Frauen, die keine hundert Jahre tot sind, die sogar noch leben?

15. Kapitel

Nach so aufregenden Schicksalen wollte ich selbst Aufregendes erleben, also rief ich Paulus an, entschlossen zu allem.

Wir trafen uns am frühen Abend in einer Eisdiele. Sein Vorschlag, ich hätte eine weniger brave Umgebung gewählt.

Ich war vor ihm da. Er betrachtete mich enttäuscht: »Ich dachte, Frauen sind unpünktlich. Weil Frauen stundenlang für ihr Make-up brauchen und nie wissen, was sie anziehen sollen.«

Sein Wissen über Frauen stammte vermutlich aus dem Werbefernsehen. »Hast du keine Augen im Kopf? Ich bin nicht geschminkt.« Meine karottenfarbene Tagescreme war absolut unsichtbar, meine Frisur nur ein kurzes Chaos. Ich trug jeweils die neueste Jeans für bessere Gelegenheiten, sonst eine der alten. »Ich bin angezogen wie du, warum soll ich dazu länger brauchen als du?«

Er war bereit, die Wahrheit zu akzeptieren. Er kramte in seiner Brieftasche, hinten drin ein Zettel, er sah drauf, steckte alles wieder weg, sagte: »Ich bin fünfundzwanzig und habe am 19. Februar Geburtstag. Und du?«

»Ich bin älter als du. Ein halbes Jahr.«

Er staunte schon wieder. »Du siehst viel älter aus.«

Ich sah nicht älter aus als fünfundzwanzig, nur älter als Paulus. Ich verzieh ihm, er war eben so ehrlich.

Seine nächste Frage: »Was hast du für ein Sternzeichen? – Ich möchte allerdings vorab deutlich machen, dass Sternzeichen für mich keine Bedeutung haben.«

»Warum fragst du dann?«

»Frauen wollen das gefragt werden.«

»Nicht alle. Manche halten es für eine Beleidigung, wenn man sie sofort nach dem Sternzeichen fragt, denn manche Frauen haben seit ihrer Geburt noch was erlebt. Warum fragst du nicht, was ich studiere?«

»Für Frauen ist das nach meinen Informationen nicht wichtig.«

»Warum soll das für Frauen nicht wichtig sein?«

War ihm überhaupt nicht peinlich, seinen Zettel wieder zu holen und draufzuschreiben »Studium bzw. Beruf erfragen.«

Also erzählte ich ihm über meine Seminare und den Job in

der Buchhandlung. Paulus fand, der Umgang mit Büchern sei eine sehr schöne Beschäftigung für Frauen. Er hatte keine Ahnung, was ich durchmachte. Um ihn zu schockieren, erklärte ich ihm Sartre-Volkers Literaturkriterien so: »Für den ist das Wichtigste an einem Autor, dass er einen Schwanz hat.« Paulus starrte mich an. »Ich bin sehr froh, dass du dieses Thema anschneidest.«

Nun staunte ich.

»Ich will mit dir offen über mein Problem reden. Schon als kleiner Junge war mein Penis immer größer als die der anderen.«

»Du Ärmster.« Meinte ich natürlich ironisch, aber Paulus nahm alles ernst, ich sah es ihm an.

»Nach den neuesten Statistiken ist der deutsche Durchschnittspenis im erigierten Zustand 14,48 cm lang und 3,95 cm breit.«

»Und deiner? Doppelt so lang?«

»Meiner ist 19,2 cm lang und 4,45 cm breit. Ich bin von der Natur privilegiert, und das Problem ist, ob ich gegen die Natur handle, indem ich Sexualität zu gering achte. Der Apostel Paulus sagt: Gott gab jedem seine besondere Gabe, dem einen diese, dem anderen jene.«

»Was bringt dieser Unterschied?«

»Das müsstest du als Frau besser wissen.«

Kann eine typische Frau zugeben, dass sie es nicht weiß? Niemals. »Das macht einen Unterschied von 4,72 cm Länge und rund 0,5 Zentimeter Breite. Ich frage mich nur, wie man das eigentlich misst? Die Breite ist klar. Aber die Länge? Von der Spitze bis wohin genau?«

»Man misst auf der Unterseite. Von der Wurzel bis zur Eichel.« Trotzdem war mir nicht klar, was es bedeutet. Schließlich sagte ich: »Penisgröße scheint bei Männern so was zu sein wie bei Frauen BH-Größe.«

Er starrte auf mein T-Shirt, als hätte er Röntgenaugen. Es war nicht das Starren eines Sexisten, es war das eines Außerirdischen.

»Ich hab B.«

»Du hast was?«

»B wie Bischof. A ist die kleinste Körbchengröße, D die größte. So misst man das. Ich hab B. Mittelmaß.«

»Körbchen«, staunte er.

Ich überlegte: Was tun wir jetzt? Sein Priesterwohnheim war als Stätte des Erkennens nicht geeignet, es war klar, dass es bei mir stattfinden würde. Heute, schon beim zweiten Treffen miteinander ins Bett zu gehen, wäre für einen Theologen zu schnell. Aber beim dritten Mal. Das dritte Mal hat was Magisches, Symbolisches. Und wann? Morgen war Sonntag. Da tut man so was nicht. Nicht mit Theologen. »Am Montag kannst du kommen.«

Mich befiel hysterische Hektik. Was ist angesagt als Begleitmusik, wenn man mit einem Theologen ins Bett geht? Ich dachte unablässig: Ein Mann wird dich erkennen. Ich musste eine typische Frau sein. Ich kaufte Rotwein und rote Kerzen mit erotischer Duftnote, die beim Abbrennen allerdings modrig rochen. Hektisch besprühte ich die Kerzen mit einer Parfümprobe, was einen Geruch ergab wie Weihrauch. Das passte.

Als es klingelte, schaltete ich den Cassettenrecorder ein. Ich hatte was Passendes gefunden: Mozarts »kleine Nachtmusik«. Aber als Erstes kam von George Harrison »My sweet Lord«.

Paulus trank ein Glas Rotwein, rauchte zwei Gauloises. Seine Stirn war gefaltet wie betende Hände. Da er nicht mit Knutschen anfing, fragte ich: »Wollen wir miteinander reden?«

Er schwieg ängstlich, als hätte er »beten« verstanden.

Ich hatte ewig überlegt, worüber ich mit einem Theologen reden könnte, wollte alles vom Apostel Paulus lesen. Seit meiner Konfirmation hatte ich eine Bibel, sogar in moderner Sprache, trotzdem war mir das dann zu kompliziert. Ich hatte deshalb beschlossen, mich auf die spezielle Problematik von Paulus zu konzentrieren. Es ist immer besser, man spricht über Probleme, die der andere hat. Man muss nur eine Überleitung finden. Da fiel mir Rumpelstilzchen ein, und ich fragte Paulus, wie seiner heißt.

Paulus taute auf. »Ich nenne ihn etwas salopp meinen Zeiger. Wie findest du das?«

Fand ich gut. Ich zeigte Paulus den Weg in mein Schlafzimmer.

Als er seine Jeans auszog, zog er gleichzeitig mit einem Wutsch die Unterhosen aus. Wollte er seine katholischen Unterhosen verbergen? Oder ohne Zwischenstopp seinen Zeiger enthüllen? Ich schielte hin und war enttäuscht. Zwar hatte ich nicht erwartet, er entrollt nun einen Elefantenrüssel, aber nur eine Banane? Okay, es war keine Mickerbanane, es hätte vielleicht fürs Chiquita-Etikett gereicht. Knapp. Und gekrümmt wie eine Banane, natürlich misst man die Krümmung mit. Ich machte auf erfahrene Frau: »Man sieht gleich, dass dein Zeiger vier Zentimeter länger ist als der Durchschnitt.«

Er nickte ernsthaft.

Im Unterschied zu Frauen erkennt man Männer auch daran, dass sie Brusthaare haben. Paulus hatte zusätzlich viele Bauchhaare. Und Schulterhaare. Nicht unbedingt mein Schönheitsideal, aber es passte zu Paulus, es wirkt so natürlich.

»Hast du Kondome?«, fragte ich.

»Natürlich nicht.« Darf man nicht erwarten von einem Theologen, könnte ja sein, die Kassiererin des Kondomfachgeschäfts ist Kirchenmitglied. Aber ich besaß eins. Werbegeschenk von einem Frisör, mit aufgedrucktem Werbespruch. Als ich es vor Ewigkeiten beim Bezahlen geschenkt bekam, glaubte ich sogar, allein durch den Besitz eines Kondoms würde sich die Gelegenheit ergeben, es bald zu benutzen. Das war allerdings so falsch wie die Hoffnung, zu diesem Frisör zu gehen, um danach besser auszusehen.

Nun gab ich Paulus das Kondom. Er las sorgfältig den

Aufdruck außen: »Die EU-FrisörmeisterInnen warnen: Geschlechtsverkehr gefährdet Ihre Frisur.« Paulus strich sich erschrocken durch die Haare.

Ich machte dezent das Licht aus und wartete. Nichts geschah. Nach einer Weile machte ich das Licht wieder an, da lag er. Sein Schwanz sah aus wie eine schlappe Schnecke. Kein aufregender Anblick. Ein Schwanz ist nur aufragend aufregend, kann man so allgemein sagen. Er sagte: »Ich kann nicht mit Kondom, Empfängnisverhütung ist nicht erlaubt.«

»Ich bin nicht katholisch, ich muss nicht schwanger werden dem Papst zuliebe.«

»Wenn ich ein Kondom benutze, ist das Vergeudung des Samens. Dieser Sündenfall ist bereits bei Onanie gegeben, deshalb musste Herr Onan, nach dem die Onanie benannt wurde, sterben. Vergleiche Moses 1, Kapitel 38, Vers 10.«

Neuer Mann, neue Probleme, sagen die FrauenratgeberInnen. Ich hatte mir vorgenommen, erst wieder die Pille zu nehmen, wenn es sich lohnte, heißt, nur für eine Beziehung mit längerfristiger Perspektive. Und das heißt ziemlich viel. Und dazu müssen vom Partner entscheidende Impulse ausgehen.

Er zog in einem Wutsch Unterhose samt Jeans an. Er sagte: »Ich werde unsere Beratungsstelle aufsuchen.«

Da verliebte ich mich in ihn. Ein Mann, der sich beraten lässt, ist toll.

Gleich nachdem er gegangen war, las ich dankbar den ersten Brief, den Apostel Paulus an Timotheus schrieb: »Die Frauen sollen still zuhören und sich unterordnen. Ich lasse nicht zu, dass sie vor der Gemeinde sprechen oder sich über die Männer erheben. Sie sollen sich ruhig und still verhalten. Zuerst wurde Adam geschaffen, dann erst Eva. Es war auch nicht Adam, der vom Verführer getäuscht wurde; die Frau ließ sich täuschen ...« Und der Apostel Paulus begründet die gottgewollte Herrschaft der Männer damit, dass Gott den Mann nach seinem Bilde schuf. Und Gottes Vertreter ist Christus, keine Christa. So einfach.

Genauso einfach wie der über die ganze Wand gesprühte Spruch in der Mensa des pädagogischen Instituts: »Als Gott den Mann erschuf, übte sie nur.«

Angeblich ist die Wahrheit immer einfach. Nur welche sollte ich glauben?

16. Kapitel

In der Buchhandlung pinkelte Volker das Klo voll, mit Absicht. Er bepinkelte den Sitz, auch alles ums Klo rum, und hinterließ fette Kackstreifen. Ich vermutete, er rupfte sich Schamhaare aus, die er auf die Brille pappte. Er sagte, wenns mich stört, soll ichs putzen, ihn stören nur die Weiber, die nie gelernt hätten, ihren Penisneid zu sublimieren, und Penisneid sei Pinkelneid, und ich soll gefälligst Freud lesen.

Den Gefallen tat ich ihm sofort, gleich als er wieder im Lager war. Es ist ein Genuss, dafür bezahlt zu werden, dass man liest. Freuds »Drei Abhandlungen zur Sexualtheorie« gabs als Taschenbuch, immer vorrätig.

Freud schreibt, dass er sich bereits jahrzehntelang mit Sexualität befasst hatte, bis ihm auffiel, dass er nur über die Sexualität von Männern nachgedacht hatte und davon ausging, bei Frauen seis nicht anders. Aber da nach seiner Ansicht Männer und Frauen grundverschieden sind, musste es doch erst recht bei der Sexualität einen Unterschied geben. Und da entdeckte Freud den großen Unterschied. Und der heißt Penisneid.

Und so funktioniert Penisneid: Jedes Mädchen, das zum ersten Mal einen Penis sieht, erkennt schlagartig, dass ein

Penis viel besser ist. Penisneid ist Neid auf den ersten Blick mit lebenslänglichen Folgen. Freud schreibt: »Das kleine Mädchen ist im Nu fertig mit ihrem Urteil und ihrem Entschluss. Sie hat es gesehen, weiß, dass sie es nicht hat, und will es haben.«

Die Folgen: Manche Mädchen hoffen, dass ihnen noch ein Penis wächst. Manche hoffen lebenslang.

Aber die meisten Mädchen versuchen zu verleugnen, dass sie keinen Penis haben. Das äußert sich in einer Verachtung von Frauen, denn Frauenverachtung ist das Einzige, worin Frauen den Männern überlegen sein können, weil sie naturgemäß jeden frauenmöglichen Mangel kennen. Frauen, die Frauen verachten, haben einen Männlichkeitskomplex.

Die Selbstverachtung der Frauen äußert sich auch in der Verachtung ihrer Klitoris. Freud schreibt: Frauen wollen nicht onanieren, sie schämen sich, weil im Vergleich zum Penis die Klitoris nur mickrig ist. Und die Vagina ist sowieso nur ein Loch, ist ohne Penis ein Nichts.

Die einzig sinnvolle Kompensation des Penisneids ist ein Kind – das Kind ist für die Frau Penisersatz. Natürlich ist ein Kind mit Penis ein besserer Penisersatz.

Und Freud schreibt, wenn ein kleiner Junge zum ersten Mal ein nacktes Mädchen sieht, erschrickt er fürchterlich, denn bisher glaubte er, jeder hätte einen Penis. Und sofort ist er überzeugt, wer keinen hat, ist kastriert, als Strafe für ein furchtbares Verbrechen. Von diesem Anblick an wird der Junge die Frauen für immer verachten. Und das ist nicht krankhaft, sondern völlig normal, schreibt Freud.

Wieder die Frage: Das soll ich glauben?

17. Kapitel

Paulus rief an: »Ich habe mich beraten lassen, unser Problem ist gelöst.« Mehr wollte er am Telefon nicht verraten, doch seine Stimme strahlte.

Er kam zu mir, begrüßte mich strahlend mit Handschlag, und überreichte mir ein Formular. »Für dich.«

Es war sein Aidstest. Paulus war bei einer Beratungsstelle für Theologen gewesen. Der Berater erzählte ihm, dass gerade in Amerika untersucht worden war, bei welchen Berufen Aids besonders häufig ist, das sensationelle Ergebnis: besonders häufig bei katholischen Priestern. Leider diskutierte nun die Presse das Freizeitverhalten von Priestern sehr unsachlich. Deshalb hatte sich die katholische Kirche zu einer Gegenstudie entschlossen, hatte nun alle Kirchenmänner gebeten, gratis und selbstverständlich freiwillig einen Aidstest machen zu lassen. So war Paulus zu seinem Aidstest gekommen, er strahlte: »Von mir bekommst du kein Aids.«

Ich schwieg den Empfehlungen des Apostel Paulus gemäß. Bis wir im Bett lagen. Da konnte ich die Frage nicht mehr vermeiden: »Aids kann ich nicht von dir bekommen, aber ein Kind. Wenn du keine Kondome benutzt, soll ich mir wieder die Pille besorgen?« Kapierte er, dass diese Frage fast ein Heiratsantrag war? Willst du mein fester Freund sein?

»Nicht nötig.« Er setzte seine Brille wieder auf und sagte in salbungsvollem Singsang, als würde er von einer Kanzel sprechen: »Die empfehlenswerteste Methode der Empfängnisverhütung ist die Anwendung einer Sexualtechnik, die eine Befruchtung auf natürliche Weise ausschließt und dennoch den Samen nicht vergeudet. Wir empfehlen daher die orale Ausübung des Geschlechtsverkehrs durch die Frau.« Sein Schwanz krümmte sich etwas. »Es gibt durchaus auch weltliche Instanzen, die der Meinung sind, dass es im Grund kein Geschlechtsverkehr ist, wenn die Frau es mit dem Mund macht.« Sein Schwanz stimmte dieser Meinung deutlich zu.

Ich stimmte ihm auch zu: »Es gibt auch weibliche Instanzen, die der Ansicht sind, dass Fellatio kein Sex ist, nicht für Frauen. Was habe denn ich davon?«

Ich erinnerte mich: Als Martis Mutter mal in der Abo-Operette war, es gab die »Fledermaus«, weshalb Marti und ich miteinander im Bett lagen, zog er plötzlich im Bett seine Lederjacke an und sagte: »Jetzt spielen wir die Ledermaus.« Und er legte seine Hände auf meine Schultern und versuchte, mich abwärts zu drücken. Aber ich hielt mich an seinem Hals fest, sagte, das blöde Macho-Spiel mache ich nicht mit. Er gab es dann auf und maulte, ich hätte keine Ahnung von Männern. Und ich sagte, er hätte keine Ahnung von Frauen, damit war das Thema damals erledigt. Nie hätte ich dem versifften Hannes für sein ungewaschenes Ding eine mündliche Reinigung angeboten. Gunter hatte mir in seinen komplizierten Positionen mehrmals sein Ding vor die Nase gehängt, aber ich hatte nicht zugeschnappt. Warum soll ich mir eine Pinkelröhre in den Mund stecken lassen?

Ich regte mich auf: »Empfiehlt das dein heiliger Paulus, damit Frauen schweigen müssen? Bekomme ich, wenn ich dein Sperma schlucke, plötzlich innere Werte? Habt ihr eine Schutzheilige für sexuelle Dienstleisterinnen? Eine heilige Oralia?«

Er sah mich verständnislos an: »Alle Frauen wollen das.«

»Haben das deine früheren Freundinnen gemacht?«

»Nein«, musste er zugeben. »Die Erste hat sich geweigert, obwohl sie meine Argumentation richtig fand, dass die Spermien beim Runterschlucken nicht getötet werden, sondern artgerecht entsorgt. Aber sie war sehr sensibel und wollte keine Spermien im Bauch, nur Schmetterlinge. Die Zweite hat sich geweigert, weil sie strenge Vegetarierin war und keine tierischen Produkte konsumierte.«

»Und ich weigere mich, weil es nur Männern was bringt, aber mir nichts.«

»So soll es doch sein«, und wieder sprach er in salbungsvollem Singsang, »denn das Lustempfinden der Frau ist vergeistigt. Frauen müssen sich ihrer Sexualität nicht schämen, wenn sie keine Lustgefühle dabei haben. Die Frau will sich beim Sex erniedrigen, um den Mann zu erhöhen.«

»Du bist ein Macho.«

»Jeder richtige Mann ist ein Macho. Und zu jedem Macho gehört eine Masochistin.«

Ich blieb hart: »Ich hatte nie den Berufswunsch Märtyrerin.«

Das machte seinen Schwanz wieder zur Schnecke.

18. Kapitel

FrauenratgeberInnen sind sich einig: Es ist gut, Männer zappeln zu lassen, dann sind sie schneller bereit, ihre Meinung in deinem Sinn zu ändern. Als Paulus wieder anrief, ob ich Lust hätte, ihn zu treffen, hatte ich gerade meine Tage und war froh, ihm sozusagen aus dem Bauch raus sagen zu können, ich hätte keine Lust. Außerdem hatte ich gelesen – wer sich mit einem Theologen einlässt, liest seltsamerweise überall was über Theologen –, dass die katholische Kirche keine Priesterinnen duldet, weil deren Menstruationsblut den Altar verunreinigen könnte. Menstruationsblut an Paulus' von Gott so hervorragend gestaltetem Zeiger, das wäre ja Schändung eines Heiligtums. Paulus musste warten, bis ich mich wieder meldete.

Violett ist die Farbe der Bischöfe. Als wärs ein Wink des Himmels, entdeckte ich im Fenster einer Apotheke ein violettes Plakat, eine Reklame für Verhütungszäpfchen, sie waren violett verpackt. Spontan kaufte ich die Packung mit zwölf

Zäpfchen: hatten wir die aufgebraucht, konnte stillschweigend von einer Beziehung mit längerfristiger Perspektive ausgegangen werden, dann würde ich wieder die Pille nehmen. Solche Strategien nennt man Beziehungsarbeit.

Ich rief ihn an. Er war erfreut, musste am Abend aber zum Küchenkonzil, so nannte man im Priesterwohnheim die monatliche Einteilung der häuslichen Pflichten. »Es wäre nicht richtig zu schwänzen.«

Enttäuschend, dass er mir zuliebe nicht alles stehen und liegen ließ. Tröstlich, dass er nicht mal seinem Schwanz zuliebe schwänzte.

Strahlend kam er am nächsten Abend. Er holte aus seiner Jeans etwas Kleines, Flaches in schneeweißem Papier. »Gab mir der Kollege von unserer Beratungsstelle.«

Auf den ersten Blick dachte ich, es sei eine Oblate drin fürs heilige Abendmahl, es war aber ein Kondom.

»Der Kollege hat gesagt, ich muss das Verbot der Empfängnisverhütung unter das Gebot der Ansteckungsverhütung stellen. Er hat sogar empfohlen, auf Oralsex auch mit Kondom zu verzichten, weil es vorkam, dass infizierte Frauen dabei durchs Kondom bissen und so Männer ansteckten. Man muss daran denken, es gibt mehr Huren als Heilige.«

»Na prima«, sagte ich nur. Der Berater war auf meiner Seite. Und wenn er mich zu den Huren zählte, mir egal, wenns für einen guten Zweck ist … für meinen Zweck. Ich bat ins Schlafzimmer.

Er zog wieder in einem Wutsch Jeans samt Unterhose aus. Er stand vor mir, er stand hervorragend. Er fummelte die Oblate gekonnt drüber. »Ich hab bereits eines ausprobiert, ob es lang genug ist für mich. Es passt.«

Ich hatte im Fernsehen gesehen, wie sich ein Witzbold ein Kondom über den ganzen Kopf zog, erstaunlich dehnbar die Dinger. Aber sicher sah Paulus derartige Sendungen nicht. Sein Gesicht roch seifig, nach einem braven Rasierwasser, wie

Echt Katholisch Wasser. Die Aufregung, seine haarige Haut auf meiner Haut zu spüren, war kurz. Er drehte mich auf den Bauch, hob meinen Po hoch, ich dachte noch, er wirds doch nicht anal machen wollen, er hat doch sicher seinem Berater gesagt, dass er nicht schwul ist, aber dann machte er alles richtig, ich spürte kurz das glitschige Kondom an der richtigen Stelle. Er hielt mich an den Hüften, er bewegte sich unheimlich schnell, als würde die Sünde im Hundertstelsekundentakt berechnet. Wie ein rasendes Zittern. Wie ein Kaninchen. Das Zittern war ein Rhythmus, dem ich nicht folgen konnte. Plötzlich, wie von einer Schrotflinte getroffen, bäumte er sich auf. Amen.

Mein Bauch knurrte unbefriedigt. Nur mein Kopf sagte zufrieden: Es ist vollbracht, das war dein Vierter.

Er lag neben mir, auf dem Bauch, das Gesicht im Kissen. Ich streichelte seine vielen Haare. »Wurdest du als Kind aufgeklärt?«

»Natürlich, Sex ist eines der Wunder der Natur.«

»Mit Tierfilmen?«

»Ja.«

Dachte ich mir. Ich wollte gerade fragen, ob in den Tierfilmen viele Kaninchen vorkamen, da fragte er: »Was war es für dich für ein Gefühl?«

Ein kurzes. Wieso hatte ich geglaubt, mit einem längeren Schwanz kann man länger? Um abzulenken stellte ich die Gegenfrage: »Was fühlst du?«

»Mein Berater sagte, ich muss mir der Vergänglichkeit der Beischlafbegeisterung bewusst werden. Hinterher fragt man sich immer, ob es eigentlich nötig war.«

Ich hatte etwas mehr Dankbarkeit erwartet für meine Nächstenliebe. Frustriert ging ich ins Bad, spülte mit der Dusche meine Erregung weg.

Als ich wiederkam, stand er ihm wieder, kondomlos. »Wo ist das gebrauchte?« Sofort ärgerte ich mich, dass ich mich aufführte wie vom Putzteufel besessen. Aber wer einmal im Kopfkissen ein vollgesifftes Kondom fand, hat einen Kondomentsorgungskomplex.

»In der dazugehörenden Entsorgungshülle in meiner Hosentasche, es kommt in die Mülltonne für Verpackungsmaterial.« Natürlich vorbildlich. Ich hatte ihm Unrecht getan.

Sein Zeiger zeigte auf mich. »Wenn du damit einverstanden bist, ich habe ein zweites Kondom.« Pflichtbewusst fügte er hinzu: »Man muss jedes Mal ein neues nehmen.«

Einverstanden.

Ich war erstaunt, dass das Kondom so unschuldig schneeweiß verpackt war. Nach den Worten seines Beraters hätte ich eigentlich den Aufdruck erwartet: Frauchen gefährdet Ihre Gesundheit.

Diesmal dauerte es länger. Er wollte wieder von hinten, ich blieb stur auf dem Rücken liegen, also machten wir es in der guten alten Missionarsstellung. Von vorn bringt stimulationsmäßig mehr. Wieder erstarrte er wie abgeschossen.

Wir lagen da und schwiegen. Und dann fragte ich: »Weißt du, was Liebe ist?«

»Der Apostel Paulus sagt, wenn ein Mann seine Frau liebt, liebt er sich selbst.«

»Und wenn eine Frau einen Mann liebt?«

Das wusste er nicht. Er wollte seinen Berater fragen.

19. Kapitel

Im Schulfernsehen – oder wars die Sendung mit der Maus? – hatte ich einst gehört, dass Freud unterscheidet zwischen klitoralem Orgasmus, der kindisch sei, und vaginalem Orgasmus, der sei für die richtige Frau. Ich hatte aber das ganze Wer-Wie-Was nicht kapiert. Während Volker im Lager

Lager soff, konnte ich mich mit Freuds Abhandlungen zur Sexualtheorie weiterbilden.

Zuerst muss man kapieren: Männer haben nur ein Geschlechtsorgan, den Penis. Frauen haben aber zwei Geschlechtsorgane: die Klitoris plus die Vagina, beide sind sehr unterschiedlich. Was ist wo? Die Klitoris ist all das, was man sieht, wenn man die Schamlippen auseinander zieht. Die Vagina ist das, was man nicht sieht, ist das Loch. Nun lernte ich das Wieso-Weshalb-Warum.

Schon seit es Frauen gibt, wusste man, die Klitoris ist das Zentrum sexueller Stimulation. Speziell die Spitze der Klitoris, das ist der Kitzler, das Gegenstück zur Spitze des Penis, dem männlichen Reizzentrum. Reibt man den Kitzler, wird er wie ein Penis hart und größer. Und weil schon kleine Mädchen sich da lustvoll reiben, man nennt es auch Onanieren, kam Freud auf die Frechheit, den klitoralen Orgasmus als kindischen Orgasmus zu bezeichnen. Und Freud behauptete, der Kitzler sei ein verkümmerter Penis, demnach grundsätzlich männlich.

Aber so was wie die Vagina haben Männer nicht, deshalb ist die echt weiblich. Und weil das Ziel des Penis nicht die Klitoris ist, sondern die Vagina, kam Freud auf die Idee, Frauen sollten ihr Lustzentrum von der Klitoris in die Vagina verlegen. Der Haken dabei: Die Vagina ist ein lustloses Organ, so lustlos wie ein Nasenloch. Nur im Eingangsbereich der Vagina sind genug Nerven, um was zu spüren. Aber Freud meinte, wenn Frauen lang genug glauben, die Vagina bringts, dann klappts auch. Und wahrscheinlich weil man so lang dran glauben muss, ist dieser Orgasmus der erwachsene.

Und Freud schreibt, Frauen sollen nicht onanieren, damit sie die Lustgefühle der Klitoris vergessen.

Statt zu überlegen, was eine Theorie über weibliche Sexualität taugt, die körperlich Unmögliches verlangt, entwickelte er als Beweis noch eine Theorie über künstlerische Fähigkeiten.

Deren Ursprung liegt nämlich angeblich auch im Penis. Freud ging davon aus, dass Künstler ein reges Sexleben führen, jeder kann sich vorstellen, dass Aktmaler viel mehr Sex haben als zum Beispiel Buchhalter. Da aber Künstler nicht nur Sex machen, nützen sie ihre restlichen Energien zum Kunstmachen. Also befand Freud: Kunst entsteht durch Umwandlung sexueller Energien, Freud nennt das Sublimierung. Und bei Frauen sei es so: Weil die Vagina wenig erregbar ist, kann der weibliche Orgasmus nie besonders stark sein, folglich haben Frauen nur schwache sexuelle Energien und machen logischerweise nur schwache Kunst. Und wenn sie nur klitorale Orgasmen haben, machen sie nur kindischen Kitsch.

Frustriert blätterte ich zur nächsten Abhandlung. Da klagt Freud, alle Ehefrauen seien frigide.

In einer Frauenzeitschrift hatte ich gelesen, wenn Männer so was behaupten, soll man überlegen, was ihre Frauen dazu sagen würden. Also, Herr Freud hat die Theorie, seine Frau hätte den falschen Orgasmus. Frau Freud hat die Erfahrung, sie hat den falschen Mann. Und wie Frau Freud sagte ich: »Ohne Freud mehr Freud.«

20. Kapitel

Am nächsten Tag in der Buchhandlung fragte eine Kundin nach Volker. Wir kamen ins Gespräch, sie hieß Susanne, kannte Volker von der Volkshochschule.

Ich dachte, ich hätte mich verhört: »Was für eine Hochschule?«

»Volkshochschule. Da unterrichte ich Französisch. Er war mein Schüler, als er versuchte, das Abi nachzumachen. War aussichtslos bei ihm.«

Ich staunte: »Jetzt kann er sogar Altfranzösisch.«

Sie lachte: »Kann mir denken, was sich Volker unter Altfranzösisch vorstellt – wenns ein alter Mann macht.« Und erzählte, dass Volker nie studiert hat, nur jahrelang darauf wartete, bis er Geld erbt. Und er ist nicht mal Buchhändler, er hatte die Buchhandlung einfach gekauft, um seine intellektuellen Minderwertigkeitskomplexe zu tarnen.

»Er hat doch dieses Buch über Sartre geschrieben.«

»Das ist von einem anderen Volker Nassauer. Im Suff hat er erzählt, dass er im Verzeichnis lieferbarer Bücher einen Autor mit gleichem Namen fand und weil der über Sartre schrieb, hat Volker den Laden Sartre-Buchhandlung getauft.«

»Ich dachte, er hätte seine wissenschaftliche Karriere beendet, nachdem er sich für eine Professur für Altfranzösisch bewarb, und obwohl dreißig Männer diesen Posten haben wollten, bekam ihn die einzige Frau.«

»War etwas umgekehrt, er hat neben dreißig Frauen als einziger Mann ›Französisch für Anfänger‹ nicht bestanden. Ich sag es immer wieder: Bei vielen Männern ist die einzige Bildung die Glatzenbildung.«

Ich lachte noch hysterisch, als Volker kam.

Er begrüßte seine Exlehrerin widerwillig: »Wenn du mein Personal vom Arbeiten abhältst, kannst du mich auf ein Bier einladen.«

Susanne verschwand mit ihm zum Lager.

Als er gegen fünf besoffen zurückkam, grinste ich immer noch.

Er fegte mich an: »Susanne hat erzählt, dass du Bücher nicht in die Kasse getippt hast. Du hast das Geld selbst eingesteckt.« Er sah die paar Kassenbelege des Nachmittags durch: »Es fehlen einige.«

Fassungslos stand ich da. Wie konnte ich beweisen, dass diese Susanne gelogen hatte. Oder log er?!

Er knallte den Korb mit Postsendungen hin, sofort erledigen. Ein Paket musste beim Pädagogischen Institut abgegeben werden.

Wild vor Wut raste ich mit der Rostlaube wie ein Pubertärer, der seit gestern Führerschein hat. Aber schadete es Volker, wenn ich mich tot fuhr? Ich hielt an. Als wäre die Antwort im Postkorb in einem der Umschläge, riss ich einen auf. Es war ein Pornoheft. Hatte ich es geahnt, weil ich kaum überrascht war? Nein, das hatte ich nicht geahnt, es war unvorstellbar eklig: Blut, Kacke, Sperma. Schwänze mit roter Schmiere, brauner Schmiere, weißer Schmiere. Frauen von Mund bis Möse voll Schmiere.

Im nächsten Umschlag ein Heft mit dem Titel »Familienglück«. Eine etwa Dreijährige umklammert mit ihrer Patschhand einen Schwanz. Sah auf den ersten Blick aus wie ein Familienfoto. So was kaufen normal aussehende Männer.

Dann »Spaß mit Nutztieren«: ein Pferd stößt sein riesiges Ding in eine Frau. Geht das wirklich, oder waren das Fotomontagen?

Eins mit dem neckischen Titel »Peter und sein gelehriger Pudel«. Unvorstellbar. Wie kann man einen Pudel in den Arsch ficken? In »Spritzige Lektüre« spritzten Männer Sperma in jede verfügbare Öffnung: in eine Babyflasche, in die Löcher von einem Emmentaler Käse.

Ich machte alle auf: alles Pornos. Nur das Paket fürs Pädagogische Institut enthielt dreißigmal das Werk einer dortigen Professorin »Möglichkeiten der Früherkennung defizitärer Intelligenz«.

Auf jedem Pornoheft klebte eine Rechnung – medizinisches, psychologisches oder sonstiges Fachbuch. Ich packte alles in den Karton fürs Pädagogische Institut. Vielleicht war die Professorin auch interessiert an der Späterkennung defizitärer Intelligenz. Und falls sie ideale Testpersonen suchte, auf den Rechnungen standen ihre Adressen.

Ich gab den Karton mit den Pornoheften beim Pädagogischen Institut ab. Ein Gefühl, als würde ich eine Bombe abliefern. Eine echte Sexbombe.

Die Pädagogik-Bücher verteilte ich in die Umschläge, warf sie bei der Post ein. Hätte mich interessiert, wie lange die Porno-Studenten brauchten, bis sie merkten, dass es auch solche Fachbücher gibt.

Ich kündigte, sagte zu Volker: »Das Spiel ist aus.« Das ist auch ein Stück von Sartre. Mehr sagte ich nicht. Worauf er bei geöffneter Tür mit dem Studentenwerk telefonierte, brüllte: »Ich brauche eine ehrliche Verkaufshilfe und nicht wieder so eine Analphabetin!« Er sagte ANAL-phabetin.

21. Kapitel

Paulus war nicht ans Telefon zu bekommen. Immerhin hatte sein Priesterwohnheim schon einen Anrufbeantworter. Diskret sagte ich aufs Band: »Bitte, Paulus Herzberg, ruf mich an, ich brauche deinen seelsorgerischen Beistand.«
Als er endlich bei mir war und ich alles erzählt hatte, sagte er: »Ich will dich nicht verurteilen.«
Er sollte auch nicht mich verurteilen, er sollte Volker verdammen! »Du verstehst mich nicht. Mit dir kann man nicht reden.«
»Frauen wollen nicht reden, um Probleme zu lösen, Frauen wollen lediglich ihre Gefühle ausbreiten, das darf nicht als Gespräch verstanden werden«, verkündete Paulus.
Ich fühlte mich elend, ich musste mich ein bisschen aufs Bett legen. Ich sagte: »Bleib bei mir, bis es mir besser geht.«
Da lag er neben mir, angezogen. Er guckte nichtssagend, wie eine Uhr ohne Zeiger. Ich knöpfte sein Hemd auf.
Er knöpfte es wieder zu. »Du hast gesagt, du willst seelsorgerischen Beistand, keinen sexuellen.«
»Hättest du Lust, dich mit dem klerikalen Orgasmus zu beschäftigen?«

»Klerikaler Orgasmus?« Er guckte so interessiert, als hätte ich das beste Alibi aller Zeiten entdeckt.

Hatte mich aber nur versprochen: »Klitoraler Orgasmus.« Und erzählte ihm was von Freud.

Sein Interesse war erloschen. »Wir haben in einem Seminar darüber gesprochen. Freuds Theorien sind überflüssig. Denn jede Frau kann auch ohne Orgasmus ihrer Funktion als Mutter zugeführt werden.«

Von meiner Mutter hatte ich gelernt: Wenn ein anderer anderer Meinung ist, gar nicht drauf eingehen. So vermeidet die Dame Streit und behält doch Recht. Wie unschuldig fragte ich: »Hast du Kondome dabei?«

Paulus kann nicht lügen. »Ja. Aber ich will nicht.«

Aber ich wollte. Ich schaltete meinen Recorder an. Ich hatte was Neues aufgenommen, von Bob Dylan »Knocking on Heavens Door«. Ich zeigte ihm meine neuen Verhütungszäpfchen, sagte lockend: »Violett ist die Farbe der Bischöfe.«

Er verstockt: »Violett ist auch die liturgische Farbe der Buße und der Fastenzeit.«

Ich ging ins Bad, schob eins dieser rutschigen Zäpfchen rein, legte mich neben Paulus. Nackt. Es klappte. Sogar besser als beim letzten Mal.

»Du sollst mich nicht verführen«, stöhnte Paulus.

Der Schaum erzeugte zwar ein merkwürdig warmes Gefühl, aber auch viel Feuchtigkeit. Ich ließ ihn nicht Kaninchen spielen, als Missionar war er mir lieber. Ich fühlte mich wie im Paradies, ich war die Schlange der Verführung. Und sagte die anderen berühmten drei Worte: »Ich liebe dich.«

Und er: »Ich liebe dich nicht.«

Immer ehrlich. Mit diesem Schlag war alles vorbei. Es steht in jeder Frauenzeitschrift: Sind Männer unfähig, Gefühle zu zeigen, befähigt das Frauen zu den allergrößten Gefühlsausbrüchen. Ich sagte: »Ich glaube, zwischen uns ist es aus.«

»Ich akzeptiere deine Entscheidung.« Unverschämt unbeeindruckt. Er zog sich sofort an. »Du hast mich verführt. Eine Frau, die einen Mann liebt, tut nur, was der Mann will. Handelt sie anders, ist sie keine richtige Frau.«

Nein, bis in alle Ewigkeit. Seine Unterschiede zwischen Männern und Frauen waren nicht meine Unterschiede. Schweigend ließ ich ihn gehen.

Aber Paulus sagte zum Abschied: »Ich weiß, dass wir uns wiedersehen.«

22. Kapitel

Mein Wunsch ging in Erfüllung: Sartre-Volker bekam massig Ärger. Erst viel später, als ich diese Susanne zufällig auf der Straße wiedertraf, erfuhr ich Einzelheiten. Die Polizei hatte sein Büro durchsucht und Pornohefte beschlagnahmt. Es ist zwar nicht verboten, Pornografie an Erwachsene zu verkaufen, aber verboten sind Pornos mit Kindern und mit Tieren. Zwar konnte sich Volker rausreden, der ausländische Versand hätte falsch geliefert, man konnte ihm die Bestellung nicht nachweisen, aber das Finanzamt war gnadenlos wegen der gefälschten Rechnungen. Er musste reichlich Strafe zahlen. Und die Uni bestellte nie wieder bei ihm.

»Was hat er über mich gesagt?«, fragte ich vorsichtig.

»Du hättest es nicht mehr nötig, bei ihm zu arbeiten, du hättest jetzt einen Macker, der dich finanziert.«

»Und sonst hat er nichts gesagt?! Und du hast das geglaubt?«

»Na, ja«, Susanne zögerte, »man hört ja ständig, dass es solch edle Macker gäbe. Aber selbst kennt man nur popelige Geizhälse. Ich habs eben geglaubt, weil ich es schon so oft gehört habe. Du hast Recht, ich hätte es nicht glauben sollen. Warum arbeitest du nicht mehr bei ihm?«

»Volker sagte mir, du hättest gesehen, ich hätte aus der Kasse Geld geklaut.«

»Hast du etwa geglaubt, was er dir erzählt hat?!«

»Na ja. Eigentlich nicht. Und sonst hat er nichts gesagt über mich?«

»Nein«, sagte Susanne, »er redet nicht mehr so abfällig über Frauen. Seit er im Suff die Pädagogikbücher mit den Pornos vertauschte, hat er sich gebessert.«

»Er selbst hat sie vertauscht?!«

»Wer sonst?« Susanne war ohne Misstrauen.

Glaubte er es wirklich oder behauptete er es, weil er sich schämte, dass ich, eine Frau, ihn reingelegt hatte? Egal, ich sagte: »Na klar, ist er selbst schuld.« Ich verriet nichts. Wenn ich zu seiner Besserung beigetragen hatte, war meine Rache ein gutes Werk und gute Werke hängt man nicht an die große Glocke. Und außerdem: Wenn man ein Geheimnis nicht für sich behalten kann, dann darf mans auch von keinem anderen verlangen.

Wir verabschiedeten uns herzlich und versprachen uns gegenseitig, nie wieder zu glauben, was Frauenhasser über Frauen erzählen.

23. Kapitel

Die Zukunft rückte näher. Ich war sechsundzwanzig. Ich fühlte mich wie Goethes Faust:

> »Habe nun, ach, Philosophie, Juristerei und Medizin
> und leider auch Theologie
> durchaus studiert mit heißem Bemühn …
> Da steh ich nun ich armer Tor …«

Hatte nun, ach, Germanistik, Anglistik und Kunstgeschichte und leider auch einen Theologen studiert … Der große Unterschied: Faust wurde Gelehrter, bei mir reichte es nicht mal zur Lehrerin. Die Torschlusspanik stand vor der Tür.

Zusätzlich nervte mich meine Mutter. Mit meiner Studiererei

könne das nicht ewig weiter gehen. Da ich weder Beruf noch Ehemann in Aussicht hatte, sollte der Sinn meines Lebens sein, an ihrer Seite im Zwitscherbaum zu arbeiten. Und wenn sie dereinst aufhört, darf ich auch für meinen Bruder sorgen. Wenn man anfängt, über meine Mutter zu reden, endet es immer mit Malte.

Mit Malte wohnt sie im Haus neben dem Zwitscherbaum. Meine Mutter hat auch seine Erbschaft ins Restaurant und die Wohnung investiert, dafür finanzierte sie ihn. Ich hatte mein Geld bei der Bank in Festverzinslichen angelegt, aber die Bank zahlte mir längst nicht so viel Zinsen wie meine Mutter ihrem Malte.

Malte hält sich für endlos schlau. Und grinst immer schlau, er weiß nicht, dass er damit keinen, der ihn kennt, täuschen kann. Er ging so schnell wie möglich von der Schule und ersparte sich jede Ausbildung. Er ist von Beruf Sohn, damit verdient er genug.

Er ist jetzt einundzwanzig, verbringt sein Leben vorm Fernseher und glotzt Fußball. Er hat zu jedem Fußballspieler dieser Welt eine Meinung. Er trägt meist blau-weiß-rot gestreifte T-Shirts seines Vereins, sogar seine Bettbezüge sind blau-weiß-rot gestreift, mit Fußballwappen.

Zum Glück sehen wir uns nicht ähnlich, er ist groß, breit, hellblond, große Poren, und rasiert sich nur einmal pro Woche. Mehr wäre zu viel Arbeit, sagt er. Der Stoppelbart und sein Fußballhemd beweisen ihm, dass er ein Mann ist. Keinesfalls wird Malte von unserer Mutter genervt, er soll mehr aus seinem Typ machen. Nein, Malte ist der Typ, und Mama hat ihn lieb.

Früher hoffte unsere Mutter, aus Malte würde Großes werden, mindestens der größte Gastronom unserer Stadt. Die größte Leistung, die er je vollbracht hat, ist seine Sammlung von zweihundert verschiedenen Bierdosen. Solang brauchte er, bis er merkte, dass jeder Bierdosensammeln für bescheuert hält. Je mehr ihre Hoffnung schwindet, dass aus ihm überhaupt was wird, desto mehr soll ich ihre Wünsche erfüllen.

Als ich Malte bei meinem letzten Besuch fragte, was er macht außer fernsehen, grinste er wie üblich schlau: »Ich bin Sportstudent.«

»Wohl ein Fernstudium«, sagte ich.

Meine Mutter nickte stolz: »Malte ist jetzt Platzwart in seinem Fußballverein. Als ehrenamtlicher Sponsor.«

Wenn das ein Beruf ist, dann der passende für Malte. Und welche Karriere! Vorher war er Vereinsidiot gewesen, stand nur wichtig rum, nun hatte er sogar einen Grund dafür. Um zum Fußballplatz zu fahren, braucht er einen großen Mercedes, den finanziert meine Mutter. Weil er damit auch fürs Restaurant einkauft, etwa einmal pro Monat.

Natürlich war Malte zu faul, mich mit dem Auto nach Hause zu fahren, obwohl die Busfahrt zu mir eine Stunde dauert. Meine Mutter schenkte mir das Geld für den Bus, sagte, würde ich endlich Vernunft annehmen und bei ihr arbeiten, könnte ich mir leicht ein Auto leisten. Ich sagte, würde sie endlich Vernunft annehmen, würde sie kapieren, dass ihr Lebenssinn nicht meiner ist.

Im Bus traf ich Carmen, ich kannte sie flüchtig, hatte sie ewig nicht gesehen. Sie sah aus wie das Gegenteil von Carmen – reichlich blond und reichlich fett, und statt spanischer Leidenschaft strahlte sie schwäbische Biederkeit aus.

Sie setzte sich neben mich, starrte mich an, sagte: »Du warst damals mit dem Marti zusammen. Der Marti hat dich mit Rosen überhäuft.«

Sie meinte es ernst. Ich sah es an ihrem neidischen Blick. Sie durfte ihre Illusionen behalten, sie sah aus, als hätte sie Illusionen nötig. Sie fragte: »Was machst du jetzt?« Sollte heißen: Hast du einen Neuen?

»Jetzt mach ich was Besseres.«

Sie fragte nicht, was das sei, sie sagte: »Ich bin jetzt schwanger.«
Ich hatte nicht mal »aha« gesagt, da sagte sie: »Von Marti.«
»Warum denn das?«

»Ich wohn doch schon immer im Haus neben ihm«, sagte
Carmen beleidigt. »Jetzt wohnt Marti bei uns. Seine Mutter
wollte nicht, dass Marti so weit weg zieht.«

Genau: nimm gleich den von nebenan. So findet auch eine
wie Carmen einen Mann. »Und heiratet ihr?«

»Wir sind verheiratet«, sagte Carmen noch beleidigter, »sonst
hätte er ja nicht zu uns ziehen dürfen.« Sie guckte so recht-
schaffen, dass ich nichts mehr fragte. Irgendwie sah sie
Martis Mutter ähnlich.

Sie musste aussteigen. Ich konnte weiterfahren. Das war auch
der Sinn des Lebens, Marti nicht geheiratet zu haben. Er war
mir so egal, ich fragte nicht mal, welches Auto er jetzt fährt.
Großmütig dachte ich, wie schön für Marti, dass ihn genau die
Frau gefunden hat, die am besten zu seiner Mutter passt.

Witzbold Marti hatte immer die Pille »Verhängnisverhütung«
genannt und statt Alimente sagte er »Verhängnisvergütung«.
Nun war seine Verhängnisvergütung sogar eine Ehe.

»Na dann. Schönes Leben noch.«

24. Kapitel

Irgendwann war klar, dass es mit meinem Uni-Abschluss
nicht mehr klappt, ich machte den ultimativen Abflug. Meine
Mutter, die sagte, das hätte sie schon immer gesagt, war sprachlos, als ich ihr Anfang September mitteilte, dass ich nicht
vorhatte, in meiner Heimatstadt zu versauern, und dass
Auslandserfahrung heute das Wichtigste überhaupt ist und
dass ich ab sofort woanders lebe, nämlich in London, und
dass ich dort einen kulturell bedeutsamen Job bekommen

hatte. So schaffte ich es knapp vor meinem 27. Geburtstag, mein Leben völlig zu ändern.

Da ich meine Wohnung möbliert gemietet hatte, blieben nur einige Kartons mit meinem Kram, die kamen bei meiner Mutter auf den Speicher. Alles ging sehr schnell.

Von dem Job hatte mir eine Kurzzeit-Freundin erzählt: Ein schwäbischer Touristik-Veranstalter hatte sich spezialisiert auf Kulturerleben in London. Mein Studium mit Kunstgeschichte und Anglistik waren ideale Voraussetzungen. Man sagte mir, der Job sei die Gelegenheit, in toller Atmosphäre tolle Leute kennen zu lernen. So wurde ich »Cultural Guide«, auf Deutsch »Kulturelle Führungskraft in der Metropole Großbritanniens«.

Die Londoner Niederlassung der Cultural-Guide-Agentur war ein schäbiges Ein-Zimmer-Büro in einem Hinterhaus in der Baker-Street. Ich bekam vom dortigen Einsatzleiter einen riesigen Plastik-Anstecker, darauf gedruckt »Cultural Guide«, darunter mit Filzer geschrieben »Tilla«. Es war kein Job, für den man einen Nachnamen braucht. Ich bekam zwei Museen außerhalb zugeteilt und vier Kunstgalerien in deren Nähe. Bezahlt wurde ich pro Führung, zwei Stunden musste eine dauern. Eine Führung morgens um zehn, eine nachmittags um drei. Täglich außer montags, da sind die Museen geschlossen.

Die Agentur hatte mir als Unterkunft das Boardinghouse von Mrs. Chippers empfohlen. Es war außerhalb in Kentish-Town, aber kein echter Londoner wohnt in der Innenstadt. Ein Boardinghouse ist eine Pension, in der Gäste längere Zeit wohnen. Es war billig, jedenfalls für London, sehr sauber und sehr schäbig. Alles war abgeschabt, der Schrank, der Tisch, der alte Holzstuhl, der Teppich, die Handtücher und die Bettwäsche. Höhepunkt der Ausstattung war ein Fernseher. Bad, Dusche und Klo nur auf dem Flur. Natürlich musste ich mein Zimmerchen selbst bezahlen. Wenigstens zahlte die Agentur eine Monatskarte für U-Bahn und Bus.

Zuerst begleitete ich zur Einarbeitung, unbezahlt, eine Kollegin auf ihren Führungen. Sie hatte eine ähnliche Uni-Karriere wie ich. Sie empfahl mir, meine Touristen nie Touristen zu nennen, sondern Pilger, und alles, was wir besichtigen, sei eine Kulturstätte, das gebe dem Rumrennen die höhere Weihe. Sie beruhigte mich wegen meiner mittelmäßigen Englisch-Kenntnisse, wichtig war allein meine Beherrschung der schwäbischen Sprache. Das Wichtigste, was man als Cultural Guide immer wissen muss: Wo ist das nächste Klo?

Das Interessanteste, was sie mir zu erzählen hatte: Eine ehemalige Cultural Guide hatte bei ihren Führungen einen adligen Steinreichen kennen gelernt. Und er hatte ihr einen Ring geschenkt von Asprey, das ist der Hofjuwelier der Queen, sein Laden ist in der Old Bond Street. Bei den Engländern ist es so: Schenkt er ihr einen Ring, ist es ein Heiratsantrag. Und diesen Ring nennt man Verlobungsring, das ist aber kein einfacher Ring wie bei uns, sondern einer mit einem möglichst teuren Edelstein. Wie der große blaue, den Prinzessin Diana von Charles zur Verlobung bekam und immer trug.

Der Kollegin war allerdings keine vergleichbare Bekanntschaft widerfahren. Der Mann, der bei ihr dreimal hintereinander zur gleichen Führung erschien, hatte Gedächtnisschwund. Vielleicht hätte ich mehr Glück.

Bei diesen märchenhaften Heiratsmöglichkeiten war der Verdienst logischerweise mickrig. Aber Geld war nicht wichtig. Der Job bot die einmalige Gelegenheit zu erleben, wie ich in einer totalen Weltstadt zurechtkam. Ständig dachte ich, das hätte ich nicht von mir gedacht, dass ich das schaffe.

Zwei andere Cultural Guides wohnten ebenfalls in der Pension. Die eine wollte ausschließlich Kontakt zu Engländern, der Sprache wegen. Die andere sagte, sie spreche nicht beim

Frühstück, und da sie nicht sagte, wann sie sonst mit mir sprechen würde, fielen weitere Kontakte flach. Das Leben war ohne arrogante Tussen aufregend genug.

Statt in meinem Zimmerchen in den Fernseher zu starren, klapperte ich abends die Pubs in der Nähe ab. Da konnte ich recht billig essen, etwas Bier trinken und nebenbei die Museumskataloge studieren. Es machte mir Spaß und ich profilierte mich täglich mehr als Kunstexpertin.

In den Pubs standen die Männer immer am Tresen, und die Frauen saßen abseits in diesen Plüschsesseln, die ein Pub so englisch machen. Die Männer sahen ab und zu nach, ob die Frauen, mit denen sie gekommen waren, noch da waren. Es machte keinen Unterschied, als Frau allein in ein Pub zu gehen. Ich lernte Einheimische kennen, erzählte ihnen von ihren Museen, die sie als Einheimische selbstverständlich nie besichtigt hatten. Sie erzählten mir, wo die billigsten Läden waren, das wichtigste Kriterium in diesem Teil von London.

Und ich hatte Glück: Da dauernd Kolleginnen aufhörten, durfte ich bald mitten in der Stadt Führungen machen, am Trafalgar Square in der National Gallery und gleich daneben am St. Martin's Place in der National Portrait Gallery. Beide gehören zu den berühmtesten Museen der Welt.

Die Pilger kamen in Scharen. Aber nie heiratswilde Traummänner, nur wenige widerwillige Ehemänner, die meisten studierten lieber im Pub die Biere der Eingeborenen. Die meisten Frauen waren sowieso ohne Mann verreist: Ehefrauen, deren Männer das englische Bier hassten, oder Geschiedene, die mit geschiedenen Freundinnen Urlaub machten, um in Ruhe über ihre geschiedenen Männer lästern zu können, oder artige Single-Frauen, die nur Kunst, Kirchen und Kaufhäuser besichtigen, weil diese Orte von Männern gemieden werden. Viele waren angezogen wie für eine Bergtour, mit

Wanderstiefeln. Und meckerten wie Bergziegen über die schlechte Luft im Museum. Um ihre Laune zu bessern, tat ich, als wäre ein Museum ein Wanderweg mit Parkettboden, lief möglichst schnell, und wenn ich dann vor den Highlights meine Kunstkenntnisse präsentierte, akzeptierten sie gnädig die Verschnaufpausen.

Das berühmteste Gemälde der National Gallery ist ziemlich klein, 80 cm x 60 cm, gemalt 1434 von Jan van Eyck. Darauf zu sehen sind eine sehr junge Frau und ein ältlicher Mann: Frau und Herr Arnolfini.

Kaum sagte ich, dies sei ein Hochzeitsbild, erzählten die Pilgerinnen, sie hätten die Hochzeiten ihrer Kinder auf Video. Alle fanden, dass es besser ist, eine Hochzeit auf Video zu haben als nur ein einziges Bild. Um das Interesse trotzdem aufs Bild zu lenken, fragte ich: »Wie gefällt Ihnen das Brautkleid?« Man staunte, dass die Braut nicht Weiß trägt, sondern Grün, ein pelzbesetztes langes Mantelkleid. Er trägt einen Pelzmantel und einen großen Pelzhut – obwohl beide in ihrer Wohnung stehen, vor ihrem rot bezogenen Bett. Ich erklärte, warum das Bild so berühmt ist: Es ist eines der ersten Bilder, das keine Heiligen zeigt, sondern reale Menschen.

Manche sagten, den Herrn Arnolfini hätten sie auch geheiratet, eindeutig ein vornehmer Herr. Andere hätten ihn nicht geheiratet, weil er einen Pelzmantel trägt, eindeutig ein Unmensch.

Frau Arnolfini hält ihre Hand auf dem sehr gewölbten Bauch, sie ist hochschwanger. Manche fanden das unpassend für eine Braut, andere fanden es spießig, es unpassend zu finden, sie waren bei ihrer Hochzeit auch hochschwanger.

Ich erklärte, dass damals schwangere Bräute überhaupt nicht unmoralisch waren, denn es gab noch keine kirchlichen Heiraten. Die Ehe war nur eine finanzielle Angelegenheit. Und dieses Hochzeitsbild ist ein gemalter Ehevertrag, denn der Bräutigam reicht der Braut die linke Hand, was eine »Ehe zur linken Hand« bedeutet, das heißt, die Frau erbt nichts. Er hatte sicher Kinder aus früherer Ehe.

Weiter erklärte ich, dass Frau Arnolfini nicht als Braut, sondern als Ehefrau gemalt ist, man sieht es an ihrer Haube, die durften nur verheiratete Frauen tragen, und daher kommt der Ausdruck »unter die Haube kommen«. Sie trägt auch die typische Ehefrauen-Frisur: ihre Haare sind an den Schläfen zu Teufelshörnern hochgedreht, durch die Hörner sollte die Eifersucht der Ehefrauen entweichen.

Wie gesagt, es waren nur wenige Männer bei den Führungen, aber immer war es ein Mann, der fragte: »Was kostet dieser Schinken?« Als hätte er vor, den van Eyck daheim über den Fernseher zu hängen. Niemand weiß, was ein van Eyck kostet, denn nie wird einer verkauft. Aber als Touristenführer muss man alles wissen, also schätzte ich locker 100 Millionen. Und jeder darauf unweigerlich: »Hätte man zu seinen Lebzeiten kaufen sollen, als der Künstler am Hungertuch nagte, da hätte man das für ein paar Mark bekommen.«

Jan van Eyck war der höchstbezahlte Maler seiner Zeit. Auch die Arnolfinis waren stinkreich, was man daran sieht, dass sie van Eyck bezahlen konnten. Das aber wollte niemand hören. Alle Museumsbesucher legen Wert darauf, dass die Künstler gehungert haben. Warum nur?

Eines Tages kam ich auf die Antwort: weil die Museumsbesucher selbst hungrig sind. Von da an erzählte ich, dass van Eyck, dem man die Erfindung der Ölmalerei zuschreibt, aus Hunger seine Farben gegessen hätte, und um den Geschmack der Farben zu verbessern, hätte er sie angerührt mit Öl. Man schwieg betroffen.

Das Thema ließ sich ausbauen. Eines der schönsten Bilder der National Gallery zeigt einen prächtigen Palast, vorn sieht man in ein Zimmer, da kniet die Jungfrau Maria. Schräg übers ganze Bild fällt ein goldner Strahl auf ihre Stirn, es ist der Augenblick der Verkündigung. Gemalt 1486 von Carlo Crivelli aus Venedig –

zu Lebzeiten hochbezahlt, was ich verschwieg. Stattdessen enthüllte ich das tragische Geheimnis dieses Bildes: Ganz vorn, auf einem gemalten Sims, liegen ein Apfel und eine Gurke, in natürlicher Größe, zum Anfassen realistisch. Der Apfel ist Symbol für den Sündenfall, der durch Christus gesühnt wird, und die Gurke – das ist kein Witz – symbolisiert die unbefleckte Empfängnis. Aber ich erzählte, dies sei eine Hungervision des Malers. Er hätte für einen Apfel und ein Ei arbeiten müssen oder, wie es auf Englisch heißt, »for an apple and a song«.

Waren alle erschüttert von den Hungervisionen ringsum, führte ich sie ins Museumscafé, zitierte ein altes englisches Sprichwort »tart before art«, deutsch »Kuchen geht vor Kunst«. Das fanden alle toll, ich besonders, denn ich hatte dieses Sprichwort selbst erfunden.

Manche waren sogar so großzügig, mich zu einem Kuchen und Tee einzuladen. Nur Trinkgeld bekam ich nie.

Nebenan in der National Portrait Gallery war der Hit die Queen, gemalt 1986 von Michael Leonhard. Auf ihrem Schoß hockt einer ihrer Hunde. An Informationen konnte ich beisteuern, dass der Hund ein Corgi ist und Spark heißt und damals acht Jahre alt war. Die Queen guckt nett, der Hund huldvoll. Absoluter Hit war ein Gemälde von Diana, 1981, kurz vor ihrer Heirat, gemalt von Bryan Organ. Ihre Kleidung erregte die Gemüter, so was hatte keine Prinzessin je auf einem Gemälde getragen: eine weiße Bluse, das war okay, aber dazu eine Hose mit Weste. Man war sich einig, dass eine Frau heutzutage einen Hosenanzug tragen kann – aber eine Prinzessin? Auf einem echten Ölgemälde? Muss das sein? In jeder Gruppe wusste mindestens eine mehr über Dianas Leben als Diana selbst. So gabs natürlich auch kein Trinkgeld.

Ehe ich nach London ging, hatte ich einiges Geld aus meiner Erbschaft auf mein Sparbuch übertragen. Das wurde ständig weniger. Ich beklagte mich beim Agenturboss über die miese

Bezahlung. Er gab mir den Tipp, ich solle sagen, ich sei Medizinstudentin und finanziere damit mein Studium, das sei äußerst trinkgeldtreibend. Warum sollte eine Medizinstudentin mehr über Kunst wissen als ich, die Seminare in Kunstgeschichte absolviert hatte? Mediziner bekämen mehr Trinkgeld, weil jeder weiß, dass Ärzte mehr Geld brauchen.

Als ich am nächsten Tag am Ende meiner Führung sagte, ich würde hier arbeiten, um mein Medizinstudium beenden zu können, hielt mich sofort ein Mann fest, jetzt hätte er mir Hochinteressantes zu erzählen, nämlich seine Krankengeschichte. In seinem dicken Bauch hatten ahnungslose Ärzte herumgepfuscht. Seine Ehefrau seufzte gebildet: »Eine Odyssee! Wir waren bei vier Ärzten.«

Die anderen Touristen verdrückten sich, trinkgeldlos. Peinlicherweise begann mein Magen laut zu knurren, ich sagte, ich müsse leider gehen, unbedingt was essen. Sie gingen mit. In der Hoffnung, dass sie mich einladen, schlug ich ein Pub vor, dort erzählte er weiter laut von seinen Innereien. Seine Frau hielt das Knurren meines Magens für zustimmende Geräusche, sie nickte mir ständig zu.

Als meine Bratwurst kam, die auf Englisch ebenfalls »bratwurst« heißt, mit mashed potatoes, dem typisch englischen grobkörnigen Kartoffelbrei, rief er: »Durch die Medikamente war meine Gallenfunktion so gestört, genau so sah mein Stuhlgang aus!«, und zeigte auf meinen Kartoffelbrei.

Ich starrte auf den hellgelben Matsch: »Das kann nicht wahr sein.«

Worauf er: »Als Ärztin muss Ihnen bekannt sein, dass gesunder Stuhl nicht so auszusehen hat. Gesunder Stuhlgang sieht aus wie Ihre Bratwurst.«

Und die Ehefrau echote: »Wie Ihre Bratwurst muss gesunder Stuhlgang aussehen.«

Sie zahlten mein Essen nicht. Ich erzählte nie wieder, dass ich Medizin studiere. Das hatte alles keinen Sinn.

Aber wenn ich ab und zu mit meiner Mutter telefonierte, aus Telefonzellen, in denen sie mich zurückrufen konnte, erzählte ich, dass ich gut verdiene und der Umgang mit hochgebildeten kulturell interessierten Männern und auch Frauen genau das sei, was ich mir gewünscht hätte.

25. Kapitel

Thomas Wegmann erschien im Frühjahr meines zweiten London-Jahrs. Er war speziell zur Betreuung von Firmengruppen angestellt, verdiente mehr als doppelt so viel wie ich – hatte allerdings viel mehr Kunstgeschichte studiert und einen Abschluss als Magister. Und hatte schon in Amsterdam als Cultural Guide gejobbt. Sein Motto: Überall gibts Kunst, so machte er Kneipenbesuche zu Kunsterlebnissen.

Thomas schleppte seine Firmengruppen in ein prachtvolles viktorianisches Pub, in dem schon Winston Churchill gesoffen hatte, und erklärte die Besonderheiten des viktorianischen Stils: die Betonung industrieller Massenfertigung statt individuellen Handwerks. Im nächsten Pub hatte schon Shakespeare gesoffen, und es war ein grandioses Beispiel elisabethanischer Architektur – alles, was Fachwerk hat und kleine Fensterscheiben, wird in England elisabethanisch genannt. Oscar Wilde hatte in einer Jugendstilkneipe gesoffen, auf Englisch heißt der Stil »fin de siècle«. Die berühmten Tapetenmuster und Stoffe von William Morris waren in der nächsten Kneipe zu bewundern. Und dann das Pub, dessen Wände bepflastert waren mit Fälschungen von Picasso, Braque und Matisse.

Thomas lieferte das kulturelle Alibi für einen wunderbaren Abend in wunderbaren Kneipen. Er wurde grundsätzlich auf Firmenkosten eingeladen und bekam reichlich Trinkgeld.

Er tat, als sei er immer gut gelaunt, und sah mit seinen brauen

Locken immer gut aus, das kam bei den Leuten gut an. Er kam auch aus Schwaben, aus Stuttgart, hatte in Hamburg studiert, konnte, wenn er wollte, einwandfrei Hochdeutsch, das beeindruckt Schwaben.

Er kam auch bei mir gut an. Als er ins Boarding House einzog, waren die andern Kolleginnen längst abschiedslos verschwunden. Thomas fragte mich, ob er mich alles fragen kann, was er wissen musste, um sich hier zurechtzufinden. Natürlich.

Die Touren von Thomas begannen erst um 17 Uhr, wenn die Pubs wieder Alkohol verkaufen dürfen. Und seine Touren dauerten lang. Dafür nur von Mittwoch bis Samstag.

Von Sonntag bis Dienstag zeigte ich ihm unsere Gegend und wir erzählten uns von unseren Führungen. Bei Thomas waren überwiegend Männer, und die wenigen Frauen, die in so gehobenen Positionen waren, dass ihre Firmen einen Bildungs-Kurzurlaub in London spendierten, gingen spätestens um elf, wenn die Pubs schließen, ins Hotelbett. Aber viele Männer wollten noch in einen Club, um weiterzusaufen. Und mit Club meinten sie meist Puff. Damit war auch klar, warum die viel besser bezahlten Pubtouren ein typischer Männerjob waren, bei einer Frau würden die Männer sich nicht trauen, nach den sogenannten einschlägigen Adressen zu fragen. Thomas führte sie zum Beispiel in die Wardour Street, da gibts an den Häusern Klingelschilder, auf denen nur Vornamen stehen: Pamela 1x, Yvonne 2x, Saskia 3x – die Zahl bedeutet, wie oft man für welche klingeln muss. Manchmal steht neben dem Namen als Berufsbezeichnung »Model« – darunter hatte ich mir immer was anderes vorgestellt.

Thomas wurde auch auf Firmenkosten eingeladen zu den Nutten. »Aber ich warte nur in der nächsten Bar, bis die Herrschaften ihr Geschäftchen erledigt haben. Ich mach mir nicht viel aus Sex.«

»Warum nicht?«

»Weil es bisher nie so war, dass ich was vermisst hätte, wenn ich es nicht habe.«

So kamen wir auf unser Thema.

Es war ein Montagabend, wir saßen in einem Pub in unserer Nähe, im »Arms and Men« –, bedeutet nicht »Arme und Männer«, sondern »Waffen und Männer«, und im Schild überm Pub war ein Krieger bewaffnet mit Bierglas. Und dann spürte ich Thomas' Bein an meinem Bein. Es war so ein verbindendes Gefühl, stundenlang saßen wir da und quatschten Bein an Bein.

Als das Pub schloss, hatten wir keine andere Wahl: Wir landeten im Zimmer von Thomas. Wir kamen auf unser Thema zurück.

Thomas gab zu, dass er nicht viel Erfahrungen hatte mit Frauen. Obwohl er so alt war wie ich. Er hatte zwei ältere Schwestern, die vier Jahre ältere war Anwältin, arbeitete in der großen Kanzlei seines Vater, ebenfalls Anwalt, und seine zwei Jahre ältere Schwester war Mutter wie seine Mutter. Seine Schwestern hatten immer eine innige Beziehung zueinander und ihn immer von ihren Geheimnissen ausgeschlossen. Sie erzählten ihm, Tampons seien weiche Lockenwickler, die Frauen nachts tragen. Und als er mal sehen wollte, wo die Haare sind, die böse Frauen auf den Zähnen haben, erklärten sie ihm, Frauen hätten Zähne zwischen den Beinen, damit könnten sie dummen Buben das Würstlein abbeißen. Als er alt genug war zu kapieren, dass sie sich über ihn lustig machten, hatte er beschlossen, sich für Weiberkram niemals zu interessieren.

Thomas hatte bisher nur eine langjährige Freundin gehabt, sexuell total passiv. Er hatte nie Lust gehabt, diese Scheintote zu vögeln. Seine Ex hatte ihm vorgeworfen, sie sei so passiv, weil sie nie feucht wird, und das sei seine Schuld.

Ich staunte: »Das kann nicht sein.«

Doch: nie feucht. Obwohl er überall gerieben hätte.

»Überall gerieben? Auch zwischen den Zehen?«

Er merkte, dass ich lachte. »Du bist wie meine Schwestern.«

Er zog mich an einer Haarsträhne: »Dann zeig mir mal, wie es geht.«

»Bist du verrückt? Hältst du mich für eine Nutte? Soll ich etwa Sexual Guide werden?«

Er überlegte: »Die Antworten sind: nein, nein, ja.«

Es war Frühlingsanfang. Alles keimte und sprießte, überall das Versprechen, dass aus was Kleinem was Großes würde – der Vergleich nützte nichts: Wie fängt man mit Sex an, wenn man gleich richtig anfängt?

Im Dunkeln traut man sich mehr, weil einen keiner sieht. Folglich: Licht aus, Klamotten aus. Dann lagen wir unter der Decke. Seine Haut war glatt und sehr kühl, dann glatt und immer wärmer. Wo war sein Schwanz? Zwischen den Beinen eingeklemmt? Oder hatte er keinen? Er strich über meinen Bauch, was toll war, drückte auf meinen Bauchnabel, als wärs ein Klingelknopf: »Hallo, wie entsteht Feuchtigkeit?«

»Die erste Frage ist: Wo? Die Antwort: Weiter unten.«

Er rubbelte da unten rum.

»Nicht so heftig. Du sollst nicht meine Schamhaare polieren. Und zuerst die Schamlippen öffnen.«

»Wo sind die?«

»Stell dich nicht absichtlich blöd. Die Schamlippen sind unter den Schamhaaren.«

»Entschuldigung, bei mir nicht. Ich muss das von der Pike auf lernen.«

»Das kann ja heiter werden.«

»Hoffentlich. Nur wie?«

Ich nahm seine Hand. »Hier in der Mitte ist ein Spalt, wie bei einer Muschel, deshalb sagt man Muschi dazu.«

»Ich dachte, Muschi kommt von Katze. Aber du hast Recht, die Muschel ist ein Symbol für Weiblichkeit, zum Beispiel bei Botticelli, wo die Venus aus der Muschel geboren wird. Allerdings ist die Muschel auch das Symbol der Pilger, Kennzeichen vom heiligen Jakob.«

»Hör auf, abzulenken. Und nicht so vorsichtig drüberstreichen. Das ist kein Reißverschluss.«

Dann drückte er viel zu stark, als müsste er den Spalt vertiefen. »Aua. Du musst kein Loch in mich bohren, da ist schon eins.« Nun wurde ich selbst ganz verkrampft. »Hör auf zu stochern und wackel nicht so wild mit dem Finger rum. Zieh den Spalt etwas auseinander und fahr mit einem Finger der anderen Hand den Spalt auf und ab. Langsam.«

»Ich soll mit beiden Händen gleichzeitig was machen?« Klappte nicht. »Sorry, ich kann da unten nichts sehen.«

»Das musst du auswendig können, das geschieht immer im Dunkeln. Fast immer.«

Na also, klappte doch. »Jetzt merkst du, die Muschel ist innen feucht, wie Muscheln so sind, und wenn du mit dem Finger hin und her fährst, wird sie noch feuchter.«

»Wo ist die Harnröhre?«

Ich nahm seinen Finger. »Hier in der Mitte. Man spürt sie nicht. Aber wenn du ausgerechnet da rumdrückst, gibts das Gefühl aufs Klo zu müssen. Aber die Feuchtigkeit, um die es hier geht, kommt nicht aus der Harnröhre.« Das immerhin war ihm bekannt.

Als wäre es nicht zu meinem Vergnügen, sondern nur eine Geländeübung, sagte ich: »Jetzt ein bisschen nach hinten, jetzt steck deinen Finger ganz rein.«

Er tat es. Und rein und raus. Es glitschte.

»Jetzt zwei Finger rein. Was man vorher dehnt, klemmt nachher nicht.« Es glitschte noch mehr.

»Jetzt drei Finger?«

»Ist dein Schwanz drei Finger breit?«

»Nein. Bestimmt nicht. So was gibts gar nicht.«

»Dann lass es.«

Je weniger verkrampft seine Finger wurden, desto länger hätte er so weiter machen können. Solche Übungen bleiben nicht ohne Folgen.

Ich spürte seinen Schwanz. Tausend Spermien lauerten im Startloch. Nun kam die Erkenntnis, dass wir keine Kondome hatten. Die Verhütungszäpfchen hatte ich mitsamt allen Restgefühlen für Paulus weggeworfen. »Wenn wir nicht weitermachen können, müssen wir aufhören.« Sonst wäre mir alles egal gewesen. »Jetzt weißt du, wie man anfängt. Ich zeig dir beim nächsten Mal, wie es weitergeht.« Und zog mich an.

Allein in meinem Bett, umarmte ich mein Kopfkissen. Das konnte heiter werden. Thomas war netter als alle anderen je zuvor.

Wie üblich ging ich am nächsten Morgen um 8.30 Uhr in den Keller, in den schäbigen Frühstücksraum mit dem abgeschabten Imitatkaminfeuer aus orange leuchtendem Plastik. Es roch muffig nach dem penetranten englischen Bratöl.

Thomas saß schon da, sonst kam er viel später. Er war gar nicht verlegen. Er bumste seinen Teebecher gegen meinen – plötzlich hatte alles diese Bedeutung.

Er hatte sehr braune Augen und einen schönen Mund.

Er sagte: »Machst du heute Abend was mit mir?«

Ich lachte laut, als ich bei der Führung auf einem Gemälde Johannes den Täufer entdeckte, der auf eine Maria in den Wolken zeigt. Johannes starrte mich an, braunäugig wie Thomas, sein Zeigefinger merkwürdig verkrümmt, als wollte er fragen, ob es so richtig ist.

Meine Pilger guckten erstaunt, was daran komisch sein könnte. Aber in der Kunst ist es wie in der Liebe: Man kann nicht alles erklären.

26. Kapitel

Er hatte die schönsten Kondome des britischen Empire gekauft. Verpackt in einem hellblauen Luftpostbriefumschlag mit aufgedruckter Briefmarke, darauf eine Tänzerin von Toulouse-Lautrec, und mit Stempel von Paris. Auf dem Umschlag stand wie handgeschrieben »French Letters for my Love«.

»Kondome heißen hier altertümlich french letters, französische Briefe, denn früher wurden sie angeblich in diskreten Umschlägen aus Frankreich geschickt. Bei uns hießen sie auch Pariser.«

»Hast du die aus dem Antiquitätenladen?«

»Aus einer traditionsbewussten Drogerie – Hoflieferanten, by Appointment to His Royal Highness Prince Charles.« Traditionsbewussterweise rochen sie nicht nach Vanille oder Schoko oder Emmentaler Käse oder sonst was, was suggerieren soll, man müsste sie essen, sondern nach Gummi.

Als er neben mir lag, fragte Thomas: »Wo waren wir stehen geblieben?« Es war eindeutig zweideutig.

»Wir fangen wieder von vorn an. Und das Nachttischlämpchen bleibt an.« Ich hatte mich vorbereitet.

»Herzlich willkommen zu unserer Führung. Was Sie hier von außen sehen, ist für viele ein alltäglicher Anblick und dennoch eines der letzten unerforschten Gebiete unserer Kultur. Das Areal ist im Volksmund unter vielerlei Bezeichnungen bekannt, am bekanntesten als Muschi, Möse, Fotze, auf Englisch pussy oder cunt. Im Deutschen ist die altertümliche offizielle Bezeichnung Scham – der Name ist einer der Gründe, warum dieses Gebiet unerforscht blieb, viele bringen vor Scham nicht mal das Wort über die Lippen, noch weniger die Scham an die Lippen. Offizielle medizinische Bezeichnung ist Vulva, bitte nicht verwechseln mit Volvo.

Unter den Haaren befinden sich, einer Muschel vergleichbar, zwei Hälften. Das sind die großen Schamlippen oder äußeren Schamlippen. Gebildete Menschen bevorzugen die Bezeichnung Venuslippen, bitte nicht verwechseln mit Venusfalle, das ist eine Pflanze, die Insekten frisst, aber die Venuslippen hassen Insekten. Nicht wenige Männer verwechseln das und glauben, hinter den Venuslippen wären scharfe Zähne, die jeden Eindringling zerbeißen, das ist das Märchen von der Vagina dentata, man erzählt es kleinen Jungs, damit sie brav bleiben. Die äußeren Schamlippen stellen einen Schutz der Anlagen dar, sie entsprechen in ihrer Funktion der männlichen Vorhaut.

Wir öffnen die großen Schamlippen und befinden uns nun im Inneren der Anlage. Sie sehen die Klitoris. Das Wort kommt aus dem Griechischen und bedeutet ›Eine Frau lüstern berühren‹. Gleich vorn das Zentrum der Erregung, die kleine Zitze, der sogenannte Kitzler. Was die Eichel für den Herrn, ist der Kitzler für die Dame. Falsch ist der weit verbreitete Glaube, man müsse den Kitzler kitzeln, damit Frauen lachen – hier geht es nicht um Lachen, hier geht es um Nervenkitzel. Vermutlich ist das Kitzeln des Kitzlers eine typisch deutsche Unsitte, denn der englische Name ist nicht so irreführend, denn hier heißt der Kitzler ›clitoris‹ und genauso heißen auch die inneren kleinen Schamlippen links und rechts daneben.

Darf ich nun bitten, zwanzig Millimeter weiter zu gehen – Millimeter, nicht Zentimeter! –, hier befindet sich der Eingang zur Harnröhre, sie ist für sexuelle Aktivitäten nicht geeignet, deshalb ist die Öffnung so klein, dass man sie kaum sieht. Für männliche Besucher ist oft schwer vorstellbar, dass eine Harnröhre in den Körper integriert ist, statt in einem Schlauch vor dem Bauch zu baumeln. Bei Frauen wurde diese modernere, elegantere Lösung gewählt.

Bitte rücken Sie nun ein kleines Stück weiter: Was Sie bisher nicht gesehen haben, nicht sehen konnten, weil im Verborgenen gelegen – hinten zwischen den inneren Schamlippen –, ist die Vagina, auf Deutsch Scheide genannt. Scheide ist ein vieldeutiger Begriff, hier scheiden sich die Geschlechter, man denkt auch an Scheidung und Dahinscheiden, aber die Bezeichnung stammt von der Hülle, in die ein Schwert gesteckt wird. Dies ist für das angeblich schwertgleiche männliche Organ die von der Natur vorgesehene optimale Hülle. Hier kommen Spermien rein und Babys raus. Die Vagina ist der Weg zur Gebärmutter, es ist kein Weg zu sexuellen Sensationen. Denn die Vagina ist nur im Eingangsbereich für Reize empfänglich, ihr hinterer Bereich ist recht unempfindlich, damit Frauen Tampons tragen können, ohne sie zu spüren.

Besonders raffiniert ist die Bewässerung der Anlage. Gleich neben dem Eingang zur Vagina befinden sich Drüsen, die eine spermaähnliche Flüssigkeit produzieren. Was Sie besonders interessieren dürfte: Bei Männern kommt die Flüssigkeit hauptsächlich am Ende der Erregung, beim Orgasmus, aber bei Frauen gleich am Anfang der Erregung. Und eine Frau kann sogar ohne körperliche Reizung nass werden, so wie ein Mann ohne körperliche Reizung eine Erektion bekommen kann. Also, wenn eine Frau sagt ›ich mach mich nass‹, meint sie nicht, dass sie aufs Klo muss.

Wenn Sie nun von der Vagina geradeaus weitergehen, außen weitergehen, kommen Sie an den Hinterausgang, englisch asshole.

Vielen Dank für Ihre Aufmerksamkeit. Sollten Sie weitere Fragen haben, liege ich gerne zu Ihrer Verfügung.«

Es raschelte. Wahnsinnstrinkgeld! Licht aus.

Die Führung war zu Ende. Die Nacht ging weiter.

27. Kapitel

Im »Arms and Men« fragte ich eine Einheimische, wie das in England ist, ob man die Pille nur auf Privatrezept bekommt. Ob sie mir einen Arzt empfehlen kann. Ich war noch als Studentin versichert, wie ging das hier mit deutschem Krankenschein? Die Frau sah mich verständnislos an, erst jetzt merkte ich, sie war ziemlich besoffen, und an ihrer Strickjacke fehlten mehr Knöpfe als dran waren, ihre Schuhsohlen klafften vorn runter. Sie erzählte mir Unverständliches über das ganz andere englische Gesundheitssystem. Dann wurde es peinlich, weil sie alle im Pub über meinen Notstand aufklärte: »She needs the fucking pill« – wobei »fucking« oder »fuck« das universale Füllwort ist, wie scheiße oder verdammt oder verflixt, aber als Deutsche übersetzt man automatisch »ficken«. Dann erklärte sie den Anwesenden: sie, die arme, aber ehrenwerte Cindy, sei nicht ausländerfeindlich, sie würde mir Ausländerin die Fickpillen besorgen. Am nächsten Tag brachte sie eine Dreimonatspackung ins Pub. Fucking teuer, so sei das in fucking England. Die fucking Pillen waren jeden Preis wert, ich zahlte auch all ihre fucking Guinness. Sie lallte mir hinterher: »Have a fucking good evening«, was nur heißt »schönen Abend noch«.

Manchmal holte ich Thomas von der Arbeit ab, heißt, ich kam ins letzte Pub seiner Kulturtour. Dann hatten die meisten Teilnehmer seiner Tour schon so viel getrunken, dass sie zur Erkenntnis gelangt waren, dass sich in England alle duzen, und hatten beschlossen, sich auch zu duzen und darauf mussten sie weiter trinken. Obwohl Thomas und ich taten, als wären wir nur Kollegen, die zufällig den gleichen Heimweg haben, sagten einige, sie würden merken, dass wir zusammen gehören. Man würde es an unseren Augen sehen, behauptete einer, der auch behauptete, er sei Experte für Büroliebschaften. Er befahl mir: »Gib zu, du bist in ihn verliebt.«

»Nein, ich geb es nicht zu.«

»Dann geb ichs auch nicht zu«, lachte Thomas.

Der Experte weiter: »Wie lange kennt ihr euch?«

»Ich hab das Gefühl, wir kennen uns schon ganz lang«, sagte Thomas.

»Ja«, genau das Gefühl hatte auch ich.

Der Experte für Büroliebschaften triumphierte: »Na also.«

Was es auch zwischen uns war, es war keine richtige Beziehung, denn da denkt man an die Zukunft. Da hätte ich mich fragen müssen, ob er der Richtige ist, ob ich für ihn die Richtige bin – all diese Probleme, die man nur hat, wenn man eine Zukunft haben muss.

Es war Sommer. Es konnte ewig so weitergehen. Ich vergaß einfach, dass ich mir mit meinem Gehalt dieses Leben nicht leisten konnte. Aber immer sagte die Vernunft, irgendwann ist es zu Ende. Und eine Liebe, die nicht für ewig sein kann, soll man gar nicht erst anfangen. Deshalb sprachen wir nie über Liebe.

28. Kapitel

Die traditionellen Benimmregeln verlangen, dass eine Frau hofft und harrt, dass er irgendwann zufällig entdeckt, was sie gern hätte beim Sex. Wenn einer keine Ahnung hat, kann sie lange warten. Zum Glück hatten wir beide dazu keine Lust. Thomas wollte, dass ich ihm alles beibringe.

Wir erarbeiteten viele Positionen.

Ich legte mich auf den Bauch und sagte: »Leg dich auf meinen Rücken.«

Und er legte sich auf meinen Rücken – mit dem Rücken!

»Stellst du dich absichtlich so doof?«

Und Thomas sagte: »Ich muss dir auch was beibringen, einen

Schwanz streichelt man nicht wie ein Kätzchen. Das nervt. Und man fasst ihn nicht an wie einen Bleistift, sondern wie einen Hammer. Einen schweren Hammer bitte. Stell dir vor, es wäre ein schwerer Hammer, mit dem du hämmerst ... schon viel besser ... und bitte auch die Hoden oder Eier. Meine Schwestern sagten, es heißt Staubbeutel.«

»Was macht man damit?«

»Anfassen, stellst du dich mit Absicht so doof? Nicht so, als würdest du dir die Finger dran verbrennen.«

Gemeinsam erarbeiteten wir den Bereich Oralsex. Ich fragte mich immer noch, was hat man als Frau davon, Sperma zu schlucken? Ist es der Liebesbeweis, dass man alles für ihn tut, selbstlos à la Märtyrerin? Oder die große Mutprobe, dass man sich vor nichts ekelt? Andererseits hatte ich gelesen, dass Sperma schmeckt wie Austern, und meine Mutter hatte gesagt, muss man wenigstens mal probiert haben.

Aber Thomas wollte nicht, dass ich das Sperma schlucke. »Stell dir vor, was daraus wird – Scheiße. Ich verstehe nicht, warum manche Männer darauf Wert legen, dass Frauen ihr Sperma in Scheiße verwandeln. Die haben ein Problem.« Und Sperma schmeckt nicht wie Austern, sieht nur so aus, es schmeckt wie Rotz.

Dann sagte Thomas, aber bloß nicht beißen, nur zahnlos lecken und saugen. Zahnlos bedeutet, Lippen über die Zähne ziehen. Männer haben Angst, man könnte ihnen das Ding abbeißen. Wie eine Banane. Nur aus Angst tun sie so, als wäre ihr Schwanz ein Hammer oder eine Brechstange.

Die ganze Wahrheit: Ein Penis ist nur ein kleiner Luftballon – daher der Ausdruck blasen für diese Aktivität, die ihn größer werden lässt. Und hinterher schrumpft er zusammen wie ein Luftballon. – Aber ganz im Ernst kommt der Ausdruck blasen vom englischen »blow«, denn das sagt man hier auch vom Walfisch, wenn er aus dem Loch auf dem Kopf seine Wasserfontäne ausspritzt. Und mit dem männertypischen Größenwahn vergleichen sie ihr Spritzerchen mit der Fontäne eines Walfischs.

Ein Tourist hatte Thomas erzählt, in Japan machen die Männer Oralsex gern mit Karpfen, diesen Fischen mit den dicken Lippen. Es gäbe da Etablissements mit Bassins, in denen Karpfen rumschwimmen, und man könnte einen lebenden Fisch zum Vögeln bestellen. Der Fisch, wie es ein Fisch so tut, saugt verzweifelt an allem, was man ihm reinsteckt. Thomas lachte: »Angeblich machen es auch Angler so. Wenn einer einen Hecht erwischt, hat er Pech gehabt.«

Aber bei Frauen geht Oralsex ganz anders. Leider wird das weder in Frauenzeitschriften noch in Männerzeitschriften richtig erklärt. Alle beschrieben es so, als müsste der Mann das Klo putzen: einmal feucht drüberwischen, fertig.

Ahnungslos, wie wir waren, probierten wir es zuerst wie normalen Sex, nur statt Rumpelstilzchen rein Zunge rein. Brachte nicht viel. Nur zu viel Nässe. Vor allem das Gefühl, man müsste Pipi machen. Die Theorie von Thomas, der sensationelle Kick wäre der, dass eine Zunge rauer ist als ein Schwanz, war in der Praxis bedeutungslos, denn Spucke wirkt wie Gleitmittel, da ist die raueste Zunge nicht zu spüren. Es war ein mickriges Gefühl, als würde ein Kätzchen einem die Hand lecken, weil man eine Dose mit Ölsardinen geöffnet hat.

Wir überlegten: Das Zentrum der Erregung war eben nicht die Vagina, sondern die Klitoris. Und Thomas übte und wir stellten fest: nicht lieb lecken, sondern saugen. Und viel heftiger, als es ein Mann an seinem Teil ertragen will. Frauen sind da viel robuster.

Man muss an jedem Teilchen einzeln saugen: am Kitzler, an der kleinen Schamlippe links, an der kleinen Schamlippe rechts. Alles auf einmal bringt nichts. Als er es konnte, war der Effekt phänomenal, alles schwoll unglaublich. Es ist ein sehr scharfes Gefühl. Nichts für alle Tage, es dauert Tage, bis es abgeschwollen ist.

Thomas staunte, er hatte geglaubt, die Klitoris schwillt von allein an wie ein Penis und genauso schnell wieder ab. Nein.

Thomas sagte: »Ich lerne hier so viel.«

»Deshalb ist ja Auslandserfahrung so wichtig.«

Natürlich lernten wir auch Englisch: Was bei uns offiziell Scham heißt, ist in England offiziell pubes, nur ein e von pubs, von Kneipen, entfernt. Und Schamhaare heißen pubic hair, ein l mehr wärs public hair – öffentliches Haar.

»Was heißt Schwanz auf Englisch?« Thomas sah im Wörterbuch nach. »Für Schwanz gibts viele Ausdrücke, nur einen nicht, ›tail‹, was Schwanz heißt. Merkwürdig. Populär ist ›dick‹, was auch Kerl bedeutet, ›clever dick‹ ist ein Schlaumeier. Und total üblich ist ›cock‹, wie Hahn. Deshalb ist hier das Kinderlied ›Der Hahn ist tot‹ so beliebt. Ein lustiges Volk, diese Engländer.«

»Und wie nennst du deinen?«

Er überlegte zu lang, um die Wahrheit zu sagen. »Das ist der ungläubige Thomas. Wie mein Namenspatron, der Apostel Thomas. Er wird der Ungläubige genannt, weil er nicht glauben wollte, dass Jesus auferstanden ist.« Thomas lachte: »Na gut, nun ist er auferstanden. Mein Nachname Wegmann würde auch gut passen: manchmal ist er weg, passiert jedem Mann.«

»Warum?«

»Weiß ich auch nicht. Jeder soll seine Geheimnisse haben.«

Wir waren uns in allem einig. Die Heimlichkeit, die uns verband, fand ich toll. Eigentlich mussten wir vor niemand was verbergen, trotzdem taten wir, als dürfte niemand in der Pension davon wissen. Zur Tarnung unserer Geräusche ließen wir den Fernseher dabei laufen, wir wollten die anderen Pensionsgäste auf unsere Live-Veranstaltung nicht neidisch machen. Ideales Hintergrundgeräusch boten Pornofilme, davon wurde auch auf öffentlichen Programmen einiges geboten, allerdings nur der gemäßigten Art. Doch das genügte uns.

Manchmal hängte Thomas ein Handtuch über den Fernseher, sagte, die Profis setzten ihn zu sehr unter Konkurrenzdruck. Manchmal machten wir nach, was wir gesehen hatten, als wären die Pornofilme Gebrauchsanweisungen. Vögeln heißt auf Englisch ›to screw‹ wie schrauben, so gings aber nicht, und wir lachten uns tot. Und dann spielten wir unseren eigenen Film.

Eines Nachts fragte Thomas: »Hast du je auf einem alten Gemälde Schamhaare gesehen?«

Einfache Frage, wenn man täglich, außer montags, in Museen rumhängt: »Nein.« In der alten Malerei ist jede Möse unbehaart. Eine Nackte von Lucas Cranach in der National Gallery trägt zwar einen bombastischen Federhut und kiloweise Goldketten, aber ihre Möse, genau in der Mitte des Bilds, ist von keinem Härchen getrübt. Die schönste Nackte dort ist die Göttin der Liebe von Bronzino, gemalt 1550, und ihr bestes Teil – bei einer Göttin der Liebe sicher der passende Ausdruck – ist schimmernd perlweiß wie das Innere einer Muschel und so haarlos.

Thomas sagte, in der Kunst gibt es Schamhaare erst seit der Zeit nach dem Ersten Weltkrieg, als Kunst nicht mehr schön sein wollte. Schamhaare waren seit je Inbegriff des Unästhetischen. Und er mochte sie überhaupt nicht.

Ich hatte mir nie darüber Gedanken gemacht, irgendwann wachsen sie. Zugegeben, zuerst hatte ich mich gefreut, weil das erwachsen aussah, dann waren sie eben da.

»Warum rasierst du deine nicht ab?«, fragte Thomas.

»Warum rasierst du deine nicht ab?«

Er zog mich ins Etagenbad, gleich neben seinem Zimmer. Er hatte eine Dose Rasierschaum und sprühte sich unten ein, und seine Kraushaare versammelten sich im Abfluss der Dusche – wo er sie wieder rausfischte und ins Klo warf, sonst hätte Agatha, Mrs. Chippers Zimmermädchen, Scotland

Yard gerufen, um den Täter zu finden. Es dauerte, bis er in komplizierten Winkeln jedes Haar entfernt hatte.

»Jetzt siehst du aus wie ein Marmorjüngling von Michelangelo.«

Und ich sah hinterher aus wie die Göttin der Liebe – jedenfalls unterhalb des Bauchnabels. Und fünfzehn Jahre jünger.

Immer wenn wir endlich einschliefen, lagen wir wie aneinandergeklebt und gaben uns Mühe, uns die ganze Nacht an möglichst vielen Körperteilen zu berühren.

29. Kapitel

Im Schaufenster eines Ladens der Wohltätigkeitsorganisation Oxfam, die überall in London Second-Hand-Klamotten für einen guten Zweck verkauft, entdeckte ich, was jede richtige Frau unbedingt braucht: ein schwarzes Negligé. Seide, am Busen Spitze und am Rücken nur spaghettidünne überkreuzte Träger. Es als Nachthemd zu bezeichnen wäre so beleidigend gewesen, wie einen Rolls Royce Transportmittel zu nennen.

Eine ältliche, dickliche Lady stand in dem schmalen Schaufenster und mühte sich verärgert, das Ding mit den langen dünnen Trägern auf einen Drahtbügel zu hängen, es rutschte wieder runter. Es war ohne Frage meine Größe, ich sah das Preisschild, unglaublich, umgerechnet dreißig Mark. Warum spendet jemand so ein Wahnsinnsteil? Es sah aus wie neu. In einem alternativen Londonführer hatte ich gelesen, dass manche Nobelläden beschädigte Klamotten, die sie dramatisch reduzieren müssten, Oxfam spenden, damit ihre Kunden nicht auf die Idee kommen, die Klamotten zu beschädigen, damit sie reduziert werden.

Ich hechelte in den Laden. Die Lady hatte soeben den Kampf

mit den rutschenden Trägern aufgegeben und das Stück hausfrauenordentlich gefaltet auf den Boden des Schaufensters gelegt. Die Gier verschlug mir die Sprache: »… dieses da … ich wollen haben!«

Die Lady zog den Vorhang zum Schaufenster zu, zog die mit Augenbrauenstift aufgemalten Augenbrauen hoch und deutete auf ein Schild: »Ware aus dem Schaufenster wird nicht vor Mittwoch 10 Uhr verkauft. Reservierungen sind grundsätzlich nicht möglich.«

Es war Mittwoch 17 Uhr.

»Ich brauche es dringend« sagte ich. »Können Sie es nicht aus dem Fenster nehmen?«

»Wir arbeiten hier ehrenamtlich. Ich kann das Fenster nur einmal pro Woche dekorieren.«

Dekorieren nannte sie das?! »Es wäre nur ein Handgriff. Ich muss mittwochs morgens arbeiten.«

»Wir können keine Ausnahmen machen.« Und sie stellte sich vor den Vorhang, um das Negligé vor meinen gierigen Blicken zu schützen.

Wütend suchte ich was anderes, argwöhnisch beobachtet von der ehrenamtlichen Negligé-Bewacherin. Was sonst an Nachthemden rumhing, waren jämmerliche Lappen, flusiger Flanell, das einzige sonstige schwarze war Billigperlon mit Kratzspitze. Ich wollte unbedingt was kaufen, raffte das blöde Schwarze und weitere uninteressante Teile. Als ich damit in die Kabine wollte, stand die Lady plötzlich vor mir, versperrte mir den Weg. Sie zeigte auf ein Schild vor der Kabine: »Nur drei Teile zur Anprobe erlaubt.«

Offenbar sah ich aus, als würde ich sogar eine Wohltätigkeitsorganisation beklauen. Ich durfte drei Teile in die Kabine hängen, musste aber vor der Anprobe zwei Teile zurücktragen. An der Kasse stand noch eine Ehrenamtliche, sie rückte ein Schild zurecht: »Wir bitten, das Verpackungsmaterial selbst mitzubringen und die Ware selbst einzupacken.«

Es gibt Leute, deren Lebenssinn besteht darin, anderen Leuten Vorschriften zu machen. War es mein Lebenssinn, diese Vorschriften zu befolgen?

Zwei Frauen betraten den Laden und lenkten die Aufmerksamkeit von mir ab. Sie wollten einen Sack mit Klamotten als Spende abgeben. Die ehrenamtliche Negligébewacherin verließ ihren Posten, um ihnen zu erklären, zurzeit würden keine Spenden angenommen, die ehrenamtlichen Mitarbeiterinnen seien völlig überlastet. Die Frauen zogen ab.

Mit dem schwarzen Perlon-Jammerlappen schlich ich gebückt zum Fenster, warf ihn ins Fenster, riss das Negligé raus. Während ich unauffällig langsam zur Kasse ging, faltete ich es so klein zusammen, dass man kaum mehr als das Preisschild sah, zeigte das der Kassiererin, warf das Geld passend hin, machte, dass ich rauskam. »Stopp!«, schrie von hinten die ehrenamtliche Negligébewacherin.

Ich stoppte nicht, ich war draußen. Und da kam einer dieser herrlichen englischen Busse, auf die man einfach aufspringen kann.

Die Ehrenamtliche rannte schreiend hinterher: »Stopp! Sie haben die Teile aus der Kabine nicht zurückgehängt!«

Ich winkte ihr zu.

Mein Luxus-Designer-Negligé passte perfekt. Es war ganz neu, nur ein Riss neben einer Naht, den konnte ich schnell zunähen. Ich wusch es im Waschbecken und bügelte es in der Wäschekammer der Pension, Mrs. Chipper erlaubte das, weil die Leute sonst im Zimmer auf den Matratzen bügeln.

Als ich Thomas fragte, ob sein Vater, der Strafverteidiger, mir hilft, falls ich angezeigt werde von den ehrenamtlichen Vorschriften-Erfinderinnen, sagte Thomas, er würde im Prozess eidesstattlich versichern, dass ich dieses Negligé gebraucht hätte, für einen guten Zweck.

Und später sagte er: »Ich liebe di. . . . . ese Spaghettiträger.«

30. Kapitel

Thomas suchte meinen G-Punkt. Wer den G-Punkt kennt, bringt Frauen todsicher zum Orgasmus – Thomas hatte es irgendwo gelesen und staunte, dass nicht mal ich wusste, wo der G-Punkt ist. Er drückte überall zwischen Bauchnabel und Rückenwirbel rum, als wäre da eine Reihe von Knöpfen wie in einem Aufzug und man müsste nur den richtigen Knopf finden und ab gehts Richtung Orgasmus.

Ich hatte gelesen, die Sexualforscher seien sich doch nicht sicher, ob es diesen Punkt gibt. Außerdem sei nicht sicher, ob es ihn bei jeder Frau gibt. Seitdem hielt ich den G-Punkt für ein Problem der Sexualforschung, nicht für meins.

Thomas kam mit der Theorie, der G-Punkt sei ganz tief in der Vagina und nur die Männer mit den längsten Schwänzen erreichten diesen Punkt. Und das wär der tiefere Sinn des Schwanzlängen-Wahns. Ich erinnerte an die Tatsache, dass die Vagina hinten in der Tiefe nicht empfindlich ist. Sonst hätten ja Frauen, die Tampons benutzen, tagelang Orgasmen.

Wo ist der G-Punkt? Ich ging in eine Buchhandlung und suchte in diversen Sexratgebern nach der Ortsangabe.

Im ersten Buch stand: Der G-Punkt ist in der Vagina, auf der Bauchseite, etwa fünf Zentimeter tief drin. Aber es sei überhaupt kein Punkt, sondern eine Zone, nämlich das Harnröhrenschwellgewebe, das der männlichen Prostatadrüse entspricht. Und nicht bei allen Frauen sei das eine besonders erogene Zone. Im zweiten Buch stand: Der Sexualforscher Kinsey stellte um 1950 fest, dass die von Freud propagierte Verlagerung vom klitoralen auf vaginalen Orgasmus biologisch unmöglich ist. Auch die Sexualforscher Masters und Johnson stellten fest: Nur die Klitoris bringts. Folglich kanns in der Vagina keinen Orgasmuspunkt geben. Im dritten stand: Ein deutscher Arzt namens Gräfenberg hätte den G-Punkt um 1950 entdeckt. Und nach dem war er benannt.

Ich kaufte das dritte. Auch Thomas fand es merkwürdig, dass ein Mann erst 1950 einen Orgasmuspunkt entdeckt haben soll, als seien die Frauen damals gerade erfunden worden. Und nirgends stand, wie Herr Dr. Gräfenberg seinen Punkt entdeckte. Wir konnten uns vorstellen, dass auch mal eine Ärztin namens Dr. Gräfinnental bei einem Mann auf den Schwanz drückte und er bekam einen Orgasmus, konnten uns aber nicht vorstellen, dass Frau Dr. Gräfinnental auf die Idee gekommen wäre, diesen Punkt nach sich zu benennen. Wir fanden die Idee mit dem Punkt blöd.

Und Thomas sagte, Männer machen es auch nicht mit Druckpunkten, sondern wichsen – so wie man Schuhe mit einer Bürste hin und her wichst – das ganze Teil muss bearbeitet werden. Weil Männer so gut wichsen können, ist Schuhputzer ein reiner Männerjob. Und von allen Hausarbeiten gilt nur Schuheputzen als männlich.

Wir vergaßen den G-Punkt und entdeckten die T-Strecke. Die Strecke vom Kitzler bis ein bisschen in die Vagina hinein und zurück. Die T-Strecke garantiert höchsten Lustgewinn beim Wichsen.

Benannt ist die T-Strecke nicht nach Thomas, sondern nach Tilla. Ich hatte sie zuerst entdeckt.

31. Kapitel

Am 24. September wurde ich achtundzwanzig und Thomas schenkte mir einen Ring. Nein, keinen Verlobungsring, der Heiratsantrag bedeutet. Es war eine silberne geschuppte Schlange, die sich um den Finger ringelt, mit grünen Augen aus Smaragd. Thomas sagte, die Schlange symbolisiert nicht nur den Sündenfall, sondern auch Klugheit, deshalb schenkt er sie mir.

Ich freute mich sehr und lud ihn ein zu Simpson's-in-the-Strand, das ist ein Restaurant wie ein Museum, in einer riesigen Halle mit bemalter Holzdecke stehen reihenweise große Tische mit riesigen bizarren Stühlen. Die Kellner tragen Fräcke, für männliche Gäste gilt Krawattenzwang. Wie es sich bei Simpson's gehört, aßen wir Roastbeef. Es wird aus silbernen Kasserollen serviert, die zu den Tischen gefahren werden, und die befrackten Kellner schneiden immer wieder eine Scheibe ab, bis man platzt oder nicht mehr wagt, mehr zu verlangen. Dazu traditionsgemäß Rosenkohl, was auf Englisch merkwürdigerweise Brussels sprouts heißt, als wär der Rosenkohl in Brüssel erfunden worden. Mir rutschte das Messer auf dem Teller aus, Roastbeef und Kohlröschen fielen auf den typisch englischen Blumenteppich und auf meinen schwarzen Rock mit Blumenmuster, den ich mir zur Feier des Tages gekauft hatte. Diese Blumenmuster schlucken jeden Fleck. Schön, wenn sich Probleme in Nichts auflösen.

Anschließend gingen wir in ein Pub, wie üblich kam die Salvation-Army, die Heilsarmee, fromme Menschen in altmodischen Uniformen, die Frauen mit Hauben. Sie singen und sammeln Geld, um arme Alkoholiker mit Suppe zu versorgen und reiche Alkoholiker mit frommen Heftchen. Thomas spendete großzügig zehn Pfund: »Zu Ehren deines Geburtstags, vielleicht schließen sie dich in ihre Gebete ein.« Worauf das Heilsarmeetrüppchen mit Klampfenbegleitung noch ein munterfrommes Lied sang, als wärs ein Geburtstagsständchen.

Ich überlegte, was mir fromme Menschen wünschen würden, da sagte Thomas: »Ich muss dir was sagen, ich habe zum 1. Oktober gekündigt. Ich muss zurück in die Heimat.« Die frommen Menschen hatten mir einen klaren Blick auf meine Zukunft gewünscht. Meine ewige Frage, wie lange das zwischen Thomas und mir so weitergeht, war hiermit beantwortet. Mit Mühe sagte ich: »Warum?«

»Ich werde im Dezember auch achtundzwanzig.«

»Kann jedem passieren«, war das coolste, was mir einfiel.

Als müsste er mir eine tödliche Diagnose mitteilen, sagte er: »Wenn das so weitergeht, sind wir irgendwann dreißig. Früher dachte ich, wenn ich je so alt werde, ist bis dahin mein Leben geregelt.«

Ich griff nach seiner Hand.

Thomas sagte: »Ich weiß nicht mehr, was wichtig ist. Aber hier bekomme ich niemals einen ernst zu nehmenden Job als Kunstgeschichtler. Daheim in Stuttgart kann ich in Onkel Richards Auktionshaus als sein Assistent arbeiten. Kunstauktionen haben mich schon als Kind fasziniert. Onkel Richard hat damals meinen Vater überzeugt, mich Kunstgeschichte studieren zu lassen.«

Ich ließ seine Hand los. »Ich lass mich nicht von meinem Alter verrückt machen. Wann ist man überhaupt erwachsen?«

»Wenn man sich für sich selbst verantwortlich fühlt. Es kann nicht der Sinn des Lebens sein, Touristen den Weg zum Klo zu zeigen.«

Darauf muss man noch einen trinken. »Und was ist der Sinn?«

»Ich weiß nur, was ich nicht will«, sagte Thomas. »Meine Mutter erzählt, das erste Wort, das ich sagen konnte, war NEIN. Wir wissen beide, dass unsere Beziehung keine Zukunft hat.«

Und ich schwieg.

»Sag was«, sagte er.

Was hätte ich sagen sollen? Jetzt wars zu spät. Nun ging er. Und es war vernünftig.

32. Kapitel

An meinem achtundzwanzigsten Geburtstag war ich schon schwanger. An diesem Tag wusste ich es noch nicht. Eine Woche nach meinem achtundzwanzigsten kaufte ich einen

Schwangerschaftstest. Wenn in einem Röhrchen ein blauer Streifen erscheint, bedeutet es schwanger. Der blaue Streifen erschien.

Es war meine Schuld – wie man so sagt –, ich hatte drei Tage keine Pille genommen, weil ich keine neue Packung hatte. Cindy, die arme ehrenwerte Schlampe aus der Kneipe, hatte mir letztes Mal für viel Geld nur eine Einmonatspackung besorgt. Dann war sie verschwunden, keiner wusste mit wem. Bis sie endlich wieder auftauchte und mir Nachschub brachte, war die Einnahme überfällig, aber ich dachte, am Anfang vom Zyklus wird schon nichts passieren, da passierte es.

Der Zufall hatte zugeschlagen: Da war meine Zukunft.

Wie ein Film zog mein künftiges Leben an mir vorbei: Wollte ich allein erziehende Mutter werden? Nein. Oder wollte Thomas ein Kind? Nein. Wollte ich mit Thomas, der immer nur wusste, was er nicht wollte, drüber reden? Nein. Ihm erklären, dass sein Nein ein Ja bedeuten müsste? Dass er bei mir bleiben müsste, für uns sorgen müsste? Sollte ich mein Schicksal zu seinem Schicksal machen? So wie es meine Mutter gemacht hatte? Wollte ich zu einer Beratung gehen, mir von Menschen, die mich nicht kannten, erzählen lassen, dass ich alles auf die Reihe bekäme? Wollte ich glauben, dass ein Zufall wichtiger ist als jede Absicht?

Ich dachte an Jeanette aus meiner Schulklasse. Ein Jahr vor dem Abi wurde sie schwanger. Von einem Mitschüler. Der kam sofort auf eine andere Schule, der Anblick seiner schwangeren Freundin machte ihn lernunfähig. Alle sagten Jeanette, wie toll sie es fänden, dass Jeanette den Mut hatte, das Baby zu bekommen. Und alle überlegten sich schicke Namen fürs Baby. Es wurde ein Mädchen, bekam sogar drei extra schicke Namen.

Jeanette verschwand, und es hieß, sie wolle nur noch für ihr Kind leben. Irgendwann hieß es, Jeanette sei seltsam geworden. Vor fünf Jahren zog sich Jeanette eine Plastiktüte über den Kopf, klebte sie am Hals mit Klebeband luftdicht zu. Eine aus unserer Klasse erzählte, der Kindsvater hätte seine kleine Tochter bei der Beerdigung nicht mal an der Hand gehalten. Und das Kind hätte Angst gehabt vor dem fremden Vater.

Ich wollte mit niemand drüber reden. Jeder, der davon weiß, wird mich ewig fragen dürfen, ob es richtig war, Nein zu sagen. Dann hätte jeder das Recht, mir eine Schuld einzureden. Hinterher wird es immer eine Perspektive geben, aus der das Nein falsch war. Jetzt war das Nein aus jeder Perspektive richtig.

Im »Arms and Men« fragte ich verzweifelt eine Einheimische, die man so was fragen konnte. Sie zeigte mir in einer Zeitung Inserate von gynäkologischen Praxen, alle, die inserierten, machten Abtreibungen.

Schon beim ersten Anruf bekam ich sofort einen Termin. Weil die Schwangerschaft im ganz frühen Stadium war, genügte eine örtliche Betäubung, das war besser und billiger als eine Vollnarkose. Eine Spritze ganz innen rein, in den Muttermund, ich spürte ein Zerren im Bauch wie starke Menstruationsschmerzen. Das wars dann. Eine Stunde später ging ich. Es kostete 400 Mark.

Wieder zu Hause in meinem Zimmer, berichtete im Fernsehen irgendeine Schauspielerin, sie sei schwanger, und bei der Bekanntgabe dieser Sensation weinte sie vor Glück. Ich schaltete ab. Nie hatte ich gehört, dass eine nach einer Abtreibung glücklich war. Aber tausendmal gehört, dass jede Frau, die abgetrieben hat, zur Strafe jahrelang leidet, jahrzehntelang, dass das Leben nach der Abtreibung ein endloses Trauern wird. Und Frauen, die abgetrieben haben, müssen jedes Mal weinen, wenn sie einen Kinderwagen sehen. Eigentlich müsste jeder Kinderwagen von weinenden Frauen umzingelt sein.

Ich beschloss, die erste Frau zu sein, die nach einer Abtreibung stolz ist, dass sie es aus eigener Kraft geschafft hatte, dem Schicksal von der Schippe zu springen. Ich heulte vor Glück.

Ich blutete zwei Tage, nicht stärker als bei einer Menstruation. Mehr um mich vom Schreck zu erholen, meldete ich mich krank. Was lediglich bedeutete, dass ich für die ausgefallenen Führungen nicht bezahlt wurde. Ich hätte mir den Magen verdorben, sagte ich auch Thomas. Am dritten Tag ging ich zur Nachuntersuchung. Alles okay. Der Arzt war unpersönlich freundlich, gab mir ein Rezept für eine Großpackung Antibabypillen. In der Apotheke stellte ich fest, dass sie viel weniger kosten, als mir Cindy abgeknöpft hatte.
In der letzten Nacht mit Thomas fragte ich: »Was wäre, wenn ich von dir schwanger wäre?«
Vielleicht merkte er, dass es mehr als eine leere Frage war: »Bist du es?«
»Nein.«
»Ich danke dir.«
Ich sagte nichts. Es sollte ein Geheimnis meines Lebens bleiben.

33. Kapitel

Es war ein Abschied ohne Drama.
Thomas sagte: »Es gibt nichts Schlechtes in der Liebe, Tilla, sie widerfährt einem eben. Am Ende ist nicht einmal wichtig, mit wem man es gemacht hat.«
»Das ist nicht dein Ernst.«
»Nein. Es ist ein Zitat von Graham Greene. Ich dachte, es gefällt dir.«
Es gefiel mir nicht. Wir trennten uns im Guten, wie man so sagt. Aber das war kein gutes Ende. Das war das blödeste

Happyend, das man sich vorstellen kann. Und trotzdem war es wahr.

Wir tauschten die Adressen unserer Eltern, als wären die das Einzige, was für alle Zeiten gültig ist.

Dann war er weg, der Thomas Wegmann.

Abends lag ich trüb in meinem durchgelegenen Bett, zappte herum, wenn ich einen Porno fand, überfiel mich das Selbstmitleid. Wir hatten so oft gelacht, nun war das Lachen verschwunden, denn in Pornos wird nur gestöhnt. Ich merkte, dass jeder in dieser Pension wusste, was Thomas und ich zusammen gemacht hatten. Nun war ich für die Hotelsippe die verlassene Geliebte. Mrs. Chipper tat, als würde ich überhaupt nicht mehr existieren. Und Agatha, das Zimmermädchen, lächelte schadenfroh.

Thomas hatte Recht, das hier war nicht der Sinn des Lebens. Ich beschloss, auch zurückzugehen. Zurück in die Kleinstadt, die ich Heimat nennen muss, weil ich zufällig nicht an einem aufregenderen Ort geboren bin. Das war ein Abschied von den großen Zielen. Vielleicht waren die kleinen Ziele die richtigen für mich.

Der Cultural-Guide-Agentur-Boss bedauerte meinen Abgang kurz. Er bezahlte mir zwei extra Stunden, um eine Nachfolgerin einzuarbeiten. Ich erzählte ihr natürlich die Story der unbekannten Kollegin, die durch diesen Job den adligen, steinreichen Ehemann fand. Vielleicht klappte es bei ihr. Und wenns nicht klappt, ist das auch nicht tragisch. Wir sind nicht Madame Bovary, Anna Karenina oder Effi Briest. Und schon gar nicht das Gretchen im Faust, die ihr unehelich Neugeborenes erwürgt und dafür im Wahn endet und das auch noch im Knast.

Das Letzte, was ich in London machte: Auf der kleinen Brücke zwischen Charing Cross und Waterloo, warf ich den Schlangenring von Thomas in die Themse. Und ich hielt den Kopf weit übers Geländer, damit ich direkt in die Themse heulte.

34. Kapitel

»Du bist dünn geworden«, begrüßte mich meine Mutter enttäuscht, als wäre ich nach London gegangen, um dicker zu werden. Nur meine Mutter war dicker geworden, weil sie aufgehört hatte zu rauchen. Auch Maître Moser hatte aufgehört, obwohl die meisten Köche rauchen. Heutzutage darf man in der Gastronomie nicht mehr rauchen, das ist out. Und Maître Moser rauchte jetzt Zigarren, die sind jetzt in, weil Zigarren so teuer sind. Damen rauchen natürlich keine Zigarren, obwohl gerade meine Mutter als Restaurantchefin schlank sein muss, damit die Gäste nicht auf die Idee kommen, man würde vom Essen dick. Das waren ihre Probleme. Und dann sagte sie: »Übrigens, da sah ich neulich von weitem deinen alten Freund Marti, der ist dick geworden! Und seine Frau ist dick, oder schon wieder schwanger? Sie hatten einen Kinderwagen dabei ...«

Mich interessierte nicht mal, welche Marke der Kinderwagen war.

Außerdem erzählte meine Mutter der Welt, ich sei zurückgekehrt, um ihr im Restaurant zu helfen, weil sie es allein beim besten Willen nicht schaffe. Obwohl bereits ihr Malte helfe, wo er nur könne.

Nun wohnte ich wieder in meinem Zimmer gegenüber vom Schlafzimmer meiner Mutter. Ich hatte kaum Erinnerungen an dieses Zimmer, denn erst als meine Mutter Teilhaberin vom Zwitscherbaum wurde, bezog sie das Nebenhaus vom Restaurant. Maître Moser wohnt direkt überm Restaurant. Malte hat ein eigenes Apartment neben der Wohnung meiner Mutter, ein Zimmer mit Bad und Klo und dazu eine Putzfrau, nämlich meine Mutter.

Trotzdem sitzt Malte meist in Mutters Wohnzimmer, da ist der größere Fernseher.

Er sagte zur Begrüßung: »Du störst.«

Im Fernsehen lief eins der dreihundert wichtigsten Fußballspiele der Saison.

Ich schrieb Thomas eine Karte, dass auch ich zurück war. Nur
zur Information. Es machte keinen Unterschied, dass ich nun
keine hundert Kilometer von ihm entfernt wohnte, ich hatte
genauso wenig Zukunft wie tausend Kilometer entfernt. Und
ich schrieb am Schluss: »Vielleicht sieht man sich mal wieder,
irgendwann.«

35. Kapitel

Aber das Schicksal war total auf meiner Seite. Es war Anfang
Dezember, Samstagnachmittag, in einem Café in der Innenstadt. Ein schäbiges Café, ich saß allein im hinteren Teil, da
war es ziemlich duster. Ich versuchte mir eine Zukunft vorzustellen, die nicht im Zwitscherbaum endete, nachdem ich
in den Zeitungen die Stellenangebote durchgesehen und
festgestellt hatte, ich hatte für nichts die gewünschte Quali-
fikation. Da kam er und sah sich suchend um.
Wenn ein Mann von 33 Jahren, 192 cm groß, schlank, blond,
allein in ein Café kommt, sich umsieht, als suche er jemand,
aber niemand bestimmten, dann lächelt man.
Und er lächelte zurück.
Damals hatte ich eine zerrupfte Raspelfrisur, gelb-dunkel-
braun gesprenkelt, von einem Billigfrisör. »Jetzt sehen Sie aus
wie ein deutscher Schäferhund«, hatte der frech gesagt. Ich
hätte ihn dafür gern ins Bein gebissen, andererseits wars die
ideale Frisur, um meiner Mutter zu zeigen, dass ich nicht
zurückgekommen war, um endlich so zu sein wie sie.
So sah Steffen auf den ersten Blick, dass ich auf Äußerlichkeiten keinen Wert legte. Zum Glück ahnte er nicht, dass
meine inneren Werte damals auch nicht viel wert waren.

Er setzte sich nicht an meinen Tisch, das tut man nicht, er setzte sich direkt daneben. Wir kamen sofort ins Gespräch, als Cultural Guide hatte ich gelernt, mich mit wildfremden Menschen zu unterhalten.

Beim zweiten Kaffee setzte er sich an meinen Tisch. Wir redeten von drei bis sechs. Dann hatte ich ihm fast mein gesamtes Leben erzählt und er mir seins. Er war Studienrat am Wilhelm-Hauff-Gymnasium, unterrichtet Sport, sein Lieblingsfach – das sah man ihm an, sein zweites Hauptfach Mathe sah man ihm überhaupt nicht an. Steffen überlegte, was an Jobs für mich in Frage kommen könnte, er unterrichtete auch Abiturklassen – er kannte mein Problem genau.

Die wichtigste Information: Er hatte vorletzte Woche mit seiner Freundin Schluss gemacht. Sie hatte die Beziehung auseinandergenörgelt. Sie war sagenhaft egozentrisch und rechthaberisch – eine typische Flugbegleiterin. Er sagte: »Ich bin froh, dass ich den Abflug gemacht habe.« Und: »Ich glaube, sie hieß Sabina, und ich will nicht mehr über sie reden.«

So fing es an. Es passte alles zusammen, seine Eltern waren verreist, in Kur, denn beide waren Sachbearbeiter bei einer Verwaltungsbehörde, da geht man regelmäßig zur Kur. Und anschließend machten sie Urlaub bei der Schwester seiner Mutter.

Wir hatten Hunger. Sinnvoller, als von einem Café in ein Lokal zu wechseln, war, zu Steffen zu fahren, mit seinem golfgrauen Golf.

Er wohnte in einem mir unbekannten Vorort, eine bescheidene Gegend. Es war das Haus seiner Eltern. Als er die altbackene Glastür mit Schmiedeisengitterdekor aufschloss, sagte ich: »Ich musste als Kind meiner Mutter versprechen, nie mit fremden Männern nach Hause zu gehen.«

»Hältst du mich für einen Vergewaltiger?«, fragte er entsetzt.

»Nein. Ich will das Klingelschild lesen.«

Er zeigte drauf: BRATENGEIER.

»Ein berühmtes Geschlecht«, sagte er etwas trotzig. »Mein Urgroßvater, Sieghard Bratengeier, war hier Bürgermeister.« In seiner Stimme tauchte ein Warnsignal auf: Stopp mit dem Thema.

Tja, Bratengeier ist nicht der beste aller Namen, andererseits leicht zu merken. »Nomen est omen«, heißt es – war er der Geier, ich der Braten? Quatsch, ich war auch nicht sein Silber.

Unten war die Wohnung der Eltern mit separatem Eingang. Im Treppenhaus hing ein Kruzifix, beruhigend, Vergewaltiger haben so was nicht als Wandschmuck.

Er hatte mit seinem Vater das Dach ausgebaut, sein eigenes individuelles Reich geschaffen, alles mit Raufaser tapeziert, mit graubraunem Filzteppich ausgelegt. Es war ein großes Zimmer mit Schrägen. Abgenutztes schwarzes Ledersofa, abgenutzte schwarze Ledersessel, schwarze Regale, Glastisch. Ein Kunstdruck von Kandinsky, rote Flecken auf grauen Flecken mit schwarzen Flecken, und einer von Hopper, rote Frau in grauer Bar vor schwarzer Nacht – was man so hängen hat als Studienrat.

Die Tür zum Schlafzimmer stand offen, ein altmodisches Ehebett, viel Holz am Kopfende und sogar am Fußende, zwei korkbeschichtete Schränke, verwaschene Bettbezüge mit Blümchenmuster. Nur die Gardinen waren edel, ockerweiß-gestreifter Satin. Und alles prima sauber. Wie in einem Heimatmuseum.

Im Wohnzimmer hatte er eine Art Küchenecke, die bestand aus einem Wasserkocher auf dem Kühlschrank. Alles andere hatte seine Ex mitgenommen. Er suchte nach seiner Flasche Sekt für besondere Gelegenheiten – die raffgierige Ex hatte sogar ihren Gratis-Lufthansa-Sekt abgegriffen.

Ich lachte nur und dachte: Wie gehts jetzt weiter? Wir waren gleich so vertraut, jede Minute wurde klarer, wir würden uns länger kennen.

Es stellte sich heraus, dass er auch nichts Essbares hatte. Zwar hatte seine Mutter jede Menge vorgekocht und in der Gefriertruhe im Keller eingelagert, aber als er fragte, ob er jetzt unten in der Küche die Kocherei veranstalten soll, lud ich ihn ein in den Zwitscherbaum.

Steffen erschrak: »Dieses vornehme Lokal?« Dann zog er ein weißes Hemd unter seinen grauen Pullover und statt der Matschwetter-Boots vorbildlich geputzte Schuhe, damit war er mindestens so vornehm angezogen wie ich.

So lernte er gleich am ersten Abend meine Mutter kennen. Meine Mutter trug ein dunkelviolettes Kostüm mit schwarzem Samtrevers und eine dicke zweireihige Perlenkette, sah aus wie die jüngere Königin Beatrix und benahm sich so. Wir waren ihr nicht fein genug. Sie sagte es nicht so direkt, sie sagte: »Wenn ich euch durchs Restaurant führe, musst du unsere Stammgäste begrüßen. Geht lieber durch die Küche ins Hinterzimmerchen.«

In der Küche Herr Moser hochbeschäftigt, keine Konversation erwünscht. Er hatte mich bei meiner Rückkehr herzlich begrüßt: »Hasch gnug gehabt von dem englischen Saufraß, gell?« Das wars. Er spricht nie viel.

Das Hinterzimmerchen war uns sowieso lieber. Und natürlich lud uns meine Mutter ein. Sie wollte mir genauso imponieren wie Steffen mit ihren Spezialitäten des Tages »Gans gefüllt mit Maronenpüree«. Als Dessert »Dialog von Früchten«, alle frisch aus Südafrika. Steffen hielt das Ohr an die Früchte und behauptete, die unterhalten sich auf Holländisch.

Wir wurden noch alberner, nachdem meine Mutter Zwitscherwasser spendiert hatte, den grünen Spezialschnaps des Hauses. Für die Damen gibts Zwitscherlikör, hellbraun mit Sahne verrührt, sieht aus wie Vogelkacke.

Als ich meiner Mutter nebenbei mitteilte, Steffen und ich hätten uns erst an diesem Nachmittag kennen gelernt, wusste sie nicht, was sie sagen sollte. Ich tat, als hätte es in London zu den Selbstverständlichkeiten meines Lebens gehört, mit »dem Mann des Tages« den Abend zu verbringen.

Steffen versuchte, ihr klar zu machen, dass er einen festen Wohnsitz hatte und ein geregeltes Einkommen, nicht vorbestraft war und unverheiratet. Und bedankte sich begeistert für die Einladung.

Meine Mutter verabschiedete sich etwas reserviert: »Bitte beehren Sie uns bald wieder – Herr Bratengeier« und machte eine kleine Pause nach »Braten«.

Von mir verabschiedete er sich vor der Tür mit einem anständigen Hauch-Küsslein, wie es sich gehört für den ersten Abend. Er sagte dreimal »Auf Wiedersehn«, aber nicht wann.

Er beehrte mich sofort am nächsten Morgen mit einem Anruf. Er hatte in seiner Zeitung die Stellenangebote noch mal durchgesehen und exakt das Richtige für mich gefunden. Wir mussten uns sofort wiedersehen. Da wir Vororte auseinander wohnten, holte er mich sogar ab. Ich hatte knapp Zeit, mir die Haare zu waschen.

Meine Mutter hat was gegen Lehrer und musste das deutlich kundtun: Lehrer bringen Weinthermometer mit, um die Weintemperatur zu prüfen, Lehrer schreiben Maître Moser mathematische Formeln auf, wie lange ein Steak bei welcher Stärke zu braten hat, Trinkgeld geben sie nur, um Kleingeld loszuwerden, und Lehrer rauchen nie Zigarren, sind denen zu teuer. Kurz: Lehrer sind nicht standesgemäß. Meine Meinung: Alles das ist mir egal.

Wir fuhren wieder zu Steffen, weil er die Zeitung zu Hause gelassen hatte. Mit Absicht. Ist Sonntagnachmittag ein guter Zeitpunkt fürs erste Mal? Vielleicht ist es dann sogar automatisch was Ernstes, ich hatte nie von einem One-Afternoon-Stand gehört. Oder sollte ich sagen: Wir kennen uns erst so kurz, lass uns etwas warten – bis abends? Wollte er mich im Tageslicht einer optischen Kontrolle unterziehen?

Ich habe keine Zellulitis, höchstens wenn ich die Haut an den Oberschenkeln ganz fest zusammenkneife. Vielleicht Mitesser auf dem Rücken? Wie stand er zu Schamhaaren? Ich hatte sie wegen Publikummangels seit zwei Monaten nicht rasiert. Ich wunderte mich, dass sie so schnell wachsen wie normale Haare, denn ich hatte von einer Amerikanerin gelesen, die ihrem Ehemann zuliebe einmal die Schamhaare abrasiert hatte, danach zwei Jahre zum Therapeuten musste, bis sie den Schock überwunden hatte. Wenigstens das war nicht mein Problem. Wie stand er zu Achselhaaren? Auch nicht mehr rasiert. All das überlegte ich erst, als ich in seinem Auto saß. Ich musste die Ereignisse auf mich zukommen lassen.

Die Anzeige war in den Stadtnachrichten erschienen und sehr groß: Die Stadtnachrichten suchten eine Redaktionsassistentin. Ich hatte die Anzeige auch gesehen, aber für einen Job, der eine so große Anzeige wert war, fühlte ich mich auf den ersten Blick nicht qualifiziert. Erwünscht waren Kenntnisse aller in einer Redaktion anfallenden Bürotätigkeiten; Interesse am Zeitgeschehen; kulturelle Kenntnisse; exzellente Fremdsprachenkenntnisse, möglichst mehrere; sicheres Auftreten bei vielfältigen Anlässen; Flexibilität ... Alles, was man von einem Kultusminister erwarten durfte, abgesehen von den Büroarbeiten. »Wie kommst du auf die Idee, das könnte ich?«

»Du hast alles studiert. Du hast in London Kulturschaffende aus aller Herren Länder betreut.«

»Es waren keine kulturschaffenden Herren, eher kuchenvernichtende Damen. Nur aus deutschen Ländern.«

»Denk an deine Beziehungen.«

»Beziehungen?« Ich starrte Steffen an. Was ich von Thomas gelernt hatte, konnte ich in diesem Job bestimmt nicht brauchen.

»Deine Mutter inseriert für den Zwitscherbaum ständig in den Stadtnachrichten, also hast du Beziehungen.«

»Fangen wir von vorn an: ich kann nicht tippen.«

»Büroarbeiten kann jedes Kind. Das Wichtigste ist das Auftreten.«

»Ich trete garantiert falsch auf.«

»Bist du eigentlich blond oder braun?«

»Eher blond. Ich hab mir dunkle Strähnen reinmachen lassen. Ich habe keine Lust, Blondine zu sein.«

»Wie siehst du aus ohne Brille?«

Ich hasse diese Frage. Männer mögen nicht mal Sophia Loren mit Brille. Ich nahm sie ab. »Willst du auch wissen, wie du ohne Brille aussiehst? Sehr unscharf.«

Aber dann sagte Steffen: »Lass die Brille, für den Job ist das der richtige Look.«

Mein Herz schmolz ein bisschen mehr. Ein Mann, der mich liebt, wie ich bin. Liebt?

Steffen erzählte munter: »Einer meiner Abiturienten hat sich bei einer Filmproduktion beworben für einen hochbezahlten Posten, hat geschrieben, er sei seit Jahren als Filmproduzent tätig und hätte Preise gewonnen – in Wahrheit hatte er nur gefilmt, wie er seiner Schwester einen Goldhamster in die Bluse steckt, und das an so eine Privatvideo-Sendung geschickt, bekam 200 Mark dafür. Das war alles. Aber die Filmproduktion war so beeindruckt vom Auftreten dieses Angebers, die haben ihn genommen.«

»Ich hab keine Arbeitsproben und weiß nicht mal, was ich lügen soll.«

Unbeirrt schlug Steffen weiteren Wahnsinn vor: »Sag, du schreibst ein Buch, das demnächst erscheint. Jeder schreibt ein Buch.«

»Ich brauch einen Kaffee, um nicht auszuflippen.«

Er blickte anklagend zum Wasserkocher. »Ich hatte eine tolle Kaffeemaschine. Hat sie mitgenommen.«

»Habt ihr richtig zusammengelebt?«

»Sie hatte ihre eigene Wohnung. Sie war nicht anpassungsfähig. Ich sollte mich ihr anpassen.« Er dachte nach. »Seit meine Eltern weg sind, habe ich nur Tee getrunken, aber unten ist Kaffee.« An der Tür fragte er: »Soll ich den Kaffee filtern?« »Was sonst?«

Ein Lebenslauf war nötig. Name, Geburtsdatum, Familienstand. Schreibt man »unverheiratet«, weil die Verheirateten »verheiratet« schreiben? Oder ist »unverheiratet« kein erwähnenswerter Zustand? Andererseits denkt man bei »unverheiratet« an ein unverheiratetes Ehepaar. »Single« hört sich an nach »ohne Mann«, soll man das schreiben, wenn man gerade einen kennen gelernt hat, der so nett ist? Am Besten fand ich »ledig«, klingt, als sei man freiwillig frei und durchaus zu haben.

Steffen kam wieder mit einem Tablett, darauf eine Kaffeemaschine und sämtliches Zubehör. »Ich installiere jetzt die Kaffeemaschine bei mir, meine Eltern sind noch wochenlang weg.« Es dauerte eine Weile, bis er fluchte: »Maschine kaputt. Der Filter kippt runter.«

Enttäuscht ging ich gucken. Kein Grund zur Aufregung: »Das ist so ein System, da hängt der Filter erst gerade, wenn die Kanne drunter steht.«

»Warum denn das?«

»Wenn die Kanne rausgenommen wird, tropft der Kaffeerest nicht auf die Heizplatte, sondern bleibt im Filter, weil er schräg hängt.« Ich schob die Kanne unter den Filter: Filter hing gerade, perfekt.

Steffen nahm die Kanne wieder raus, auch den Filter, zog den Stecker aus der Steckdose und ging mit der Maschine in sein Klo-Duschbad. Es lief viel Wasser, bis er rief: »Geht nicht. Ich muss die Maschine unten füllen.«

Ich ging zu ihm. Im Klo-Duschbad war ein kleines Waschbecken, da hatte er die Maschine rein gestellt, aber die war zu hoch. Er führte es vor: Er musste die Maschine waagerecht kippen, damit der Wasserstrahl den Wassertank traf. Um die

Maschine aus dem Becken zu holen, musste er sie sogar nach unten kippen, wodurch das Wasser wieder rauslief.

Verblüfft sagte ich: »Füll die Kanne mit Wasser, dann mit der Kanne die Maschine.«

»Glaubst du, eine Kanne reicht, um die Maschine zu füllen?« Er schleppte die Maschine auf den Kühlschrank zurück, stöpselte sie wieder ein, füllte die Kanne und damit den Tank. »Das ist auch eine Möglichkeit«, sagte er.

Merkwürdig, sogar wenn man erwachsen ist, freut man sich noch, wenn man von einem Lehrer gelobt wird. Es kam sogar mehr Lob: »Mit deiner Methode ist sogar gewährleistet, dass nicht mehr Wasser im Tank ist, als in die Kanne passt.«

Da platzte es aus mir heraus: »Hast du noch nie Kaffee gekocht?«

Er, leicht beleidigt: »Ich habe durchaus schon Kaffee gekocht. Aber mit dieser Maschine macht nur meine Mutter Kaffee. Ehe sie zum Dienst fährt, macht sie sowieso Kaffee, also auch für mich. Und in der Schule ist ein Automat, wirft man Geld rein, kommt Scheißkaffee raus.«

Ach so. Die Kaffeemaschine begann zu röcheln, Steffen schaltete die elektrische Schreibmaschine an, die er zum symbolischen Preis von 1 Mark der Schule abgekauft hatte, nachdem man dort die ersten Computer angeschafft hatte.

Im Lebenslauf muss man den Beruf der Eltern angeben. Steffen meinte, ich solle bei meinem Vater nur schreiben »Unternehmer« und sein Todesjahr. Aber bei meiner Mutter »Inhaberin des Restaurants Zum Zwitscherbaum«, damit klar war, dass ich aus einem bedeutenden Haus stamme, inseratemäßig.

Die Kaffeemaschine hatte sich ausgeröchelt. Auf dem Kühlschrank schwamm Kaffee, am Kühlschrank trieften schwere Schlieren voll Kaffeepulver runter.

Steffen rannte nach unten, Putzlappen holen. Er fand keine, wir saugten die Sauerei mit Klopapier auf. Praktischerweise war im Küchenbereich Laminatboden.

»Was ist jetzt mit der Scheißmaschine?«

Sie war verstopft. »Wie viel Kaffee hast du in den Filter getan?«

»Kanne voll Wasser, also Filter voll Kaffee, logisch.«

Ich wischte stumm auf dem Kühlschrank rum.

»Komm, ich helf dir beim Saubermachen.« Er nahm mit spitzen Fingern den Filter aus der Maschine, trug ihn zum Papierkorb beim Schreibtisch. Was jetzt geschah, war auch logisch: Der pralle durchweichte Filter platzte überm Teppichboden. Als das Klopapier alle war, nahmen wir die Handtücher.

Es war süß, wie er fragte: »Findest du es schlimm, wenn ein Mann keinen Kaffe kochen kann?« Ich lachte nur.

Wir hatten genug von Kaffee. Steffen fand im Keller Rotwein, den seine Eltern geschenkt bekommen hatten. Wein macht mutig. Am Ende der Flasche hatten wir einen perfekten Lebenslauf.

Schon seit meinem hervorragenden Deutsch-Abitur wollte ich Journalistin werden. Die Vielzahl meiner Studienfächer machte noch deutlicher, dass mein Studium auf Journalismus hinzielte. Steffen erklärte, dass jede Zeitspanne, die mehr als ein Kalenderjahr betrifft, als mehrjährig bezeichnet werden darf. Folglich hatte ich eine mehrjährige praxisrelevante Berufserfahrung in einer renommierten Buchhandlung und mehrjährige Auslandserfahrung im Kulturbereich in selbstständiger Position. »Voll im Trend«, sagte Steffen begeistert, »eine Bastelbiografie. So nennt man das, wenn einer dies und jenes macht und keiner weiß, warum. Macht besonders bei Frauen einen guten Eindruck, das wirkt nicht so, als wärst du eine, die stur ihrer Karriere hinterherhetzt.«

Als wir die zweite Flasche öffneten, überkam mich eine düstere Vision: Falls mich die Zeitung tatsächlich anruft, wäre garantiert meine Mutter am Apparat, die würde sich aufregen und sagen, ihr sei völlig unbekannt, dass ich Journalistin werden will. Und alles vermasseln.

Und da sagte Steffen: »Du gibst meine Telefonnummer an, ich erzähle denen das Richtige.«

Warum tat er das für mich? Ich sah ihn an. Diese blauen Augen, fast hätte ich ihn angefasst. Ich sagte schwach: »Es geht nicht, ich hab kein Bewerbungsfoto.«

Wir fuhren völlig aufgedreht zum Bahnhof, da war ein Fotoautomat. Die Bewerbungsfotos wurden nett, Steffen hatte mich zum Lächeln gebracht.

»Und jetzt?« Es war abends um neun. Wir standen in der Bahnhofshalle. Ich sah ihn an.

Er sah mich an: »Was ziehst du an zum Vorstellungsgespräch?«

»Was ich jetzt trage.« Es waren meine besten Jeans und mein grauer Pulli aus dem Ausverkauf von Marks & Spencer. Auch Princess Ann kauft dort ihre Pullover.

Schräg hinter ihm war so ein Plakat, bei dem keiner weiß, wofür es wirbt, und keiner wills wissen, darauf zwei Frauen: eine mit höchsten Absätzen und tiefstem Dekolletee und Schlitz an der Hüfte im Ich-trage-keine-Unterwäsche-Look. Die andere im Nadelstreifenanzug und Krawatte als Karikatur einer Karrierefrau. »Meinst du so was?«

Er sah einen Sekundenbruchteil hin, angewidert. »Ideal wäre ein elegantes Kostüm, wie es deine Mutter getragen hat.«

»Ich, mich anziehen wie meine Mutter?!«

Er meinte es ernst.

Deshalb fuhren wir zu mir. Meine Mutter war im Restaurant, mein Bruder auswärts beim Fußball. Im Schlafzimmer meiner Mutter in ihrem wandlangen Einbauschrank drängten sich die Kostüme.

Steffen wartete im Wohnzimmer. Er sollte nicht die spießige Frisierkommode sehen mit dem dreiteiligen, unverzichtbaren praktischen Spiegel und die Sammlung von Tagescremes und Nachtcremes und Vormittagscremes und Nachmittagscremes, die jede Frau im gewissen Alter angeblich braucht. Als Teeny glaubte ich, das gewisse Alter sei das Alter, in dem man mit Jungs ins Bett geht, und hatte heimlich die Cremes meiner Mutter benutzt, jetzt wusste ich, das gewisse Alter ist das, in dem man das nicht mehr tut. Ich benutzte seit langem eine Billigcreme, von der Stiftung Warentest mit »Sehr gut« bewertet. Das war vernünftig. Ich hatte meiner Mutter erklärt, dass ihre teure Kosmetik zweifelhafte Konservierungsstoffe enthält, sie fand Konservierung gut.

Außerdem lagen in ihrem Schlafzimmer stapelweise Mode-magazine, Lebenshilfe-Journale, Skandal&Hofberichterstat-tungs-Informationsdienste. Meine Mutter sagt, sie hat das Recht zu lesen, was sie will. Damit hat sie Recht. Aber in der Schule lernt man, dass Frauenzeitschriften doof sind, und Steffen ist Lehrer. Also wars besser, darüber zu schweigen.

Ich checkte zuerst die schwarzen Kostüme. Eins hatte ein Kilo Goldknöpfe zu viel, eins war zu beerdigungsschwarz, eins glänzte zu elegant, eins hatte rote Noppen, als wäre ein Schwarm Marienkäfer drauf gelandet, eins hatte Spitzenapplikationen. Endlich ein dunkelgraues mit nichts. In der Taille war der Rock zu weit, aber das sah man nicht unter der Jacke. Und weil ich etwas größer bin als meine Mutter, war der Rock günstig kurz. Als ich es Steffen vorführte, sagte er: »Willst du dich als Lang-weilerin bewerben?«

Frustrierend. Ich hatte schon oft gelesen, dass so viele Männer größten Wert auf schöne Beine legen, aber wenn ich mal meine tadellosen Beine zeige, ist jedes Mal was anderes wichtiger. Um ihm zu demonstrieren, wie kitschig ich in was Farbigem aussehe, kam ich wieder in Apricotrosa mit Goldfäden durch-wirkt.

»Entzückend«, rief er und drückte mich an sich.

In dem Moment kam meine Mutter ins Zimmer und rief: »Malte« – immer ihr erstes Wort. Dann: »Du, in meinem Escada-Kostüm!« Und zu Steffen: »Ach, Sie gibts noch.« Als wäre in meinem Leben der Mann vom Samstag keineswegs auch der Mann von Sonntag.

»Steffen und ich gehen wohin, nächste Woche …«, fing ich an, wusste nicht, was ich sagen sollte.

»Nicht in meinem Escada-Kostüm.«

»Aber ich finds toll«, sagte Steffen.

»Dazu muss der Herr eine Krawatte tragen.« Meine Mutter betrachtete ausdruckslos Steffens angegammelten Pullover. »Sind Sie nicht Lehrer?«, als müsste sie sich mühsam erinnern. »Ich habe seit Jahren keinen Lehrer mit Krawatte gesehen.«

»Ich trage durchaus Krawatten. Ich musste zweimal auf Beerdigungen, einmal ein Schüler, einmal ein Kollege.«

»Wahrscheinlich geht ihr nicht auf eine Beerdigung.«

»Ganz im Gegenteil«, sagte Steffen.

Meiner Mutter war sofort klar, was das Gegenteil von einer Beerdigung ist. »Heiratet ein Lehrer?«

»Ja«, ich fand das eine gute Erklärung.

»Wenn es eine Lehrerhochzeit ist, bist du mit diesem Kostüm besser angezogen als die Braut, das gehört sich nicht. Sogar die Lehrer, die bei uns das Hochzeitsessen geben, sind so bescheiden angezogen, als kämen sie vom Steuerberater.«

»Steuerberater und Standesamt arbeiten Hand in Hand«, sagte Steffen herzlich.

Meine Mutter ignorierte das. »Und dieses Satinrevers ist so empfindlich, da sieht man jeden Fingerabdruck.«

Ich hatte nicht die geringste Absicht, mich bei den Stadtnachrichten in Rosa-Gold-Escada vorzustellen als Barbie de Luxe. Ich wollte nur meine Mutter ärgern. »Bitte leih es mir, ich will endlich angezogen sein wie du.«

Natürlich glaubte sie das nicht. »Als Mutter hat man heutzutage keine Rechte mehr. Aber ich habe das Recht an meinem Kostüm, und dieses Kostüm bleibt hier.« Damit rauschte sie ab.

»Ist sie immer so?«, fragte Steffen enttäuscht.

Er ist Einzelkind. Gewohnt, dass seine Eltern alles für ihn tun. Und er ist Sohn. Der Sohn ist der Chef, dem muss man dienen, die Tochter die Konkurrenz, die muss man klein machen.

So funktioniert das bei uns. »Reg dich nicht auf«, sagte ich zu ihm, um mich selbst nicht aufzuregen.

Steffen sagte: »Dann geh ich mal lieber. Ich muss morgen früh raus.« Und ging.

Einerseits wars gut, dass er sich nicht wie ein Bratengeier auf mich stürzte. Andererseits, warum tat ers nicht? War ich unfähig, Leidenschaft in ihm zu entfachen?

Ich legte mich ins Bett und konsultierte die Zeitschriften. In einer Rubrik »Sexuelles Erleben« fragte eine Leserin, ob sie mit ihrem neuen Freund ins Bett soll, obwohl er bisher nicht gesagt hat, dass er sie wirklich liebt. Die Ratgeberin antwortete: »Früher sollte eine Frau erst mit einem Mann intim werden, wenn er vorher eine umfassende Liebeserklärung, möglichst mit Heiratsabsicht, abgelegt hatte. Heutzutage ist das längst überholt. Die zeitgemäße Faustregel: Wenn Sie bis zum fünften Treffen nicht miteinander intim wurden, sollten Sie davon ausgehen, dass mindestens einer der Partner nicht an einer Beziehung interessiert ist.«

Erst beim fünften Treffen muss es klappen. Wir hatten uns erst zweimal getroffen. Beruhigend.

36. Kapitel

Montag schickte ich meine Bewerbung weg. Und wartete. Und wartete. Steffen meldete sich nicht mehr.

Meine Mutter war Schuld. Welcher Mann will die Tochter einer Mutter, die ihrer einzigen Tochter nicht eines ihrer hundert Kostüme leiht? Und sie hatte ihn begrüßt, als wäre er eine Eintagsfliege!

Statt ein schlechtes Gewissen zu haben, sagte meine Mutter: »Übrigens, das hat keinen Stil, wenn sich ein Mann gleich am ersten Abend von der Dame einladen lässt.«

Ich bin keine dämliche Dame. Dieser Mann ist keine Antiquität – wozu braucht er Stil?

Dreimal rief ich am Mittwoch bei ihm an, nie da. Ich beschloss, nicht mehr anzurufen. Jedenfalls nicht vor Donnerstag 15 Uhr. Donnerstag um 14 Uhr begann ich an der Telefonleitung zu zweifeln, um 16 Uhr zweifelte ich an Männern im Allgemeinen. Um 18.01 Uhr rief ich ihn wirklich zum allerletzten Mal an. Nicht da.

Um 18.15 Uhr stand er vor der Tür, verkündete die Wahnsinnsbotschaft: Die Stadtnachrichten hatten heute bei ihm angerufen, um den Eingang der Bewerbung zu bestätigen. Er hatte der Sekretärin gesagt, ich hätte mittlerweile ein besseres Angebot, nur wenn ich sofort das Angebot der Zeitung genauer prüfen könnte, würde ich mich eventuell umentscheiden. Morgen, Freitag um 14 Uhr wurde ich in der Redaktion erwartet.

Ich fiel ihm um den Hals. – Meine Mutter war im Restaurant und mein Bruder pennte bis zu den nächsten Sportnachrichten. »Wo warst du die letzten Tage?«

Er hatte keine Lust gehabt, allein zu kochen, und hatte sich mit Bekannten getroffen. Hätte aber dauernd an mich gedacht.

Ich war so erleichtert, gerührt, begeistert. Und wieder die Frage: »Und jetzt?«

Jetzt musste Steffen leider zu einem alten Sportsfreund, aber morgen, nach dem Vorstellungsgespräch, wollte er mich treffen, in dem Café, in dem wir uns kennen lernten. Und dann … wars schon das vierte Treffen.

37. Kapitel

Viel zu früh schlich ich aus dem Haus, in einem schwarz-weiß kariertem Chanel-Kostüm mit relativ wenig Goldknöpfen. Ich hatte meine Mutter nicht gefragt, ob sie es mir leiht.

Ich hatte schon am Montag eine Fachzeitschrift für Karriere-frauen gekauft, hieß »Die Karriereleiterin«. Im Heft ging es speziell um das Vorstellungsgespräch. Daher wusste ich, mit dem schwarz-weißen Kostüm war ich richtig gekleidet für eine Position mit Repräsentationsaufgaben. Dazu schwarze Strümpfe, allerdings unbedingt undurchsichtige, denn trans-parente schwarze Strümpfe sind fürs Büro zu erotisch. Schlichte Schuhe mit kleinem Absatz, keinesfalls Stilettos. Unterm Kostüm ein weißes T-Shirt, auch eine Baumwollbluse wäre möglich gewesen. Gewarnt war ich vor Seidenblusen, zu elegant. Ich hatte der Versuchung widerstanden, nichts unter der Jacke zu tragen – vor dem Treffen mit Steffen kam das Vorstellungsgespräch. Es ist unmöglich, berufstauglich und betttauglich auszusehen, jedenfalls gleichzeitig.

In der »Karriereleiterin« hatte außerdem ein berühmter Karriereberater für jede Frage beim Vorstellungsgespräch die optimale Antwort vorgegeben. Ich hatte alles auswendig gelernt. Ich bibberte vor Erwartung.

Die Stadtnachrichten residierten in einem Barockhaus mitten in der Stadt. Im Treppenhaus ein Wandgemälde, ein Rund-blick über die Stadt, war stilistisch um 1950 einzuordnen, die Einrichtung der Redaktion ebenfalls.

Die Sekretärin begrüßte mich freundlich: »Schickes Kostüm haben Sie.« Und führte mich sofort zum Chef.

An seiner Tür stand: »Harry Weihrauch – Chefredakteur der Lokalredaktion.«

Er war etwa 45, etwa 20 Kilo Übergewicht, Gesicht wie ein mürrischer Dackel. Seine rot-gelb gestreifte Krawatte hing locker wie ein Lasso. Seine Haare begannen ziemlich weit hinten am Hinterkopf, von dort strebten sie Richtung Stirn, das ergab eine Glatze mit hellblonden Strähnen wie Blitze. Vor sich eine elektrische Schreibmaschine, die aggressiv brummte. Weihrauch brummte ebenfalls, deutete auf den Stuhl vor seinem Schreibtisch. Er zündete sich eine dünne Zigarre an.

»Mein Name ist Tilla Silber«, sagte ich, so munter ich konnte. »Ich möchte mich um die von Ihnen inserierte Stelle als Redaktionsassistentin bewerben, weil ich die Tätigkeit bei Ihrer Zeitung anstrebe.« Jetzt war wichtig, dass ich meine positiven Seiten rausstrich, ich quatschte die auf mich zutreffenden Sätze der Karriereleiterin runter: »Ich kann sehr gut mit Menschen umgehen, Kommunikation ist meine große Stärke.«

»Brumm.«

»Ich arbeite gerne im Team und habe keine Schwierigkeiten, mich den Vorstellungen anderer anzupassen.«

»Brumm.«

»Ich habe viele spontane Ideen und besitze auch den Mut, sie zu äußern.« Warum glotzte er mich an, als wäre ich irr? Das war doch druckreif! Mir fiel ein, dass man auch seine Schwächen zugeben muss: »Da ich der Branche neu gegenüberstehe, werden mir anfänglich einige Fehler unterlaufen.«

Nicht mal ein Brummen von ihm, nur von der Schreibmaschine.

»Ich glaube, dass ich mit meiner Persönlichkeit zu ihrem Unternehmen passe.«

Da sagte er: »Haben Sie Führerschein?«

»Das trifft auf mich durchaus zu«, antwortete ich eifrig.

»Was wollen Sie verdienen?«

Vorsicht vor exakten Forderungen! In diesem Fall sagt man: »Ich möchte in Ihrem Unternehmen zeigen was ich kann, durch meine Persönlichkeit und meine Fähigkeiten überzeugen. Dabei möchte ich gehaltsmäßig von Ihnen begleitet werden.«

Aber er sagte: »Merken Sie sich, wir sind die Lokalredaktion, wir sind der Arsch dieses Blatts, auf dem alles ruht. Wenn in China eine Revolution ausbricht, wissen das die Leute aus dem Fernsehen, aber wenn in unserem China-Restaurant eine Frühlingsrolle anbrennt, dann sind wir vor Ort, und zwar rund um die Uhr.«

Ich wusste die richtige Antwort: »Flexible Arbeitszeiten sind für mich selbstverständlich.«

Er schrie: »Richterin.«

Herein kam die Sekretärin.

»Haben Sie die Bewerbungsunterlagen gesehen?«

»Alles perfekt.« Sie schüttelte mir die Hand, als wäre sie es, die mich einstellt. »Ich bin Lydia Richter. Nur er nennt mich Richterin, hahaha.« Dann sagte sie zu ihm: »Sie kann in der ersten Januarwoche anfangen. Übrigens, der Mutter von Frau Silber gehört der Zwitscherbaum.«

»Schönen Gruß an die Madame Mutter«, brummte er. Er winkte, als verscheuche er zwei Fliegen: »Wiedersehen.«

Also ging ich mit Frau Richter raus. Ich konnte es nicht fassen.

»Sie verdienen 2500 Märker. Eine Sekretärin bekämen die nicht für das Geld. Ich sag allen: Die Zeitung lässt es Sie was kosten, dass Sie sich Journalistin nennen dürfen, hahaha.« Dann strahlte sie mich an: »Sie haben am gleichen Tag Geburtstag wie mein Vater.« Sie strahlte, als hätte ich deshalb den Job bekommen. Sie sagte: »Deshalb haben Sie den Job bekommen.«

»Das ist unglaublich!«, sagte ich, als hätte ich bisher geglaubt, der einzige Mensch, der je an diesem Tag geboren wurde, sei ich.

38. Kapitel

Steffen wartete an unserem alten Café-Tisch, lachte mir entgegen, er hatte es gewusst. Ob ich den Job bekam wegen meiner überragenden Qualifikationen oder wegen einer astrologiegläubigen Sekretärin, sei völlig egal. Egal das bescheidene Gehalt, Hauptsache, ein Anfang. »Weißt du, ich wollte mich nicht in eine Frau verlieben, die nur so rumhängt und versorgt werden will.«

»Und willst jetzt?«

»Ja.«

Es war das erste Mal, dass wir uns richtig küssten.

Und als ich hinterher merkte, dass die Schlagsahne von seinem Käsekuchen am Kostüm meiner Mutter hing, kreischte ich vor Glück. Und ich sagte: »Ich wollte mich auch in dich verlieben. Wollte es schon die ganze Zeit.« Oder war ich es schon?

Dann sagte Steffen: »Jetzt fahren wir zu uns.«

Zu uns? Mir wurde ganz anders.

Er lachte: »Du hast bei der Zeitung immerhin meine Telefonnummer angegeben.«

Mit Steffen sah ich von Anfang an überall eine Zukunft. Da wusste ich, das muss die große Liebe sein. Mein Herz war total geschmolzen.

In seinem Wohnzimmer sah es überraschenderweise aus, als hätte er eine Putzfrau erwartet, nicht seine Geliebte. Klamotten lagen rum, am Boden die verwaschenen Bettbezüge. Doch er führte mich ins Schlafzimmer, zeigte auf die frisch bezogenen Betten, eins in sanftem Orange, eins in warmem Gelb, die Laken in leckerem Apricot, feinste Baumwolle, sagte: »Für dich.«

Ich lachte, weil er sich so vorbereitet hatte.

Ich hatte es auch.

Die Tradition verlangt: Wenn du das erste Mal mit einem Mann ins Bett gehst, trage etwas, was er aufknöpfen muss. Achte sorg-fältig darauf, dass das Kleidungsstück nur schwierig aufzu-knöpfen ist – schwierig nicht für ihn, für dich selbst. Ideal sind zwanzig Knöpfchen, aber unbedingt auf dem Rücken. Wenn du Klamotten trägst, für die man einen Mann benötigt, um sie auszuziehen, kann er damit erstens beweisen, dass er sehr nützlich für dein Leben ist, und kann sich zweitens, dank dieser großartigen Leistung als erfolgreicher Eroberer fühlen.

Als literarische Variante des Aufknöpfens ist das Abreißen bekannt: Er reißt ihr das Kleid vom Leib, dass die Knöpfe rollen. Allerdings schreiben nur Männer so was, Frauen denken daran, wer die Knöpfe wieder annäht. Außerdem wissen Frauen: Ehe ein Knopf abreißt, zerfetzt der Stoff.

Fast so gut wie Knöpfchen ist ein langer Reißverschluss, natürlich im Rücken. Allerdings sind Kleider mit langem Reißverschluss im Rücken seit Jahrzehnten ausgestorben, ich kannte sie nur aus altbackenen Fernsehkomödien.

Kostüme eignen sich nicht zu dieser Traditionspflege, zwei Jackenknöpfe und einen Reißverschluss am Rock können so-gar jene Frauen allein bewältigen, die schon beim Anblick eines Korkenziehers um männlichen Beistand flehen.

Immerhin trug ich einen schwarzen Spitzen-BH und den dazu passenden Slip – Reliquien aus meiner Londoner Zeit. Von Marks & Spencer, auch berühmt für reizvolle Unterwäsche in solider Qualität. Traditionellerweise öffnet der Herr den BH beim ersten Mal. Nur deshalb haben BHs den Verschluss hinten statt vorn, was viel praktischer wäre.

Aber Steffen war nicht der Typ für solche altmodischen For-malitäten. Also ging der BH irgendwann von allein auf, der Slip von allein runter. Steffen fiel nicht auf, dass meine Scham-haare so kurz waren. Oder hielt er das für einen Makel? Ich beschloss, sie nicht wieder abzurasieren. Wer Raufasertapete mag, findet auch Schamhaare gut.

Das alte Bett knirschte, die Matratze doingte dumpf, Regen

dämmelte gegen die Scheiben, der Wind pfiff, eine Tür im Haus klapperte, eine Katze draußen plärrte, Steffen war lautlos. Als ich probehalber ein bisschen stöhnte, flüsterte er erschrocken: »Tuts weh?«

Nein, nein, überhaupt nicht, im Gegenteil. Beifallskundgebungen während der Vorstellung schien er nicht gewohnt zu sein. Und nicht zu wollen.

Aber beste Kondition, wie man es von einem Sportlehrer erwarten darf. Als würde man im Fernsehen einen 5 000-Meter-Lauf sehen, ohne Ton. Und dann kam er lautlos ans Ziel. Und dann furzte er. Und lachte: »Ich hab noch nie mit einer Journalistin geschlafen.«

»Ich werde ausführlich darüber berichten.«

Und dann furzte er wieder.

»Hast du Bauchweh?« Ich musste was sagen, um die Peinlichkeit zu entschärfen.

»Nein«, sagte er fröhlich, »ich mach es, weil mir ein Psychoanalytiker erklärt hat, Furzen in Gegenwart anderer beweist, dass man sich in ihrer Gesellschaft wohl fühlt. Es ist eine ehrliche Art, spontan Gefühle auszudrücken.«

Ist es nicht egal, wie man eine Liebeserklärung macht?

39. Kapitel

Am nächsten Morgen musste Steffen leider in die Schule, alle Anträge, den Samstag unterrichtsfrei zu bekommen, waren bisher gescheitert. Um halb sieben begrüßte er mich begeistert im Bett neben sich, brachte mir Tee ans Bett, also eine Tasse Wasser plus Teebeutel. Um halb acht setzte er mich vor unserer Haustür ab.

Die Tür zum Schlafzimmer meiner Mutter stand offen. »Tilla«, rief sie, »ich bin völlig fertig!«

Ich knöpfte den Mantel zu, damit sie ihr Kostüm nicht sah. Sie hatte die Nachttischlampe angeknipst, saß aufrecht im Bett. Musste ich ihr jetzt erklären, warum ich nachts weg war? Gebraucht man seiner Mutter gegenüber Worte wie vögeln oder bumsen? Wie sagt man es auf vornehm?

Sie rief: »Ich hätte es nicht für möglich gehalten. Also, herzlichen Glückwunsch!«

Aha, offenbar war Herr Weihrauch im Zwitscherbaum gewesen und hatte es ihr erzählt.

Da sagte sie: »Wie heißt du jetzt?«

Mich überkam ein Zittern. Meine Mutter ist keineswegs Anfang fünfzig, wie sie behauptet, sie ist Mitte fünfzig, aber geistig einwandfrei fit – bisher. Waren das die Wechseljahre? Entsetzt sagte ich: »Ich bin deine Tochter. Ich heiße Tilla Silber.«

»Gott sei Dank. Wenigstens ein Funke Vernunft in deinem Kopf.« Sie kicherte gemeingefährlich. »Ich weiß genau, dass du mein Chanel-Kostüm von Deshaniau anhast.«

Wenigstens noch ein Funke Verstand in ihrem Kopf. Sie wusste noch, dass es kein echtes Chanel-Kostüm war, so was kauft keine Schwäbin, nicht mal, wenn sie es sich leisten könnte. Es war eine Kopie, Deshaniau ist keine französische Firma, sondern schwäbisch und bedeutet: Das hab ich auch.

Meine Mutter weiter: »Unsere Madonna hat dich gesehen, wie du dich gestern weggeschlichen hast. Die hat für so was ein Gespür, die wusste, was du vorhast.«

»Welche Madonna?«

»Mosers Trampeltier aus Südamerika, seine Küchenhilfe. Du bist wegen des Lehrers aus London zurückgekommen. Da wird er kurz vorgeführt, dann heimlich geheiratet.«

»Bist du verrückt?«

»Das Kostüm hast du nicht gebraucht, um mit ihm zu übernachten.«

»Um mit einem zu übernachten, muss man nicht mehr heiraten.«

»Hätte durchaus sein können, dass du plötzlich heiratest, nur um mich zu ärgern.«

Das war anno dazumal der Heiratsgrund meiner Mutter gewesen. Heute ärgert man die Eltern, indem man nicht heiratet.

»Ich hab dein Kostüm gebraucht, um mich bei den Stadtnachrichten vorzustellen. Schönen Gruß von Herrn Weihrauch. Ich bin jetzt Journalistin.«

»Wieso passt dir dieses Kostüm, du bist doch dünner geworden? Bist du schwanger?«

»Ich bin Journalistin geworden, nicht schwanger.«

Sie seufzte erleichtert: »Gott sei Dank, du heißt nicht Bratengeier. Der Name passt nicht zu einem Restaurant.«

Ich knallte die Tür zu. Was hätte ich sonst tun sollen? Steffen heißt nun mal nicht Cordon bleu.

Ich erzählte Steffen nichts von den Wahnideen meiner Mutter. Männer haben immer Angst, von Heiratswütigen umzingelt zu sein. Bei Frauen ist es umgekehrt, die haben immer Angst, von allen Heiratswilligen verlassen zu sein.

40. Kapitel

Steffen war an allen Feiertagen eingeladen bei Freunden und Heiligabend bei einem frisch geschiedenen Kollegen, alles war abgesprochen »vor unserer Zeit«.

Deshalb kam er am Heiligen Nachmittag zu mir. Meine Mutter staubsaugte durch die Wohnung, heute war das Restaurant geschlossen. Sie musste Steffen unbedingt erzählen, dass an beiden Feiertagen Hochbetrieb war, weil so viele Paare kurz vor Jahresende heiraten. Auch wenn man am letzten Tag des Jahres heiratet, spart man fürs ganze Jahr Steuern.

Ich sagte: »Danke für die Information, sie ist absolut überflüssig.«

Sie verließ demonstrativ die Wohnung, wie ein Befehl, übereinander herzufallen, taten wir aber nicht.

Steffen sagte: »Ich möchte dir zu Weihnachten das Persönlichste schenken, was ich dir schenken kann.« Er gab mir ein dünnes Päckchen, ich musste es sofort aufmachen: Gedichte, von ihm selbst verfasst. Er hatte sie für mich kopiert und binden lassen mit einer Spirale. Sie waren aus seiner Studentenzeit, Gedichte über seine Angst, so spießig zu enden wie die anderen ringsum.

Besonders toll fand ich »Das manifest des Steffen Bratengeier«. In der letzten Strophe hieß es:

> »Mein leben sei ein abenteuer
> niemals werde ich ein treuer
> spießermann. das wird nie aus mir.
> das versprech ich Dir.«

Steffen sagte, ob sich etwas reimt und wie, sei ihm egal, das war ihm zu zwanghaft. Es kommt auf die Aussage an.

Fand ich auch, und natürlich fand ichs super, dass er nie ein Spießermann sein wird. Merkte man schon an der schicken Kleinschreibung. Und überhaupt toll, dass er Gedichte schrieb, ich hatte gedacht, so was machen nur Mädchen. Und das Schönste: Vorn hatte er reingeschrieben »Für Tilla in Liebe von Steffen«.

Zum Glück hatte ich auch so ein persönliches Geschenk. Ein antikes Glas, dunkelrot, eingeschliffen helle Blätterranken, die ein Medaillon umschnörkelten, darin stand in altertümlicher Schrift: »Werde glücklich.« Mein Herz hing an diesem Glas, ich hatte es von meinem Vater bekommen. Es fiel mir nicht leicht, es zu verschenken, aber ich wollte, dass Steffen es wert ist.

Er wagte kaum es anzufassen: »Werde glücklich – ist das ein Zauberglas?«
Es war ein Zauberglas.

Wer glaubt, das Weihnachtsessen bei einer Nobelrestaurant-Besitzerin sei eine Orgie erlesener Delikatessen, irrt. Es gab Kartoffelsalat und Würstchen.
Meine Mutter schenkte mir Geld für eine journalistinnen-gemäße Garderobe. Und ein Jahresabo der Karriereleiterin, sie hatte das Heft in meinem Zimmer gesehen, es hatte bei ihr neue Hoffnung für meine modische Zukunft erweckt.
Ich schenkte ihr zum dritten Mal eine kübelgroße Azalee in Escadarosa, meiner Mutter kann man immer Azaleen schenken, sie bringt keine durch den Sommer.
Weil ich meinem Bruder nichts schenkte, sagte meine Mutter traurig: »Er ist doch dein Bruder.« Dass er mir nichts schenkte, war selbstverständlich.
Er bekam diverse Fußballkarten für Auswärtsspiele. Schweine-teuer. Wahnsinn, wie viel Geld für Fußball verplempert wird, statt das Geld edel, hilfreich und gut auszugeben. Ich sagte: »Dafür könnte Greenpeace ein Jahr lang einen Wal füttern.« Malte grinste verächtlich, er wusste, Greenpeace ist kein Fuß-ballverein.
Er schenkte ihr Seife in einer goldenen Dose, die sie selbst besorgt hatte, um ihn nicht zu stressen. Jede Wette, er hatte ihr das Geld dafür nicht gegeben.
Als sie fragte, was ich von Steffen bekommen hätte, als Mutter dürfe man ja fragen, sagte ich: »Dieser Geschenkterror ist uns zu spießig.« Meine Mutter hätte endlos gemeckert, ich sei ver-rückt, das edle Glas zu verschenken – und dafür nur Fotokopien.

Während der Feiertage las ich zur Vorbereitung auf meinen Job alle Stadtnachrichten vom Altpapierstapel. Wie schreibt man als Journalist? Es fing schon damit an, dass man als Journalist nicht einfach schreibt, sondern man »formuliert«, oder »verfasst«, oder »bringt Gedanken zu Papier« oder »spießt ein Thema mit spitzer Feder auf«. Ich musste all diese erhabenen Worte in meinen Sprachschatz aufnehmen. Eine Zeitung »kommt« nicht, eine Zeitung »erscheint« – wie was Überirdisches.

Als weitere berufsvorbereitende Maßnahme kaufte ich nach den Feiertagen eine dunkelblaue Hose – keine Jeans, geeignet für alle Gelegenheiten, dazu einen dunkelblauen Rollkragenpulli. Und weil Steffen diesen Hang hat zur soliden Eleganz, kaufte ich einen dunkelgrauen Rock und einen elegantgrauen Blazer. Meine Mutter vermachte mir einen kaum getragenen schwarzen Kaschmir-Blazer. »Schwarz macht alt, besonders, wenn man es bei Tageslicht trägt«, warnte sie.
»Das ist nicht mein Problem.« Worauf sie beleidigt war, weil ich es wagte, andere Probleme zu haben als sie.

Thomas schickte eine Weihnachts&Neujahrskarte, darauf die Göttin der Liebe von Bronzino. Aber was er schrieb, hatte damit nichts zu tun. Er hatte eine neue Adresse: sein Onkel hatte ihm eine frei gewordene Wohnung in einem seiner Häuser vermietet. Der Job bei seinem Onkel war okay. Sonst hatte sich nichts Berichterstattenswertes in seinem Leben ereignet. Er fragte sich immer noch, was er will. Und weiß es nicht. Ja, lieber Exgeliebter, aber ich weiß es jetzt.

41. Kapitel

Silvester war mein erster öffentlicher Auftritt mit Steffen. Er feiert wie immer bei Siegfried, und keine Frage, ich konnte einfach mit. Siegfried sei ein völlig irrer Typ, obwohl er

Kunstlehrer am Wilhelm-Hauff-Gymnasium war, trug er nur schwarze Lederklamotten und fuhr einen opaalten Opel Kapitän.

Siegfried hatte eine noch unbekannte neue Freundin, von ihr war bisher nur bekannt, dass sie Spitze im Bett sei. Siegfried hatte die Neue kennen gelernt bei einem künstlerischen Fortbildungskurs, sie war das Aktmodell gewesen.

Steffen lachte, Siegfried sei zur Zeit reichlich sexistisch, er hatte sich wegen der Neuen von seiner jahrzehntealten Beziehungskiste befreit. Kümmere sich aber rührend um seinen Sohn Simon, der bei der alten Beziehungskiste lebt.

»Wie alt ist das Aktmodell?« Komischerweise will jeder von Frauen immer zuerst das Alter wissen. Von einem Aktmodell erst recht.

»Siegfried hat nur gesagt, der Altersunterschied spielt keine Rolle.«

Bekanntlich ist es so: Verkündet ein Mann, der Altersunterschied spielt keine Rolle, bedeutet das, sie ist zwanzig Jahre jünger. Sagt die Frau, der Altersunterschied spielt keine Rolle, dann ist sie zwei Jahre älter.

Als weitere Attraktion des Abends sei Kollegin Magdalena anwesend, sie unterrichtet Deutsch und Ethik. Schadenfroh grinsend erzählte Steffen, die hätte gern was mit Siegfried, wusste aber von der Neuen nichts. Und Magdalena sei auf jeden scharf, der zu haben ist.

Was zieht man an auf eine Fete, wenn die Freundin des Gastgebers Aktmodell ist? Jeans waren zu fad, ich durfte Steffen nicht blamieren. Meine Figur ist nicht schlecht, mein Busen nicht hängend, allerdings nicht überragend, bekanntlich tadellose Beine.

Steffen sagte, ich soll so kommen, wie ich mich am wohlsten fühle. Nichts schwieriger als das.

Trägt man Brille, ist immer die erste Frage: Kann man mit

Brille so was tragen? Was ich schließlich in einer Boutique fand, übertraf meine Erwartungen: ein reichlich kurzes, daher einwandfrei beinbetonendes, schwarzes Satinkleid, sah aus wie ein Nachthemd, bis auf den dramatischen Unterschied: trägerlos! Noch nie hatte ich so was getragen. Für so ein Kleid braucht man nicht nur die passende Gelegenheit, sondern zuerst den passenden Mann.

Die Frage war, wie hält Trägerloses, wenn man nicht massenhaft Busen als Rutschbarriere hat? Ich wollte dazu eine Corsage kaufen, um meinen Busen hochzubretzeln. Die Verkäuferin war Expertin für sämtliche weiblichen Problemzonen und erklärte, unter diesen Kleidern trage man nichts, denn man trage diese Kleider um zu zeigen, dass es einem nichts ausmacht, Problemzonen zu haben. »Kaufen Sie Teppichklebeband, doppelseitig klebendes. Damit kleben Sie das Kleid direkt auf die Haut. Das ist der Trick der Models.«

Wie ein Model fühlte ich mich, als ich am Silvesterabend das Teppichklebeband quer über meinen Busen pappte. Als ich das Kleid dranpappte, spannte es unter den Achseln, ich hätte den Abend in Hände-hoch-Position rumstehen müssen. Ich riss alles wieder ab, auf dem abgerissenen Band klebten Hautpartikel und Härchen. Klebte neues Band jetzt tiefer, leider den Stoff noch tiefer. Der Versuch, das überstehende Klebeband mit der Nagelschere abzuschneiden, endete mit vielen Klebebandschnipseln, die überall pappten. Band wieder ab. Aua. Nun klebte ich Band innen ans Kleid, presste es an meinen Busen, zog nun erst die Schutzfolie zur Busenseite ab. So gings. Satin auf Nackt ist ein sexy Gefühl.

Steffen war entzückt, als er mich abholte.

Jeder sollte was Essbares mitbringen, egal was, nur keinen Kartoffelsalat, denn letztes Jahr hatten alle Kartoffelsalat

mitgebracht. Meine Mutter gab mir das derzeitige Lieblings-
dessert der Gäste mit, einen großen Karton mit Tiramisu,
dieser klebrige, kakaobestreute, cognacgetränkte Schoko-
kuchen. Steffen hatte Raketen besorgt, dafür sind grundsätzlich Männer zuständig. Ich hatte auch eine Flasche Champagner, ebenfalls Geschenk meiner Mutter, weil Steffen,
nachdem seine Ex-Sabina all ihren Lufthansa-Sekt bei ihm
abkassiert hatte, keinen mehr besaß.
Unterwegs machte sich Steffen Sorgen, weil ich den Kuchen-
Karton auf dem Schoß hatte, bei einem Auffahrunfall wäre
sein Auto voll Tiramisu, er hielt an, stellte den Karton in den
Kofferraum. Ich war leicht beleidigt, weil er sich nur wegen
Beschädigungen seines Autos sorgte, typisch Mann. Er sagte,
typisch Frau: will aus jeder Situation den großen Liebesbeweis machen. Wir lachten.
Die Tür zu Siegfrieds Wohnung stand offen, Musik wummerte
uns entgegen. Im Flur große Aktbilder, Aquarelle mit breitem
Pinsel hingehauen. Eine Nackte in Blau, eine in Rot, eine
in Rot und Blau. Alle hatten wellenförmige Haare und zwei
verformte Kreise als Titten und viele Schamhaare, gemalt als
wilde Kleckse.
Auf dem Künstlermarkt in London bei St. Martins in the
Field, gleich bei der National Gallery, wo ich Pilger hinführte,
die Kunst als Reiseandenken kaufen wollten, hatte ich stapelweise solche Aktbilder gesehen – meist besser gemalt. Aber
über Kunst streitet man nicht. Von Thomas hatte ich gelernt:
Kunst ist das, was jemand, der sich Künstler nennt, produziert.
Bestes Beispiel das Kunstwerk von Piero Manzoni, »Artist's
Shit«. Mazoni füllte seine Scheiße in Dosen, druckte in meh-
reren Sprachen drauf: »Künstlerscheiße, 30 gr. Nettogewicht,
frisch hergestellt und konserviert im Mai 1961«. Und alles
daran ist Kunst, die Idee, die Verpackung und der Inhalt, weil
alles der Künstler gemacht hat. »Kunst wird heute definiert
durch die Behauptung, dass es Kunst sei«, sagte Thomas, »und

es hilft sehr, wenn man nichts ernst nimmt.« Fiel mir ein, als ich diese Klecksgemälde sah.

Steffen war sofort irgendwo verschwunden, ich ging ins Wohnzimmer, von da kam das Gewummer, das Licht war total runtergedimmt. Ich konnte nur sehen, dass niemand im Raum war. Alle Möbel an die Wände geschoben, um eine Tanzfläche zu schaffen, in der Ecke ein Sofa, mit der Rückseite zum Raum. Ich wollte den Mantel ausziehen, aufs Sofa legen, aber da lag – wie bezeichnet man jemand, der männlich ist, etwa sechzehn, picklig, blöd glotzend? Er fraß dunklen Matsch. Vor ihm hockte ein kleiner Junge, starrte auf die Beschallungsanlage neben sich, auf dem Display war das Gewummer als flackernde Säulen sichtbar. Ich stolperte durch die Dunkelheit im Mantel wieder hinaus.

Die Festteilnehmer drängten sich in der Küche wie in einem überfüllten Aufzug. Einer schrie »Tür zu«, als wolle man weiterfahren. Auf dem Küchenschrank und auf dem Kühlschrank und auf dem Herd standen Bleche mit Tiramisu. Steffen war nicht dabei.

Er war in einem kleinen Zimmer, sah aus wie ein Büro, abgesehen davon, dass überall Plastikbecher rumstanden und Pappteller mit Tiramisu. Die Aktbilder hier waren bürogemäß in Schwarz-Weiß, hingewischte Kohlezeichnungen. Wieder umwogten wellenförmige Haare die Tittenkreise. Unten statt Kleckse wilde Striche, die Schamhaare sahen aus wie eine Klobürste.

»Das ist Siegfried.« Steffen führte mich zum Gastgeber. Ziemlich grau gesträhnte Wallemähne und schwarzes brustoffenes Hemd, er saß auf dem Bürodrehstuhl, neben ihm stand ein Mädchen mit wellenförmigen dunklen Haaren, eindeutig das Aktmodell. Er hatte eine Hand zwischen ihren platzengen schwarzen Nappalederhosenbeinen. Sie war sogar jünger als erwartet, mit sogar mehr Busen, trug einen platzengen nacktrosa Angorapullover.

Sogar ich als Frau hatte die Vision, man müsste unter diesen flauschigen Pulli fassen, diese Ballons drücken, die wie riesige Wollknäuel erschienen, obwohl jede weiß, dass Titten nicht flauschig sind. Um sie nicht nur anzustarren, sagte ich: »Hallo, ich bin Tilla, ich bin mit Steffen hier.«

Das Aktmodell guckte nur, sprechen gehörte nicht zu ihrem Beruf.

Steffen sagte zu Siegfried: »Und das ist Tilla, meine Neu-erwerbung.«

Siegfried schenkte mir einen Frau-mit-Brille-ist-Scheiße-Blick. Er sagte: »Habt ihr zufällig Tiramisu mitgebracht?«

»Ja«, sagten Steffen und ich gleichzeitig.

Das Aktmodell sprach nun: »Super, dass alle Tiramisu mit-gebracht haben.« Sie hatte die Stimme eines Kleinkinds.

Siegfried sagte: »Denk an deine Figur.«

Daran dachte sie aber nicht. Sie ging strahlend das neueste Tiramisu probieren.

Eine andere tauchte neben Siegfried auf mit einem Blick voll schlechter Laune.

»Unsere liebe Kollegin Magdalena«, stellte Steffen sie vor. Es war diese Lehrerin, die schon länger auf Siegfried scharf war und nun gemerkt hatte, dass wieder nichts zu holen war.

Mein Anblick verbesserte ihre Laune nicht, weil ich besser aussah als sie. Magdalena trug ebenfalls Brille, eine auffallend designte, die ihre große Nase betonte. Ihr Kleid war riesig, braunschwarz mit wogenden Raffungen überall, wenn es ein Gegenteil von figurbetont gibt, war es das. Als Steffen mich als »meine neue Freundin Tilla« vorstellte, fragte sie: »Was ist mit deiner alten Barbie-Puppe?«

»Du hast Recht, Sabina ist eine Barbie-Puppe, aber die ist längst entsorgt.«

»Wusste ich doch nicht«, sagte Magdalena beleidigt, als hätte Steffen ihr eine Information vorenthalten, die sie dringend was angeht. Sie konzentrierte sich dann aber auf Siegfried, knatschte ihn an: »Und die ist also Spitze im Bett.« Es sollte abwertend klingen, klang aber nur neidisch, wie immer in solchen Situationen.

»Iss noch drei Teller Tiramisu«, winkte Siegfried ab.

Sie zischte: »Und mir erzählst du, du stellst an eine Frau mehr Ansprüche als nur Arsch und Titten.«

»Sei nicht ordinär. Wir sind uns im künstlerischen Prozess näher gekommen. Sie ist meine Muse.«

»Sie ist erst siebzehn! Du lässt dich mit einer Schülerin ein!«

»Sie hat sich entschlossen, die Schule zu verlassen.«

»Du unterstützt das? Und die Eltern vom Kind?«

»Ihre Eltern haben akzeptiert, dass sie wahnsinnig reif ist für ihr Alter.«

Ein sackförmiger Mann mischte sich ein: »Die Titten sind wahnsinnig reif.« Er wieherte, als wärs witzig.

»Und was macht sie jetzt?«, fragte Magdalena.

»Sie lebt. Bei mir. Ich werde sie als künstlerisches Aktmodell aufbauen. Ich mache demnächst Fotos von ihr. Das Medium Fotografie hat mich schon immer gereizt.«

Der Sackförmige wieherte: »Mich reizt das Medium Arsch, selbstverständlich künstlerisch.«

Siegfried genervt: »Ich weiß um meine Verantwortung. Ich werd was aus dem Mädchen machen. Wo ist Sisi überhaupt?«

»Sisi! Wie kitschig!«, giftete Magdalena. »Sisi, die junge Kaiserin!«

»Das ist eher Sisi, die junge Kassiererin«, wieder der Sackförmige.

Siegfried, noch genervter: »So wurde sie leider von ihren Eltern genannt. Eigentlich heißt sie Elisabeth. Wenn ich sie als Model rausbringe, nenne ich sie Eliza.«

»Elisabeth ist viel passender«, rief der Sackförmige, »ein Name, der mit Bett endet.« Er wieherte: »Sie ist Spitze im Bett – wenn man davon die Anfangsbuchstaben nimmt, ergibt das Sisibett.«

»Du kannst mich mal am Anfangsbuchstaben lecken«, sagte Siegfried und ging.

Steffen legte den Arm um mich: »Ich hab verrückte Freunde, was?« und zog mich hinaus auf den Flur, wo Siegfried nun seine Gemälde betrachtete. »Siegfried, hör mal, meine Freundin Tilla ist demnächst Redakteurin bei den Stadtnachrichten in der Lokalredaktion.«

Nun betrachtete er mich interessiert: »Das ist gut.«

»Ja«, sagte ich froh.

»Da hast du die Möglichkeit, über mich zu schreiben. Die Stadtnachrichten könnten eine Serie meiner künstlerischen Aktfotos bringen. In Schwarzweiß.«

»Unbedingt Schwarzweiß«, sagte ich, »dann weiß man gleich, dass es Kunst ist.« Thomas hatte das immer voll Ironie gesagt. Von ihm hatte ich auch gelernt, wie man Künstler erfreut, das ist wichtig, wenn man auf den Märkten den Preis runterhandeln will – ich sagte also: »Du hast so eine unverwechselbare künstlerische Handschrift.« – Mit diesem Spruch wirkt man sofort als Experte. Und ich sagte: »Erzähl mir alles über deine Kunst.«

Natürlich wollte er nichts lieber. Ich folgte ihm ins Wohnzimmer, Steffen floh. Ich hätte Steffen gern mit meiner Kunst-Konversation beeindruckt, aber er wollte wohl, dass sich Siegfried voll auf mich konzentriert. Ich ließ nun meinen Mantel neben der Tür auf den Boden fallen, so sexy gestylt hatte ich noch nie Kunstbetrachtung gemacht.

Der Lärm im Wohnzimmer waberte weiterhin im Dunkeln, Siegfried drehte die Beleuchtung auf volle Power, nun sah ich erst, auch hier hingen Aktbilder, noch größere, größer als lebensgroß. Er zeigte auf seine Kleckse, schrie: »Das kommt mir spontan!«

Ich schrie zurück: »Das ist Sprezzatura!« Das ist das schickste Kunstexperten-Fachwort, das ich kenne. Normalerweise rücke ich nicht gleich damit raus, aber in diesem Lärm musste man jedes Wort sparen. Sprezzatura bedeutet vornehm: Schmiererei und Gekleckse. Ich trat zwei Schritte zurück, als wollte ich das Bild ganz betrachten, so konnte Siegfried mich ganz betrachten, samt Beinen.

Er starrte mich an, als hätte ich was von spritzendem Sperma gesagt, hätte natürlich zu seinen Bildern gepasst, aber nicht zum Entsetzen in seinem Blick. Unwillkürlich legte ich meine Hand aufs Herz und blieb kleben. Ich sah an mir herunter, dachte, ich brech zusammen, das Kleid hatte sich vom Klebeband gelöst, meine linke Brust völlig frei, nur Klebestreifen pappte oberhalb der Brustwarze. Das Allerschlimmste: Das Klebeband hatte sich ineinander verklebt und meine Brust in Falten geklebt. Ich mit Knittertitten zwischen den prachtvollen Titten der Aquarelle. Meine waren künstlerisch völlig wertlos.

Einer brüllte durch den Lärm: »Licht aus, ihr Ärsche.«

Siegfried riss seinen Blick von mir los, sprang zum umgedrehten Sofa in der Ecke, schlagartig endete der Lärm der Musik, nur Siegfried brüllte: »Was macht ihr da?!«

Unbeeindruckt antwortete Sisi: »Siehst du doch. Wir essen Tiramisu.«

Dann brummte das pubertäre Pickelgesicht: »Väterchen, merk es dir endlich, ich bin achtzehn. Und jetzt steck den Stecker wieder rein.«

»Aber in die Steckdose«, kicherte Sisibett.

»Warum ist dein Pulli hochgerutscht?!«, tobte Siegfried.

»Das war dein Simon.« Und dann sagte sie: »Die Alte neben dir hat dir auch ihre Titten gezeigt.«

Ich werde es nie vergessen.

»Genau«, sagte Simon, »sah scheiße aus.«

»Wenn du sie noch einmal anfasst!«, schrie Siegfried. »Du verschwindest jetzt nach Hause zu deiner Mutter. Los ab!«

Simon rührte sich nicht, aber ich stürzte zu meinem Mantel, zum Klo. Hinter mir Getrampel, Siegfried zog Sisibett mit sich raus.

Wie ein wiederkehrender Albtraum setzte das Wummern wieder ein. Und wieder Simons Stimme: »Licht aus, ihr Ärsche.«

Auf dem Klo pappte ich an, was anzupappen war. Beschloss, den Mantel nie mehr auszuziehen.

Das Gewummer im Wohnzimmer wurde wieder abgeschaltet, Licht wieder an, worauf die Gäste ins Wohnzimmer kamen.

Siegfried rieß Sisibett einen Teller weg.

Dann stritt sich ein Ehepaar, wer sich dringender scheiden lassen will. Ralf, ein drahtiger Jurist, behauptete, er hätte seine drahtige Ehefrau nur geheiratet, weil man damals bei Schwangerschaft heiraten musste. Sie behauptete, er hätte nur Kinder gewollt, damit sie ihn heiraten muss. Sie hatte zwei Häuser mit in die Ehe gebracht und auf Gütertrennung verzichtet, weil er ihr geraten hatte, die Kosten für den Notar zu sparen, und mit diesem Beschiss hätte er durch die Heirat mehr verdient als je durch seinen Beruf.

Er schrie: »Ich hab auch zwei Häuser mit in die Ehe gebracht.«

Sie explodierte: »Den Witz kennt schon jeder: Es waren zwei Vogelhäuschen!« Und rauschte raus.

Siegfried seufzte: »Ich habe nie verstanden, warum Menschen heiraten.«

Magdalena drängte sich vor: »Für dich ist nur wichtig, dass du eines Tages dein Nacktmodell ohne Folgekosten entsorgen kannst.«

Ich hielt meinen Mantel zu, wo war Steffen?

Der kleine Junge, der am Anfang des Abends hinterm Sofa gehockt hatte, kam auf dem Boden angerobbt, drehte sich auf dem Bauch vor Magdalena: »Ich will tanzen.«

»Mama tanzt nachher mit dir, wenns zwölf ist.«

Der Junge stand auf, fasste sich zwischen die Beine wie Michael Jackson, zuckte bumsmäßig. Alle lachten. Der Junge zuckte zum Lichtschalter, wir standen wieder im Dunkeln.

Der Sackförmige konnte auch im Dunkeln reden: »Ich als Gemeinschaftskundelehrer darf dir sagen, liebe Magdalena, der Vater deines Sohns hats richtig gemacht. Erst macht er dir ein Kind, dann macht er sich davon. Wenn eine Frau wie du ein Kind will, soll sie dafür Vergnügungssteuer zahlen. Der Mann kann heute nicht mehr Versorger jeder Frau sein, die ihm die Mutterschaft verdankt. In unserem Sozialstaat sorgt Vater Staat für die Mütter. Mutter Natur sorgt dafür, dass es Väter gibt.«

Ein anderer beifällig: »Die moderne Frau wird nicht mehr ausgehalten, sondern hingehalten.«

Dann dröhnte die Beschallung wieder los. Alle gingen schnell hinaus, nur Magdalenas Sohn blieb zuckend im Wohnzimmer. Wo war Steffen? Schließlich fragte ich die Gruppe in der Küche.

»Der ist mit seiner Freundin im Schlafzimmer«, rief Siegfried.

Mir blieb das Herz stehen. »Aber ich bin …«, fing ich an.

Da sang einer mit kindischer Stimme:

>»Kommt was zum Vögeln geflogen,
>setzt sich nieder vor mein' Schoß
>nimmt mein Schwänzlein ins Schnäbelein
>von der Lusthansa ein Gruß.«

Alle lachten. Eine quietschte: »Sabina ist gekommen.«

Hatte seine Verflossene beschlossen, sich fürs neue Jahr das Altbewährte zurückzuholen?!

Das Schlafzimmer war hinten links. Die Tür war zu. Unmöglich, an der Tür zu lauschen, man konnte mich sehen. Außerdem überdröhnte die Musik jedes Schlafzimmergeräusch. Es gab zwei Möglichkeiten: abwarten oder reingehen. Dritte Möglichkeit: die Tür leise ein bisschen öffnen und reinsehen. Aber wahrscheinlich würden sie mich sehen. Oder, wenn kein Licht im Zimmer war, würde ich nichts sehen. Vierte Möglichkeit: wie aus Versehen reingehen, gegebenenfalls Licht anmachen, als würde ich die Garderobe suchen. Hysterisch kontrollierte ich das Kleid unterm Mantel, es klebte noch richtig.

Im Schlafzimmer leuchtete eine Künstler-Nachttischlampe giftgrün. Er saß auf dem Bett mit dem Rücken zu mir. Sie schräg daneben. Sie beugte sich zu ihm rüber, dämonisch grün beleuchtet und sagte wie ein Vampir, der sein Opfer gekrallt hat: »... will ich jetzt zurück haben.«

Wenn ich bisher diesen Gedanken verdrängt hatte, jetzt war er so stark, dass mein Kopf fast platzte: wieso hatte ich geglaubt, das Glück würde mir einen Mann wie Steffen frei Bett liefern? Frei von Altlasten? Einen Mann wie Steffen gibts nicht gratis.

Sie sah mich an, als spielte ich keine Rolle mehr. Alles an ihr war cool: ihre grünlichen Haifischzähne, die knallgepflegte grünliche Blondfrisur, ihre Brillenlosigkeit, die coolen Augen, das coolblaue Kleid mit den grünlichen Silberpaspeln und erst recht ihre Stimme, als sie sagte: »Ich brauch das.«

»Entschuldigt bitte die Störung.«

»Das ist Tilla.« Steffen griff nach meinem Bein, erwischte mein Kleid, ich kreischte leider hysterisch: »Fass mich nicht an.«

Sie betrachtete mich mitleidig.

Steffen sagte zu ihr: »Bitte, wenn du deine Bettwäsche als Erinnerung an mich brauchst.«

»Bild dir nichts ein. Ich will auch meinen teuren Vorhang zurück. Brauch ich alles für unser Gästezimmer – in Marks Wohnung.«

»Was hat er, was ich nicht habe – ein Gästezimmer! Da lach ich doch.« Natürlich lachte Steffen nicht, wer so was sagt, lacht nie.

»Er hat einiges mehr, was du nicht hast.« Sie sah demonstrativ auf ihre Uhr, zeigte sie Steffen. »Geburtstagsgeschenk von Mark.«

Nette Uhr, dachte ich, aber zu elegant. Ich wollte so eine Uhr nicht geschenkt. Na ja, vielleicht notfalls.

»Wieso Geburtstag?«, sagte Steffen verblüfft. »Im Juli? Der

schenkt dir nicht einfach so eine Uhr.« Pause. »Du hast mich länger mit ihm betrogen.«

»Selbst schuld«, lächelte sie eisig grünlich.

»Um mir das zu sagen, bist du gekommen?«

»Siegfried ist auch mein Freund. Ich hatte ihm versprochen, dass ich kurz vorbeikomme. Ich muss jetzt wieder zu unserer Party, ich werde sehnsüchtig erwartet von Mark.« Sie betonte jedes »ich«.

»Na prima«, sagte Steffen, »hast du also einen gefunden, der dich versorgt.«

Solidarisch sagte ich: »Na prima.«

Sie betrachtete mich wie eine Schlange, die sich zu fein ist zu beißen. Klar, dass sie nicht zu Steffen passte. Er spontan, herzlich, für alles offen, sie wie eine Gefriertruhe total zu. Ja, eine Barbie-Puppe in der Gefriertruhe.

Dann sagte sie eisig zu mir: »Ich wünsch dir viel Spaß auf seinem Hühnerhof.« Und trippelte hinaus auf ihren silbernen Stöckelschühlein, wie nur eine Flugbegleiterin trippeln kann.

Steffen ließ sich aufs Bett fallen. »Die war im Sommer nicht allein in Sri Lanka. Und mir sagte sie, sie bekäme keinen Gratisflug für mich und wenn ich dabei wäre, bekäme sie das Hotel nicht von der Lufthansa bezahlt. Da hat er ihr das Hotel bezahlt. Betrügt mich mit diesem Bauunternehmer. Zu dem ist sie jetzt gezogen. Hat der nicht mal Bettwäsche? Wenn er schon Mark heißt!«

»Was meint sie mit Hühnerhof?«

»Eine Wahnidee von ihr. Vergiss es.« Er lag entnervt auf dem Bett.

Siegfried platzte rein: »Ist Simon zu seiner Mutter zurück?«

Steffen sagte: »Der ist mit Magdalena und ihrem Sohn weggefahren.«

Siegfried brüllte: »Wie kannst du so was zulassen! Du weißt doch, dass die jeden nimmt, den sie kriegt!«

»Scheiße«, seufzte Steffen, »Magdalena sagte vorher, Kinder verführen könnte sie auch. Und ich sag noch, dann tus doch und red nicht nur drüber. Ich konnte nicht ahnen, dass sie deinen Simon meint.«

Siegfried rastete aus: »Die macht sich strafbar!«

Sisibett quietschte: »Der Simon ist schon achtzehn, der will nur ficken, genau wie du, hat er gesagt.«

»Die mach ich kaputt, diese geile alte Schachtel«, tobte Siegfried. »Wenn die meinem Kind ein Kind andreht, das wird Konsequenzen für sie haben. Diese Schlampe ist im Schuldienst nicht tragbar.«

»Jetzt gehst du zu weit«, mahnte der sackförmige Gemeinschaftskundelehrer, »lass sie weiterarbeiten. Solange sie verdient, kann dein Sohn als Kindsvater von ihr Unterhalt verlangen, genügt, wenn er einmal pro Woche eine Windel wechselt.«

Jemand hinter ihm räusperte sich, so wie sich jemand räuspert, der was ganz Besonderes sagen will: »Apropos Windel, du hast dir heftig in die Hose geschissen.«

Alle wichen vom Sackförmigen weg. Es stellte sich heraus, dass er sich auf einen Teller Tiramisu gesetzt hatte, den jemand aufs Sofa gestellt hatte. Überall Tiramisuflecke. Neue Aufregung. Wie gehen Tiramisuflecke raus?

Siegfried versuchte Magdalena anzurufen, die ging nicht ans Telefon. Siegfried brüllte: »Ihr seid meine Zeugen: Simon ist nicht pervers, die Alte hat meinen Sohn vergewaltigt. Das ist Kindsmisshandlung.«

Sein Geschrei ging unter im Glockengeläut und Raketengeknalle.

Auch Steffen und ich rannten raus, um seine Raketen zu zünden. Ich wollte mir vorstellen, dass jede Rakete einen Wunsch in den Himmel schießt – dass es toll wird mit dem Job, dass es toll bleibt mit Steffen – mehr wollte ich nicht.

Wir stießen an mit Champagner in Plastikbechern, und weil

die nicht klingen, machte Steffen: »Klingbing, klingbing.«
Wir küssten uns ins neue Jahr.

Das Erste, was wir im neuen Jahr gemeinsam unternahmen:
Noch in der Nacht bezogen wir Steffens Bett neu, wir brauchten Sabinas affige Bettbezüge nicht. Bei einem Bett kommt es
auf die inneren Werte an. Genau wie bei einer Beziehung.
Aber wahrscheinlich weil man bei Betten an Federn denkt
und bei Federn an Hühner, träumte ich in der Neujahrsnacht
von einem Gockel und Hühnern, die gerupft werden. Was
meinte Sabina mit »Viel Spaß auf seinem Hühnerhof«?

Nach Neujahr stellte sich heraus, dass sich Siegfried wegen
Magdalenas möglicher Schwangerschaft völlig unnötig
aufgeregt hatte, sein Sohn behauptete, er benutze immer ein
todsicheres Verhütungsmittel vom Heilpraktiker. Magdalena
behauptete, es sei überhaupt nichts gelaufen, Simon sei ein
verlogener Angeber wie sein Vater. Und Simon hätte auch
gesagt, sein Vater sei blöd, sich mit einem halben Kind wie Sisi
einzulassen. Würde Siegfried endlich erwachsen, würde er
erwachsene Frauen schätzen.
Steffen lachte: »Magdalena zieht über alle Frauen her, so ist
sie eben, typisch Frau.«
Erst viel später stellte sich heraus, dass jemand anderes in
dieser Silvesternacht schwanger geworden war.

42. Kapitel

Mein Karrierebeginn war der erste Montag im Januar. Frau
Richter hatte mir gesagt, ich solle keinesfalls vor zehn kommen, Weihrauch käme nie vor zwölf. Sehr angenehm. Dafür
würde es abends später.

Frau Richter erklärte mir die Zeitung. Der Besitzer und Herausgeber der Stadtnachrichten hieß Dinkelacker, Herr Weihrauch war einst auf die geniale Idee gekommen, ihn Gottvater zu nennen. Er war mittlerweile ein alter Mann, man sah ihn nie, wie das von Gottvater zu erwarten ist. Sein Büro und der ganze Rest der Zeitung waren neuerdings außerhalb der Stadt in einem Neubau. Dort war unsere Großdruckerei, mit der wurde das eigentliche Geld gemacht, die druckten sogar die Telefonbücher. Gottvater hatte eine Schwester, auch die hatte einst eine Zeitung geerbt, ihre erschien im Bodenseegebiet, von ihrer Zeitung übernahmen wir alle internationalen und alle überregionalen Politik- und Sportnachrichten. Im Neubau draußen auch die lokale Sportredaktion, die Anzeigenabteilung und die Verwaltung. Nur wir, der Lokalteil, waren im historischen Gebäude am Rathausplatz geblieben, um unsere Nähe zur Lokalpolitik zu demonstrieren.

Mein Arbeitsplatz war eine Ecke von Frau Richters großem Büro. Ehe ich irgendwas machen konnte, musste ich dort den Schreibtisch leer räumen. Meine Vorgängerin, über die Frau Richter lediglich sagte, dass sie keine Überstunden machen wollte, hatte stapelweise Fotokopien und ausgeschnittene Artikel liegen lassen. Die durften nicht weggeworfen werden. »Bei der Zeitung wird alles wiederverwertet«, erklärte Frau Richter.
Denn die meisten Artikel werden nicht neu geschrieben, sondern zusammengeklaut. Man sucht alte Artikel zum Thema, nimmt von jedem ein Stück, dazu ein Foto eines gerade aktuellen Prominenten oder Ereignisses – fertig ist der neue Artikel. »Journalisten nennen das aber nicht klauen, sondern kompilieren. Die Leser langweilt es nicht, immer wieder das Gleiche zu lesen, im Gegenteil, sie sind erfreut, dass ihr Wissen bestätigt wird. Bewährte Meinungen verärgern niemand.«

Das Wichtigste einer Zeitungsredaktion ist folglich das Archiv, es war im Keller. Für alles gab es in den Regalen einen Ordner, sogar für im Landkreis gesichtete Ufos. Einen für Miederwaren, weil es eine Miederwarenfabrik in der Stadt gibt. Darin Artikel wie »Das Mieder im Wandel der Zeiten« und »Alle Jahre Mieder«, »Mieder muss nicht bieder sein« undsoweiter.

Alles, was sich in Herrn Weihrauchs und Frau Richters Ablagen angesammelt hatte, durfte ich im Keller archivieren. Sogar einen Artikel übers Archivieren. Da stand, dass auch modernste Computer niemals das Archivieren übernehmen könnten, denn das Wichtigste dabei ist das »Verschlagworten«. Weil Computer nicht denken können, unterscheiden sie nicht zwischen wichtig und unwichtig. Und begreifen nicht den Unterschied zwischen »Brillenmode« und »Brillenschlange« und zwischen »rosaroten Brillen« und »Lesebrillen« und »Klobrillen«. Versuche mit Computerarchivierung hätten gezeigt, dass zum Beispiel dieser Artikel vom Computer auch unter »Brillenmode«, »Brillenschlange«, »Klobrille« usw. archiviert wird. Und so wird jedes Schlagwort so mit falschen Informationen vollgemüllt, dass die richtigen nicht mehr zu finden sind.

Meine Zukunft war also gesichert. Und Frau Richter sagte: »Ich werd Sie schon be-chef-tigen.«

An den ersten Tagen arbeitete ich im schwarzen Kaschmirblazer, entschlossen, bei jeder Facette meiner journalistischen Tätigkeit professionell auszusehen.

Einsame langweilige Arbeiten führen bei jedem Menschen zu ausführlichem Nachdenken über interessantere Aspekte des Lebens. Die großen Themen drängen sich auf. Wenn man zum Beispiel über Staub nachdenkt, in einem Archiv nahe liegend, fällt einem zwangsläufig ein, dass sich Staub vermehrt, als hätte er ein Sexleben. Und wenn Steffen auf mir lag, war er so ruhig wie Staub und so kuschelig. Irgendwie führte jedes Thema zu Steffen.

Wenn man sich erst kurz kennt, ist es nicht gut, sich täglich zu sehen, sagen die Beziehungs-RatgeberInnen, sonst bekommen Männer das Gefühl, ihre Freiheit zu verlieren. Deshalb sahen wir uns nun tagelang nicht, telefonierten aber abends. Ich erzählte ihm, was ich in der Redaktion aufgeräumt hatte. Steffen erzählte, was er in seiner Wohnung nicht aufgeräumt hatte. Er hatte diese Woche noch Weihnachtsferien und schlief lang und sah fern und dachte an mich, sagte er.

Am Donnerstag war mein schwarzer Blazer dunkelstaubgrau, ich sagte zu Frau Richter: »Die Ansprüche bei meiner Bewerbung waren so hoch, und jetzt nur Aufräumarbeiten?«

Sie lachte herzlich: »Die Qualifikationen verlangen wir nur, um unsere Leser zu beeindrucken, die lesen auch die Inserate und sollen glauben, dass hier Starjournalisten arbeiten.«

Weihrauch bekam ich gar nicht zu sehen, höchstens durch die Tür zu hören und zu riechen, er rauchte ständig Zigarren. Frau Richter be-chef-tigte auch ihn. Wenn er gegen Mittag auftauchte, teilte sie ihm mit, wen er anzurufen hatte und wann wen zu treffen. Sie entschied selbst, wen sie abwimmelte.

Weihrauch tippte seine Texte auf seiner Elektrischen mit einer Hand, mit der anderen rauchte er und korrigierte mit einwandfrei lesbarer Handschrift.

Frau Richter herrschte allein über den eindrucksvollen neuen Computer, mit dem unsere Artikel direkt an die Druckerei übermittelt werden sollten. Aber weil das diverse Male nicht funktioniert hatte und sowieso morgens und mittags ein Bote aus der Zentrale kam und Fotos brachte, die von Weihrauch ausgewählt werden mussten, gab sie dem Boten Weihrauchs Texte in sicherer, bewährter Art schreibmaschinengetippt mit und überließ das Abtippen in den Computer sicherheitshalber »denen da draußen«.

Musste ein Artikel gekürzt werden oder um einige Zeilen verlängert, rief der Schlussredakteur an – das ist der Mann, der die Texte so anordnet, dass sie ohne Lücken auf die Seiten passen. Weihrauch diktierte, ohne nachzudenken, was er anfügen sollte oder streichen. War Weihrauch nicht da, machte es der Schlussredakteur selbst.

Und manchmal schlich nachts Gottvater durch die Druckerei und kontrollierte alles. Alles war Routine.

Am Freitag hatte ich mich so bewährt, dass mich Frau Richter in ihr Fachgebiet einweihte: die Astrologie. Müsste sie sich mit einem Satz charakterisieren, dann mit diesem: »Typisch Steinziege.« Wie viel sie über vierzig ist, spielt keine Rolle, sagte sie, sie ist und bleibt der mädchenhafte Typ, was man an ihren dunklen langen Haaren sofort erkennt. Sie ist klein und war mal zierlich, weshalb sie engste Hosen und engste Pullis trägt.

Nun erfuhr ich: Sie war schon zweimal verheiratet, hatte beide Male ihren Mädchennamen behalten.

»Warum haben Sie keinen Doppelnamen? Um Ihren mädchenhaften Typ zu betonen?«, fragte ich pflichtschuldig.

Sie sagte, da heutzutage auch Noch-Nie-Verheiratete mit »Frau« angesprochen werden, bringt ein Doppelname nichts mehr. Und ihr Erster habe einen komplizierten polnischen Namen gehabt. Vermutlich war auch ihr Zweiter nicht von altem deutschem Adel. Das einzig wichtige an ihren Männern sei: »Jeder war ein Skorpion! Skorpione haben einen Stachel am Schwanz«, erklärte sie, »Sie wissen, was ich meine.«

Ich wollte nicht sagen, dass ich es nicht wusste, der einzige Skorpionschwanz, der mir bekannt war, der von Marti, war stachellos.

Frau Richter erklärte: »Nie wieder Skorpion.«

»Warum heiratet eine Astrologin dann zweimal einen?«

»So sind wir eben, wir Steinziegen, hahaha.« Aha. Dann erfuhr ich, warum sie keine Kinder hatte: »Die Sterne waren gegen meinen Kinderwunsch.« Denn nach ihren Berechnungen hätte ihr Idealkind eine Jungfrau werden müssen. Typisch Skorpion, war ihr Erster nicht bereit gewesen, seine Sexgier auf die zwei Wochen im Jahr zu beschränken, die eine Jungfrau garantieren. Frau Richter wiederum war nicht bereit gewesen, im restlichen Jahr die Antibabypille zu nehmen, weil dadurch ihr mondgesteuerter Zyklus gestört würde. So dauerte ihre erste Ehe knapp ein Jahr. Später hatte sie dank ausführlicher wissenschaftlicher Beratung festgestellt, dass auch ein Kind mit Sternzeichen Wassermann zu ihr passen würde, was die erlaubte Zeugungszeit um hundert Prozent erhöhte. Trotzdem zog der zweite Skorpion den Schwanz ein und verließ sie wegen eines Fischs. Obwohl jede ernst zu nehmende Astrologin weiß, dass Fische und Skorpione völlig verschieden sind, war er ärgerlicherweise seit langem glücklich mit diesem Fisch verheiratet.

Um mich bei Frau Richter einzuschmeicheln, fragte ich, ob sie mir ein Beziehungshoroskop erstellen könnte. Sie war begeistert: »Das ist der Sinn der Astrologie, den richtigen Mann zu finden.« Sie brauchte dafür den exakten Geburtszeitpunkt von Steffen. Ich musste sofort bei ihm anrufen.

Da musste er seine Mutter fragen, die kam erst übernächste Woche zurück.

Frau Richter war sehr enttäuscht: »Das weiß er nicht? Hat Ihr Bekannter nie ein richtiges Horoskop erstellen lassen?« Sie überlegte und verkündete reichlich reserviert: »Krebs. Das sagt viel. Und Sie sind Waage.« Ihr Gesicht verdüsterte sich, als sie zur spinnwebigen Decke des Büros blickte und dem Universum die Frage stellte: »Was kann ein Krebs mit einer Waage anfangen?« Das Universum antwortete durch Frau Richter: »Der Krebs liebt das Wasser, da rosten Sie als Waage.« In ihrem Blick war kein Mitleid. »Der Krebs hat Scheren, damit tut er weh. Der Krebs ist langsam, der Krebs ist tückisch, der Krebs bringt sogar den Tod.«

Nur eins sagte sie nicht: dass Krebse essbar sind und als

Delikatesse gelten. Kein Vergleich mit Skorpionen. Sie war neidisch auf meinen leckeren Lover. Wie eine ausgewogene Waage sagte ich: »Es gibt sehr verschiedene Krebse.«

»Aber jeder Krebs hat einen Panzer, Sie wissen, was ich meine …«

43. Kapitel

Sonntagvormittag in Steffens finsterem Schlafzimmer – wir waren ziemlich wach und taten, was man tut, wenn man sich erst Wochen kennt und sich nächtelang nicht gespürt hat – wurde die Tür aufgerissen, eine Frau rief: »Steffchen, da bin ich wieder.«

Der Rollladen ratterte hoch, Steffen schob mich von sich runter oder ich war von allein runtergerutscht, da war nichts mehr, was mich auf ihm hielt. Geschockt verschwand ich unter der Decke.

»Das ist eine Überraschung«, sagte Steffen.

Es war seine Mutter und sie redete, als wär sie blind. Sie und der Papa waren früher zurückgekommen, weil bei Tante das Wetter nicht so war und das Essen auch nicht so war … und redete. Ich lag so flach wie möglich. Vielleicht hatte sie mich nicht gesehen.

»Mutter, ich habe Besuch. Meine neue Freundin Tilla ist hier.« Pause. »Hier neben mir.«

Sie: »Ja, ja, natürlich. Jetzt brauchst du ein kräftiges Frühstück.« Und redete.

Warum raffte sie es nicht? Warum ging sie nicht? Es gab nur eine Antwort: weil sie mich sehen wollte. Ich tastete nach meiner Brille auf dem Nachttischchen, setzte sie unter der Decke auf. Ich war froh eine Brille zu haben, man wirkt gleich viel angezogener. Wie es sich gehört, streckte ich ihr zitternd die Hand entgegen: »Guten Morgen, Frau Bratengeier, schön Sie kennen zu lernen, ich hoffe, Sie hatten eine angenehme Heimreise, darf ich mich kurz vorstellen, ich bin Tilla Silber.«

»Ach, guten Morgen. Trinken Sie Kaffee oder Tee? Steffen trinkt Kaffee, aber mein Mann will Tee, seit sein Blutdruck so hoch war.«

»Wenn Sie so freundlich sein könnten, mir eine Tasse Kaffee mitzubringen, wäre dies ganz reizend von Ihnen«, krächzte ich. Ich hatte die Decke bis zur Nase gezogen, weiter war nicht möglich um nicht unhöflich zu wirken. Sie sah ganz anders und viel älter aus als meine Mutter. Sie trug Kleinkariertes, in Bräunlich, Gräulich, Gelblich, ihre Haare waren fusselig graubraun, alles an ihr hatte die Farben eines Huhns und sie gackerte unbeirrbar und nickte unbeirrbar wie ein Huhn. Ich zwickte verzweifelt Steffen.

Cool sagte er: »Mutter, wir kommen nachher zu euch runter.« Endlich gackerte sie ab.

Es gibt Momente, die einer Beziehung Zukunft geben – es war ein solcher Moment, als Steffen sagte: »Früher oder später musst du meine Eltern sowieso kennen lernen, warum nicht gleich?« – Als wäre unvermeidbar, dass unsere Beziehung von Dauer ist.

Sein Vater begrüßte mich mit »Oha«.

Ich sagte meinen Begrüßungstext auf. Aber er sagte dann nichts mehr.

Seine Frau sprach für beide. Ich übte alle Variationen des ausdrucksvollen Schweigens: schwieg entsetzt, als sie von dem LKW-Unfall erzählte, weshalb sie eine Stunde im Stau standen, schwieg betroffen, wegen der glitschigen Kartoffel-knödel bei Steffens Tante, schwieg belustigt, weil der Papa im Kurort nicht tanzen wollte, schwieg sogar zustimmend, als sie erklärte, sie seien früher zurückgekommen, weil morgen die Schule anfängt, gleich würde sie alles für Steffen herrichten und oben aufräumen.

Steffen fand, dass mein Vorstellungsgespräch bei seinen Eltern gut über die Bühne gegangen war. Und als wir abends telefonierten, sagte er, seine Mutter hätte gesagt, ich sei nett und sehr höflich.

44. Kapitel

Herr Weihrauch ist Stier und selbstverständlich ist alles, was er tut, stiergemäß. Seine Ehefrau ist eine geborene Zwilling mit völlig falschem Aszendenten und passt überhaupt nicht zu ihm, erklärte Frau Richter. Sie als Steinziege ist wesensverwandt mit Stieren: »Wir haben beide unsere Hörner.« Steinziegen, erfuhr ich, stellen sich stur, wenn sie tun sollen, was sie nicht wollen, da kann der Stier nichts machen.

»Welches Sternzeichen braucht man, um nicht das Archiv aufzuräumen?«

Frau Richter fiel meine schlechte Laune auf. »Haben Sie Ihre Tage?«

Aha, sie wollte mich als geborene Teilzeit-Invalidin hinstellen. Ich sagte wütend, es spiele bei mir keine Rolle, ob ich meine Tage habe.

Bei einer richtigen Frau spiele es eine große Rolle, sagte sie. Und sie leide heute unter schweren prämenstruellen Symptomen. Ihr Busen sei heute so groß und spanne entsetzlich. Ich hatte geglaubt, ihr Pullover sei in der Waschmaschine eingegangen. Ohne anzuklopfen, ging sie in Weihrauchs Büro: »Frau Silber hat ihre Tage, es ist ihr nicht zuzumuten, die Treppen zum Archiv rauf und runter zu gehen.«

Wütend rannte ich hinterher. Weihrauch sah angewidert weg, als wäre ich ein metergroßes muffiges Tampon.

Frau Richter sagte: »Frau Silber kann zu diesem Herrn fahren, der uns geschrieben hat, weil er seit fünfzig Jahren die Stadtnachrichten liest. Der wohnt weit draußen und der Bote ist krank, und der Chauffeur von Gottvater hat keine Zeit. Sie soll ihm das Geschenk und die Blumen bringen. Der Umgang mit Blumen tut ihr gut in ihrem Zustand.«

»Haben Sie Führerschein?«, fragte Weihrauch mal wieder. Nachdem ich das mal wieder bestätigt hatte, durfte ich hinfahren, mit einem Golf mit Aufdruck »Stadtnachrichten«. Das war mein erster Auftritt als »Die Presse«.

Ich lernte dabei, dass es Menschen gibt, zu deren Lebenszielen es gehört »in die Presse zu kommen«. Herr Meissner, 74, ehemals Ingenieur, war einer davon. Er befahl mir alles mitzuschreiben. Wie es kam, dass er ununterbrochen Stadtnachrichten lesen konnte – weil er nicht im Krieg war, weil er unfähig war, ein Gewehr abzudrücken, seit Kindertagen waren zwei Finger steif durch einen Unfall mit einer Laubsäge. Bei seiner ersten Ehe gab es keine Hochzeitsanzeige in den Stadtnachrichten, man hatte kein Geld gehabt. Auch keine Anzeige bei den Geburten seiner beiden Töchter, war damals nicht üblich bei Töchtern. Aber dann wurde sein Leben presseträchtig: Seine Frau starb früh: teure Todesanzeige. Und bei der zweiten: teure Hochzeitsanzeige. Der Firma, bei der Herr Meissner angestellt war, ging es damals nicht gut, die Zeitung hatte mehrfach darüber berichtet. Als Herr Meissner Ehefrau Nr. 2 gegen ein neues Modell austauschen wollte – »das können Sie ruhig so schreiben«, sagte er, vergiftete sich Nr. 2 in der Garage mit Auspuffgasen, die Zeitung hat darüber berichtet, ohne allerdings die Hintergründe zu nennen: Herr Meissner hatte eine neue Lebensgefährtin. Auch das könnte ich ruhig schreiben. Die verstarb vor zwei Jahren an Brustkrebs: Todesanzeige in den Stadtnachrichten. Kürzlich hatte er eine Heiratsannonce aufgegeben, gemeldet hatte sich außer alten Schachteln, kaum jünger als er selbst, nur eine blutjunge Ausländerin, die es auf eine Versorgungsehe abgesehen hatte, kam natürlich nicht in Frage. Sein Geld bekommen die Töchter. Da ist er sicher, dass die eine anständige Todesanzeige in den

Stadtnachrichten zahlen. Er fragte fünfmal, wann der Artikel über ihn erscheint. Ich brachte es nicht übers Herz zu sagen, dass ich nur die Blumen und das wertvoll gebundene Buch über die Geschichte der Stadtnachrichten abgeben sollte.

Als ich zurückkam, war die große barocke Haustür des Redaktionsgebäudes bereits abgeschlossen. Ich parkte vor dem Schild »Journalist im Dienst« und hoffte, dass mich jemand sieht. Natürlich sah mich niemand. Weniger eindrucksvoll fuhr ich wie üblich mit dem Bus heim, rief Steffen an.

Er sagte: »Schreib einfach einen Artikel über den Mann und präsentiere ihn Weihrauch.« Und er hatte leider keine Zeit zum Telefonieren, es kam eine Rückblende über die Fußballspiele der letzten Saison, als Sportlehrer musste er das sehen.

Also schrieb ich einen Artikel über Herrn Meissner. Wenn man journalistisch schreibt, braucht man einen »Aufhänger«, so nennen wir Journalisten einen Anfang, der einen aktuellen Anlass hat und den Leser in die richtige Stimmung versetzt. Erst um Mitternacht hatte ich den Aufhänger: »Drei Frauen, aber nur eine Zeitung – nur uns blieb er treu.«

Am nächsten Morgen installierte ich eine elektrische Schreibmaschine, die im Regal verstaubte, auf meinem Schreibtisch und tippte mein Manuskript ab. Ich ließ die Schreibmaschine auf meinem Schreibtisch, um zu zeigen, dass ich von nun an auch schreiben würde. Frau Richter sagte nichts.

Weihrauch kam gegen Mittag mit meterlanger After-Shave-Fahne, um seine Alkoholfahne zu überdüfteln, ich sagte sofort: »Hier ist der Artikel über Herrn Meissner, der seit fünfzig Jahren die Stadtnachrichten abonniert hat.«

Weihrauch ließ sich nicht bluffen. »Warum?«

»Ein hochinteressantes Leben«, behauptete ich.

»Außer ihm selbst interessiert das keinen Arsch.«

Ich fuhr stärkstes Geschütz auf: »Wenn der Artikel über ihn nicht erscheint, kündigt er garantiert das Abo.«

»Kauft er sich die Stadtnachrichten eben am Kiosk. Bewegung tut alten Leuten gut.«

»Ich dachte, andere Leser, die auch so lange die Zeitung abonniert haben, schreiben uns dann auch ...«

»Bloß nicht. Wir haben genug Meldungen über alte Leser. Allein all die goldenen Hochzeiten.«

»Gar nicht wahr«, rief Frau Richter, »wer ist heute noch fünfzig Jahre mit dem gleichen Mann verheiratet?«

Weihrauch: »Wenigstens ein Beweis, dass die Dummen aussterben.«

»So habe ich das Thema auch aufbereitet«, stimmte ich ihm zu und las aus meinem Artikel vor: »Drei Frauen, aber nur eine Zeitung ...«

Da konnte Weihrauch natürlich nicht widersprechen. Er sagte: »Gottvater ist auch dreimal verheiratet.« Dann brummte er: »Richterin, rufen Sie IHN an, ob wir Mittagessen gehen.«

Er stand neben ihr, bis sie die Antwort meldete: »Nein. Gottvater wünscht ein Abendmahl. Um 20 Uhr ist in der Traube reserviert.«

»Das Lokal ist die Heimat des Lokalredakteurs«, brummte Weihrauch zufrieden.

Ich musste wieder in den Keller.

Am nächsten Mittag kam Weihrauch wieder in großer After-Shave-Dunstglocke, blendend gelaunt. Gottvater war von der Idee einer Rubrik der Leser-Jubiläen sehr angetan gewesen. Man hatte auch einen Werbemann in der Traube getroffen, der hatte bestätigt, eine solche Aktion sei ideal zur Stärkung der Leser-Blatt-Bindung, was bedeutet, dass der Leser eine persönliche Beziehung zur Zeitung hat. Herr Weihrauch würde einen Artikel schreiben, um die Aktion bekannt zu machen. Ich triumphierte.

Er klaute meinen Aufhänger für seinen Artikel: »In fünfzig Jahren hatte mancher mehrere Frauen, doch Männer, die

Wert auf Qualität legen, blieben einer Zeitung treu – unseren Stadtnachrichten. Diese Treue soll belohnt werden …«

Am Tag nach der Zeitungsmeldung meldeten sich 3 alte Abonnenten, am zweiten Tag 5, nach einer Woche waren es über 30. Weihrauch triumphierte: Gottvater hatte sich lobend geäußert. Kein Wort davon, dass es meine Idee gewesen war.

Immerhin erschien mein Artikel über Herrn Meissner, jedenfalls was Weihrauch davon übrig gelassen hatte. Weihrauch sagte, ich dürfe die anderen Jubilare besuchen und die Artikelchen schreiben. Für solchen Kleinkram hatte er keine Zeit.

Es war kein großer Anfang, aber ein richtiger …

45. Kapitel

Nach einem späten Essen im Zwitscherbaum sagte ich meiner Mutter, dass Steffen heute bei mir übernachtet. Malte, der der Gerechtigkeit halber auch eingeladen war, sagte, das ginge nicht, mein Bett sei zu klein für zwei.

Ich sagte: »Es gibt noch was anderes als kicken. Schreibt sich ähnlich.«

»Jetzt weiß ichs«, Malte grinste wie ein Vierjähriger, »kacken.« Sogar Steffen schüttelte den Kopf. »Malte, das tut man nicht im Bett.«

Meine Mutter, statt die Gelegenheit zu nutzen, ihren Sohn aufzuklären, sah mich tadelnd an, sagte zu Malte: »Du hast Recht, es wäre vernünftiger, würde jeder in seinem Bett schlafen.«

In solcher Umgebung kann man Sex vergessen. Leider kam Steffen nicht auf die Idee, vorzuschlagen, dass ich zu ihm ziehe.

Eine Beziehung ist nicht mit dem ersten Kuss oder dem ersten Bums geklärt. Jeder Schritt vorwärts wird zum nächsten Beziehungsproblem. Sabina hatte keine Lust gehabt, mit ihm zusammenzuwohnen. Sollte ich einfach sagen, dass ich Lust dazu hatte?

Eine Dame drängt sich nie auf. Das ist die eherne Regel wahrer Weiblichkeit, gepredigt nicht nur von meiner Mutter. Bereits in der Tanzstunde wird man damit genervt. Damit sich die Dame erst gar nicht aufdrängen kann, gibt es nur einmal pro Abend Damenwahl. Hatte man Pech, musste man den restlichen Abend mit denen tanzen, die man am wenigsten leiden konnte. Es ist nicht erlaubt, einen Tänzer abzuweisen um auf Besseres zu warten, man muss den nehmen, der zuerst kommt. Marti hatte es damals als uncool abgelehnt, Tanzstunde zu machen, also musste ich ohne ihn hin. Wenn man wie ich nie zu denen gehört, die immer als erste aufgefordert werden, glauben die Typen, man müsste dankbar sein, dass sie überhaupt kommen. Und wenn derjenige, mit dem man wirklich tanzen wollte, den ganzen Abend nur hinter anderen her war, konnte man ihn nicht bei der einzigen Damenwahl auffordern – man hätte sich aufgedrängt.

Wie sollte ich es Steffen sagen, ohne mich aufzudrängen? Bekanntlich spart man viel Geld, wenn man zusammenlebt. Aber da ich viel weniger verdiente als er, hätte es vor allem mir genützt, und dann hätte er sich ausgenutzt gefühlt.

Steffen selbst brachte mich auf die richtige Idee, als er mir pädagogische Methoden erklärte: Faulen Schülern verspricht man, sie könnten noch fauler sein, wenn sie nach der Faulheitsmethode lernen, die besteht in kleinen Lernschritten. Intelligente Schüler motiviert man mit der Intelligenzmethode, die beginnt mit den kompliziertesten Sachverhalten, das beeindruckt die Schüler, erst hinterher erklärt man die Grundlagen. Das Wichtigste ist, zu wissen, was jemand motiviert. Was motivierte Steffen? Er hatte während des Studiums nur

Seminare besucht, die nachmittags stattfanden, um nicht so früh aufstehen zu müssen. Und er hatte als Unterrichtsfächer Sport und Mathe gewählt, weil die Arbeit des Lehrers zur Hälfte aus Klassenarbeiten korrigieren besteht, aber beim Sport gibt es keine und Mathearbeiten sind am schnellsten zu korrigieren. Keine Frage, Steffen war durch die Bequemlichkeitsmethode zu motivieren.

»Wenn du mich morgens nicht nach Hause fahren müsstest, könntest du länger schlafen.«

»Logisch.«

»Weißt du eine Wohnung in der Nähe?«

»Machs nicht so umständlich, zieh hier ein.«

So geschah es. Mit der richtigen Methode ist alles einfach.

Meine Mutter fand mittlerweile Steffen ganz manierlich, fand aber weder die Gegend, in der er wohnte, noch sein Elternhaus standesgemäß. Sie hatte mich mal hingefahren, wollte aber das Haus nicht betreten. Ich legte auch keinen Wert darauf, ihre Kommentare zu Frau Bratengeiers Kittelschürze zu hören. Sie war dagegen, dass ich zu Steffen ziehe, ich sollte in ihrem Regierungsbezirk bleiben. Sie meckerte: »Bei mir wohnst du gratis.«

Bei Steffen auch. Er wollte keine Miete von mir, er zahlte selbst keine. Stattdessen würde ich ab und zu für uns beide einkaufen.

Meine Mutter meckerte: »Du ziehst zu deiner Schwiegermutter!«

Quatsch. Schließlich waren wir nicht verheiratet.

Als Steffen es Sonntag beim Frühstück seinen Eltern mitteilte – seine Mutter hatte für mich mit gedeckt, als gehörte ich bereits zur Familie –, sagte er abschließend: »Und Tilla ist nicht schwanger, und wir werden nicht heiraten, damit das klar ist.«

Seine Mutter lachte: »Du bist einmalig, Steffchen. Nachdem der liebe Gott dich erschaffen hat, hat er die Gussform zerbrochen.«

46. Kapitel

Ich schrieb Thomas, dass auch ich eine neue Adresse habe. Und den Traumjob. Und meinen Traummann. »Halt dich fest, ich kann es selbst kaum glauben«, schrieb ich, »jetzt lebe ich mit ihm zusammen. Eine fröhliche Zukunft wünscht Dir Deine Tilla.«
Ich warf den Brief ein und zog bei Steffen ein.

Höflichkeitshalber fragte ich gleich am ersten Abend seine Mutter, ob ich ihr irgendwas helfen könnte, sie winkte aufgeregt ab: »Nein, nein. Erst wenn ich mal nicht mehr so kann.« Sie konnte noch prima.
Beide Eltern gingen im Morgengrauen zum Dienst, damit sie am frühen Nachmittag wieder zu Hause waren. Dann ging seine Mutter sofort in unsere Wohnung und machte alles. Täglich desinfizierte sie das Klo, sogar das Schlafzimmer stank nach Fichtennadelraumspray. Ich sagte, das sei nicht nötig. Sie sagte: »Eine Mutter macht das gern für ihren einzigen Sohn.« Wochentags brachte sie ihm das Frühstück ans Bett.
Ich versuchte vor ihr aufzustehen, unmöglich, sie stand mit den Hühnern auf.
Steffen musste meist anderthalb Stunden vor mir los, dann schuftete ich wie ein Heinzelmännchen, räumte auf, wusch in der alten Waschmaschine im grässlichen Keller oder bügelte hektisch. Und nie wars genug. Sie bügelte alles noch mal und besser.
Sabinas Fluch fiel mir ein. Auf jedem Hühnerhof gibt es eine Hackordnung. Der Wichtigste ist der Hahn. Er darf jedem

Huhn das Futter wegpicken und jedes Huhn akzeptiert das. Dann das Oberhuhn, das darf allen anderen, außer dem Hahn, das Futter wegpicken, auf allen anderen herumhacken. Das zweitwichtigste Huhn darf allen, außer Hahn und Oberhuhn, Futter wegpicken und auf denen herumhacken. Das drittwichtigste Huhn darf das Viertwichtigste hacken. Das Viertwichtigste hat Glück, wenn es ein Fünftwichtigstes gibt …

In diesem Haushalt war Steffen der Hahn, seine Mutter das Oberhuhn, sein Vater längst Exhahn, degradiert zum Unterhuhn, ich das Unterunterhuhn.

Ich versuchte als vom Hahn bevollmächtigtes Huhn mit dem Oberhuhn zu verhandeln: »Steffen will nicht das Frühstück hochgebracht bekommen, deshalb hab ich für uns eine Kaffeemaschine gekauft.«

»Steffen hat völlig Recht«, nickte sie. Am nächsten Morgen rumorte sie vor Sonnenaufgang ewig vor dem Schlafzimmer und machte mit der neuen Kaffeemaschine Kaffee.

Wie ein Huhn lief sie hin und her. Sonntags beim gemeinsamen Mittagessen, kaum hatte sie sich gesetzt, stand sie wieder auf: »Ach, ich muss einen Teller holen, so, jetzt setz ich mich wieder zu euch«, setzte sich, stand wieder auf, »jetzt brauch ich noch ein Messer«, holte das Messer, setzte sich, »die Schüssel kann jetzt weg«, stand wieder auf … Sie hielt nur den Schnabel, wenn Steffen sprach.

Sein Vater hatte nichts mehr zu krähen. Er war wie ein Möbelstück, das zum Fernseher gehörte. Er nahm mich nie zur Kenntnis, höchstens als Zusatz zu Steffen, wenn er sagte: »Ihr solltet vor dem Haus den Hundedreck wegmachen.« Worauf natürlich Steffens Mutter sagte, dass sie das macht. Ich hatte keine Lust, mit ihr zu konkurrieren, wer die Hundescheiße wegmachen darf. Aber Schuldgefühle.

Eines Tages musste Steffen feststellen, dass sich Socken nicht freiwillig paaren. Ich hatte hektisch alle in ein Schublade geworfen, er war mit einer blauen und einer grauen in die Schule gegangen. Schülerinnen hatten gekichert. Er hatte darauf die Aufgabe gestellt: Wenn blaue, graue, grüne, braune und schwarze Socken in einer Schublade sind, wie viele muss man dann im Dunkeln rausnehmen, um sicher zu sein, ein Paar in der gleichen Farbe zu haben? Lösung: eine mehr als die Anzahl der Farben. Bei fünf Farben also sechs Socken, die sechste hat unweigerlich eine der fünf Farben.

Die Hühneraugen seiner Mutter füllten sich mit Tränen. »Verschiedene Socken! Hat das dein Direktor gesehen?«

»Den interessiert das nicht.«

»Wenn es nur einmal vorkommt, ist es nicht so schlimm«, sagte seine Mutter tapfer. Und ehe ich der Karriere ihres Sohnes den endgültigen Todesstoß versetzte, ging sie hoch zum Socken paaren.

Steffen sagte, statt mich darüber aufzuregen, dass seine Mutter seine Sachen bügelt, soll ich meine Sachen auch von ihr bügeln lassen. »Mach dich locker«, sagte er. Und statt mich aufzuregen, dass Steffens Klamotten vor dem Bett lagen, sollte es mich aufregen, dass im Bett Steffen lag. Think positive.

Dann musste ich feststellen, dass ein Paar-Haushalt nicht billiger ist als ein Single-Haushalt. Jedenfalls nicht für mich. Was ich an Miete sparte, gab ich aus, um unseren Kühlschrank zu füllen. Steffen kam nie auf die Idee einzukaufen, früher hatte seine Mutter das gemacht.

Als ich seine Mutter fragte, wo in der Nähe ein Schuhmacher ist, gab sie mir zwei Paar von Papa mit. Ich sagte: »Zahle ich, weil ich ja keine Miete zahle.« Und weil ich keine Ahnung hatte, wie teuer Besohlen ist. Und ich hatte ein teures Nachnahme-Paket bezahlt, Ersatzteile für den guten alten Staubsauger, seine Mutter glaubte, ich wolle die Bratengeiers für meine Staubsaugerabnutzung entschädigen, und gab mir das Geld nicht zurück.

Irgendwann sagte ich Steffen, dass es so nicht weitergeht. Ich rechnete ihm vor: Wenn er sich an den Einkäufen beteiligte, würde seine Mutter ihr Geld sparen, und da er eines Tages alles erbte, lief es für ihn am Ende aufs Gleiche raus. Er sagte, ich soll nicht so viel einkaufen. Ich soll nicht alles komplizieren. Und es dauere eben, bis sich seine Mutter an die neuen Umstände gewöhnt hätte. Immerhin brachte sie sein Frühstück nicht mehr ans Bett, es stand jetzt unten in ihrer Küche bereit. Es war schon ein großer Fortschritt, dass sie morgens nicht mehr in die Wohnung kam.

Also wartete ich auf die Zukunft. In diesem Haus warteten alle auf die Zukunft. Im Wohnzimmer seiner Eltern hing ein Brettchen mit dem schnörklig eingebrannten Spruch »Alles braucht seine Zeit«. Leute wie seine Eltern, die bei Behörden arbeiten, haben die Wartezeit erfunden.

Außerdem ist seine Mutter ziemlich gläubige Katholikin. Nicht nur im Hausflur, auch überm Fernseher hängt ein Kruzifix. Zusätzlich auf dem Fernseher ein Quarzkristall zur Abschreckung jener Dämonen, die gegen Kruzifixe immun sind. Für Steffens Mutter ist alles gottgewollt. Da denkt sie natürlich in großen Zeiträumen. Nun wartet sie nur noch zwei Jahre auf die Pensionierung ihres Mannes und ihre eigene Frühpensionierung. Dann wirds ganz großartig: Dann werden sie bauen. Das ist ein angeborener Trieb, Schwaben müssen ein Häusle bauen.

Und zwar bauen sie hinterm Haus, in ihrem Gemüsegarten. Obwohl das Grundstück winzig ist, haben es die Bratengeiers geschafft, eine Baugenehmigung zu bekommen. Darauf sind sie mächtig stolz, denn wenn ein Gemüsegarten zum Bauland wird, verzehnfacht das den Preis. Und sie kennen einen pensionierten Architekten und einen pensionierten Installateur, mit denen spielt Herr Bratengeier einmal in der Woche Skat, und alle freuen sich darauf, dieses Haus zu basteln.

Und dann, sagte seine Mutter, kann ich mich ins gemachte

Nest setzen. Ein gemachtes Nest ist eine feine Sache für ein Huhn. Aber ich will kein Nest, das nach Fichtennadelraumspray stinkt. Und ich bin kein Huhn.

47. Kapitel

Bei der Bank gegenüber den Stadtnachrichten hatte ich mein Gehaltskonto eröffnet, wir von der Zeitung bekommen hier besonders günstige Konditionen, was heißt, man darf das Konto mehr überziehen als üblich. Zu diesem Zweck bekam ich meine erste Kreditkarte. Ich ließ auch mein Vermögen auf diese Bank übertragen – was davon übrig geblieben war, das war kein Vermögen.

Mitte März musste ich wieder Pfandbriefe verkaufen, um mein Konto vor den günstigen Überziehungszinsen zu retten. Ich musste an einem Beraterplatz auf einen Berater warten, hörte durch eine dünne Trennwand zwei Männer.

»Die Aktie hat in den letzten Jahren sensationell zugelegt.«

»Aber jetzt ist die Luft raus, die verkauf ich.«

»Sie wissen sicher, was Sie stattdessen kaufen?«

»Meine Aktienzeitschrift empfiehlt einen neuseeländischen Lebensmittelkonzern, war fast pleite, hat jetzt ein neues Management, neue Produkte. Foodluck heißt die Aktie.«

»Nie gehört. Neuseeländische Aktien werden bei uns kaum gehandelt.«

»Alles in Foodluck. Der Kurs ist so schlecht, der kann nicht mehr sinken.«

»Sie haben immer ein gutes Gespür.«

Endlich kam eine Beraterin. Sie war sogar jünger als ich, sah in ihrem schwarzen Hosenanzug aus wie eine Managerin und nahm ungerührt meinen Verkaufsauftrag zur Kenntnis. »Was kann ich sonst für Sie tun?«

»Meine Pfandbriefe bringen kaum Zinsen.«

»Pfandbriefe sind die sicherste Geldanlage. Deshalb bevorzugen Frauen Pfandbriefe, obwohl sie kaum Zinsen bringen.«

Immer, wenns ums Geld geht, soll man mit weniger zufrieden sein, weil man Frau ist. Meine Wut wurde zu Worten: »Ich will Aktien.«

»Haben Sie bereits in Aktien investiert?«

»Nein.«

»Dann gehts nicht.«

»Warum nicht?«

»Wir sind gesetzlich verpflichtet, vor Risiken zu warnen. Eine Frau, die an der Börse Geld verlor, hatte vor Aufregung sogar eine Fehlgeburt.«

Ich ging nicht auf ihre Vision ein. »Und wenn Männer Geld verlieren?«

»Reagieren sie völlig anders. Männer tun so, als seien sie immer Gewinner. Können Sie sich das Aktienrisiko leisten? Sind Sie verheiratet?«

Nein auf der ganzen Linie. Wenigstens hatte ich einen Mann hinter mir, der meine Wünsche unterstützt: »Meinem Freund wäre es Recht, wenn ich mehr Geld hätte.«

»Haben Sie Ihre Anlagestrategie mit ihm abgestimmt?«

Was wusste ich von Steffens Anlagestrategien? »Ich glaube, er hat einen Bausparvertrag.«

»Haben Sie auch einen Bausparvertrag?«

Konnte sie nicht mal zur Abwechslung eine Frage stellen, die ich mit Ja beantworten konnte?

»Als Frau werden Sie die Einrichtung beisteuern wollen. Auch dafür können Sie Ihren Bausparvertrag ausschöpfen. Bringt zwar weniger Zinsen als ein Pfandbrief …«

Auf ein Nein mehr kams mir nicht an. »Nein, ich will Aktien.«

»Dafür bin ich nicht zuständig.« Sie ging beleidigt rüber zum Kollegen. Getuschel nebenan.

Er kam mit ihr, sah so seriös aus wie seine Krawatte. »Wenn ich fragen darf, wie viel wollen Sie investieren?«

Durfte er fragen. Alles, was ich habe. »10 000 Mark.«

»Ein gutes Startkapital.«

Endlich wurde ich mal gelobt.

»In welche Aktien wollen Sie investieren?«

Ich kannte nur eine: »Foodluck. So ein Lebensmittelkonzern.«

Nun sagte er: »Nein. Das ist ein hochspekulativer Wert. Ich muss Ihnen davon abraten.«

»Dem Kunden vorher nicht.«

»Er macht keineswegs immer Gewinne. Er ist ein hochspekulativer Anleger, Frauen sind konservative Anleger …«

Die Beraterin quatschte dazwischen: »Das habe ich der Kundin bereits ausführlich erklärt.«

Er betrachtete die Beraterin ungeduldig amüsiert, wie es Männer grundsätzlich tun, die Frauen grundsätzlich Unrecht geben. Jetzt wurde sie belehrt: »Ich kenne durchaus spekulativ orientierte Damen.« Und ungeduldig amüsiert zu mir: »Sie müssen allerdings unterschreiben, dass Sie wissen, was Sie tun. Bitte warten Sie eine Minute.« Beide verschwanden.

Ich wartete zehn Minuten. Er kam wieder mit einem anderen Mann, der gab mir die Hand, er sei der Filialleiter. Den Filialleiter einer Bank stellt man sich relativ jung, dynamisch und trotzdem sehr seriös vor. Merkwürdigerweise sah dieser Filialleiter genau so aus. Er lächelte sparsam.

Vor seinen Augen musste ich unterschreiben, dass ich über Risiken aufgeklärt wurde und auf eigene Verantwortung handle. Mir war mulmig.

Aber jetzt war ich Aktionärin. Damit es meiner Weiblichkeit nicht schadet, beschloss ich, wie ein Mann nicht darüber zu reden. Heimlich würde ich reich werden. Und dann …

48. Kapitel

»Fünfzig Jahre Stadtnachrichten gelesen – und was haben Sie sonst noch gemacht?« Als Aufhänger fragte ich die alten Abonnenten nach der schönsten Nachricht, die sie je in unserer Zeitung gelesen hatten. Frauen nannten ihre Hochzeitsanzeige oder die Geburtsanzeigen ihrer Kinder. Die schönste Nachricht für Männer, wenn sie als Fußballspieler, Tischtennisspieler oder Kleintierzüchter erwähnt wurden.

Nur leider langweilig. Weihrauch sagte: »Gute Nachrichten sind immer langweilig. Die Schlagzeile ›Heute keine Katastrophe!‹ ist keine Schlagzeile. Das erste Gesetz des Journalismus: Je schlechter die Nachricht, desto besser für die Zeitung.«

Also fragte ich nach der traurigsten Nachricht. Ein Mann erzählte: »Es stand sogar in den Stadtnachrichten, dass ein verrückter Autofeind mit Autolack auf meinen nagelneuen Mercedes 500 sprühte: Autos raus aus Schwaben!«

Eine Frau erzählte: »Dass der Schah sich von Soraya trennte, weil sie ihm keinen Thronerben gebar. Damals hat mein Mann mich verlassen, obwohl unser Sohn gerade geboren war.«

Eine andere Frau: »Die Heiratsanzeige meines Verlobten. Mir hatte er vorgelogen, er hätte mit seiner Hausbesitzerin rein geschäftlich verkehrt.«

Weihrauch hatte Recht, die schlechten Nachrichten waren viel interessanter. Allerdings waren die Leser dagegen, dass ich über ihr Pech, ihre Pleiten schreibe, so was will man nur über andere lesen.

Das brachte mich auf die Idee zu fragen, was man allgemein schlecht fände und jeder wollte seinen kleinen Ärger an die größte Glocke hängen. Das machte die Interviews interessant und aktuell, und Weihrauch brummte. Mehr als Brummen ist als Anerkennung nicht drin, sagte Frau Richter, aber Brummen sei schon sehr gut.

Ich befürchtete nur, ich muss bis zur eigenen Pensionierung alte Zeitungsleser interviewen, da verkündete Weihrauch, die Alt-Abonnenten-Aktion würde auf ein Interview pro Woche reduziert. Ich hätte künftig Wichtigeres zu tun.

Denn Herr Weihrauch lebte im Entzug. Er war nun von einem Gericht aufgefordert worden, sich zwischen Alkoholentzug und Führerscheinentzug zu entscheiden. Aus rein beruflichen Gründen hatte er sich für den Alkohol entschieden. So wurde ich Weihrauchs Chauffeuse. Er stellte mich als seine persönliche Assistentin vor, was sein Ansehen erhöhte. Für mich erhöhten sich die Überstunden, selbstverständlich unbezahlt. Ich durfte bei den Lokalereignissen die Namen aller Wichtigmenschen korrekt aufschreiben. Keine größere Tragödie als die: Dein Name erscheint in der Zeitung, aber falsch geschrieben.

Zu den zeitungswürdigen Ereignissen kam meist noch Herr Schwieberdinger, unser Pressefotograf. Herr Schwieberdinger war schon immer und ewig bei den Stadtnachrichten, trug immer und ewig schwarze Hemden und schwarze Lederjacke, denn im Herzen war er Künstler geblieben – nur äußerlich war er Walross geworden.

Von Herrn Schwieberdinger lernte ich einen wichtigen Unterschied zwischen Männern und Frauen: Männer werden von unten fotografiert, aus der Schäferhund-Perspektive. Von unten wirkt sogar ein fliehendes Kinn markant, und Männer lieben es, wenn man vor ihnen kniet. Frauen dagegen sehen am besten aus, wenn sie das Gesicht zur Kamera emporrecken, das strafft jedes Doppelkinn weg.

Nach etlichen Wochen erlaubte Weihrauch mir gnädig, selbstständig über eine Katzenausstellung zu berichten. Da fragt man als Journalist: Wie viele Katzen? Wie viele Rassen? Wie viele Preise? Ich beschrieb die Katzenkäfige, ausgestattet wie Puppenstuben, auf plüschigen Sofas pennten plüschige

Katzen. Ich beschrieb die Katzenzüchterinnen, viele hatten sich als Katzen geschminkt, wie im Musical »Cats«, das war in Katzenzüchterinnenkreisen Mode.

Als ich Weihrauch meinen Bericht präsentierte, bekam ich eine wichtige Lektion über journalistisches Schreiben: Meine Überschrift: »Von der Perserkatze bis zum Siamkater – alle Katzen waren da« war falsch. Als Journalist schreibt man nur einmal »Katze«. Im nächsten Satz stattdessen »Samtpfote« und »Mieze«, im nächsten Satz »Stubentiger«, dann »populäres Haustier«, »Mäusejäger«, »Tiere der Gattung Felidae«, »domestiziertes Raubtier« und »schnurrendes Schoßtier«.

Nach dieser Regel bearbeitete ich den Text, verwendete immer ein anderes Synonym für alles. Statt »Käfig« also »Tierbehausung«. Statt »Katzenzüchterin« also »Stubentiger-Halterin, die sich um den rassereinen Nachwuchs ihrer Samtpfoten verdient machen«. Als Journalist muss man schreiben wie die Fragen in einem einfachen Kreuzworträtsel. Das Ergebnis war verblüffend: Der Text wurde viel länger, allerdings wusste man nicht mehr, um was es ging.

Weihrauch sagte, das sei egal. »Als Journalist muss man mit vielen Worten wenig sagen. Daher nennt man uns Zeilenschinder. Auch morgen muss eine Zeitung mit Text gefüllt werden.«

Außerdem sei wichtig, dass der Journalist jede bekannte Redewendung unterbringt, auch damit führt man seine sprachlichen Fähigkeiten vor. Weihrauch führte seine vor: »Ich bin ein Journalist der alten Garde, von echtem Schrot und Korn, ich habe mein Handwerk von der Pike auf gelernt, mir liegt das Schreiben im Blut, in meinen Adern fließt Tinte.« Er sah mich triumphierend an, befahl: »Sagen Sie mir ein anderes Wort für Hose.«

»Jeans? Anzugsunterteil?«

Er triumphierend: »Beinkleid.«

»Kein Mensch sagt so was.«

»Deshalb ist es journalistisches Schreiben.« Er änderte die Überschrift meines Artikels so: »Stelldichein der Samtpfoten und Stubentiger.«

Ich versprach zu üben. Weihrauch war mein Chef. Er hatte hier das Beinkleid an.

Nachts im Traum erschien mir als rot flackernde Neonschrift jenes Gedicht von Gertrude Stein, das als Inbegriff moderner Dichtung gilt: »Eine Rose ist eine Rose ist eine Rose.«

Leider war Gertrude Stein keine Journalistin, nur eine Dichterin. Ich übte sogar im Schlaf: Eine Rose ist ein Dornengewächs, ist ein Symbol der Liebe, ist eine stechende Schönheit, ist eine jahrhundertealte Kulturpflanze, ist die Königin der Schnittblumen …

49. Kapitel

Bei der Zeitung wartet man ständig auf die Nachricht, die alle anderen verdrängt, wartet auf die Sensation, die die Welt verändert. Noch mehr wartete ich auf die Sensation, die mein Leben verändert.

Mit der Liebe ist es so: Entweder wird sie ständig größer oder ständig kleiner. In der Liebe gibt es keinen Normalzustand. Das war mein Problem.

War ich gut genug im Bett? Was macht eine Sisibett, die Spitze ist im Bett? Sie sah so italienisch aus. »Weißt du, wie Sex auf Italienisch geht?«, fragte ich eines Nachts.

»Natürlich. Das lernt man als Lehrer von den Schülern. Italienisch ist Penis in ihre Achselhöhle.«

Kann man nur staunen. »Achselhöhle rasiert oder unrasiert?«

»Unrasierte sind vermutlich süditalienisch.«

»Sollen wirs ausprobieren?«

»Nein. Ich will nicht so eingeklemmt werden, tut sicher weh.«

Gut, ich konnte auch drauf verzichten. Nur den Arm hinhalten, bringt mir nichts.

War Steffen gut genug im Bett? Je länger wir uns kannten, desto schneller ging es. Am Anfang war es ein 5 000-m-Lauf, jetzt nur noch ein 500-m-Lauf – so schnell lief bei mir nichts ab. Ich hatte mich leider schon dabei ertappt, dass ich mich an aufregenderen Sex erinnerte. Einmal sagte ich: »Hat da gerade die Nachttischlampe gestöhnt: Mach mich an, mach mich an?« Steffen fand den Witz blöd.

Er erwartete keine weitere Betätigung von mir, nur Anwesenheitspflicht. Wie in der Schule, da wartet man aufs Klingeln, jetzt wartete ich auf den wortlosen Ausdruck seines Wohlgefallens, oder wie wir Journalisten sagen würden: auf seine organischen Geräusche mit Methanausstoß. Ich hatte versucht ihm beizubringen, dass ich es nicht immer lautlos will: »Sag doch mal was.«

Und da hatte er gesagt, als er abgeschossen hatte: »1 : 0«.

Dass ich keinen Orgasmus hatte, machte Steffen keine Probleme, er vertrat die Meinung: Wer zu spät kommt, den bestraft das Leben.

Die BeziehungsratgeberInnen sagen: In jeder Beziehung gibt es Abnutzungserscheinungen, was bei Sex reduzierte Nutzung bedeutet. Aber solange er ab und zu Lust hat, ist alles in Ordnung. Frauen müssen sich erst Sorgen machen, wenn er überhaupt nicht mehr will. Und ich merkte mir als Worte des Trostes: »Sex weckt zwar das Tier im Mann – aber bei manchen ist es nur ein Kleintier.«

50. Kapitel

Zweimal pro Woche traf sich Steffen mit Freunden zum Fachsimpeln in der Kneipe oder bei einem, der einen Riesenfernseher hatte. Im März gründete er die Initiative »Schüler und Eltern gegen Drogen«. Eine Initiative, die von seiner Behörde gefördert wurde und die Steffens Beförderung zum Oberstudienrat beschleunigen würde. Egal, dass kein Schüler an Mitarbeit interessiert war, Steffen traf sich mit einigen Eltern in der Vereinskneipe eines Sportvereins. Danach hatte er jedesmal reichlich Bier intus, man befolgte den Pädagogengrundsatz, die Leute da abzuholen, wo sie sind – also beginnt die Arbeit gegen die Droge Alkohol in der Kneipe.

Und ich war froh, dass er wegging und nicht rumwartete, bis ich irgendwann von meinen Veranstaltungen zurückkam. Und seine Mutter war froh, wenn ich weg war und sie ihn ungestört abends bekochen konnte. Und ich musste nicht einkaufen, wenn wir abends nicht zusammen aßen. Ich aß mittags in einem billigen Selbstbedienungsrestaurant oder holte mir was vom Bäcker oder Metzger. Es konnte eigentlich so weitergehen.

Frau Richter hatte mich mehrmals ermahnt, Steffens Geburtszeit zu erfragen, ich tat, als würde ich das immer vergessen. Schließlich schloss sie daraus völlig richtig, dass ich keinen Wert auf ihre Astroberatung legte. Aber das nützte mir nichts, Frau Richter war überzeugt, wer sich dem Horoskop verweigert, tut es, weil er weiß, dass ihn das Schlimmste erwartet. Sie fragte: »Wollen Sie ihn heiraten und Kinder haben?«
»Vielleicht irgendwann.«
»Irgendwann ist immer zu spät. Ich habe geheiratet, weil mein geliebter Vater es wollte.«
»Mein Vater ist tot.«
»Kennen Sie Frau Müller aus der Müllerstraße? Ein hoch

begabtes Medium, sie kann Kontakt zu Verstorbenen aufnehmen.«

»Vielen Dank, ich bespreche das lieber mit meinen dies-
seitigen Kontakten.«

»Für eine Frau ist Heiraten das Wichtigste überhaupt: Lieber
einmal zu viel als einmal zu wenig«, sagte sie als zweifach Geschiedene stolz und erklärte weiter, mein größtes Problem
sei, dass eine Frau ab einem gewissen Alter nicht in Weiß
heiraten kann. Und zweifellos war ich nur knapp vor diesem
Alter. »Ich hab beim ersten Mal ganz in Weiß geheiratet«,
sagte sie stolz.

»Vielleicht heirate ich beim ersten Mal ganz in Schwarz.«

Sie nickte sehr zustimmend: »Ich kenne eine Frau, die hat
dreißig Jahre die bettlägerige Mutter ihres Bekannten versorgt, er wollte sie nicht ins Altersheim geben, um Geld zu
sparen. Er hatte ihr versprochen, nach dem Tod der Mutter
heiratet er. Als die Mutter endlich starb, heiratete er sofort,
aber eine Jüngere.« Sie orakelte düster: »Die Eltern Ihres
Freundes sind noch lange nicht tot.«

Ich musste weg, eine Ewig-Abonnentin besuchen, ich sagte
nur: »Dieser Job ist die ideale Vorbereitung für meine Zukunft
als Altenpflegerin.«

Die alte Dame erzählte, dass ihren Eltern einst ein Kino
gehörte, wofür man viel inserierte, deshalb hatten die Stadtnachrichten ausführlich über ihre Hochzeit berichtet. Sie war
schon lang Witwe, aber sie lächelte glücklich in Erinnerung
an ihren schönsten Tag. Und sie ärgerte sich am meisten über
die modernen Filme ohne Happyend.

Sollte ich freiwillig auf den schönsten Tag im Leben einer
richtigen Frau verzichten? Warum eigentlich? Wie kann man
einem Mann beibringen, auch für ihn wäre es der schönste
Tag?

51. Kapitel

Ohne Weihrauchs Vormundschaft durfte ich von einer Thea-
teraufführung des Schiller-Gymnasiums berichten. Als ich
vor der Vorstellung im Foyer der Aula den Direktor interviewte, sagte er enttäuscht: »Sie sind die Presse?« Er blickte
ständig rundum, als spreche er zur Öffentlichkeit an sich,
während er erklärte, warum das Schiller-Gymnasium nicht
Schiller spielt, sondern Becketts »Warten auf Godot« – wegen
Becketts Aktualität in dieser aktuellen Situation. Vor allem
hätte man für jedes Schillerstück mehr als fünf Mitspieler
gebraucht.

Als unser Fotograf Herr Schwieberdinger auftauchte, um ihn
und die Regie führende Deutschlehrerin zu fotografieren,
redete er zu dem und verabschiedete sich von Schwieberdinger mit Handschlag. Ich stand da wie nicht vorhanden. Ich
war froh, dass Steffen dankend auf die Freikarte als Presse-
begleiter verzichtet hatte: »Das Letzte, was mich interessiert,
sind Schüler, die Beckett spielen. Ich würde mitgehen, würden
sie Baseball spielen.«

Während der ersten halben Stunde blitzte Herr Schwieberdinger pausenlos vor der Bühne, raste hin und her, dass alle
Aufmerksamkeit der Schauspieler und des Publikums auf ihn
gerichtet war. Als er ging, gab es Applaus.

Der Neid nagte an mir. Er war die Presse, ich war nur eine
Frau. Dabei sah ich mit meinem Hosenanzug nicht weiblicher
aus als der wabbelige Schwieberdinger.

Während der endlosen Aufführung verfasste ich meinen
Text, garniert mit eindrucksvollen Stichworten, die ich vorher
im Archiv aus alten Theaterkritiken rausgeschrieben hatte,
wie: »bemerkenswerte Dichte der Inszenierung«, »fesselnde
Charakterstudien« und »burleske Szenen«. Statt Theater
schreibt man als Journalist »Die Bretter, die die Welt bedeuten«,
statt Schauspieler »Thespis-Jünger«.

Als Steffen spät und bestens betrunken von seinem Fernseh-
freund kam, fragte ich, wie eine gute Journalistin aussehen
sollte. Es fiel ihm nur ein, dass er Hosenanzüge nicht mag.
»Hosenanzüge sind pervers. Frauen sollten Rockanzüge
tragen.« Und er kicherte betrunken: »Egal, was eine Frau tut,
sie muss weiblich dabei aussehen, sonst ist mir egal, was sie
tut.«
Dann schlief er ein, ohne mich weiter zu beachten, obwohl ich
optimal weiblich aussah, nämlich nackt.

Sonntagnachmittag brachte ich meinen Artikel in die Redaktion, Weihrauch war immer Sonntagnachmittag da, um die
Montagsausgabe fertig zu machen. Er strich gnadenlos Zeilen raus, da sein eigener Bericht über den Vortrag eines Unter-
nehmers sehr lang geworden war, schließlich inserierte der
Unternehmer bei uns, das Schiller-Gymnasium aber nicht.
Vom Direktor blieb nur der Name übrig, geschah ihm Recht.
Meine Überschrift »Schiller-Schüler spielen Beckett« war
journalistisch zu banal. Ohne nachzudenken, titelte Weih-
rauch »Die Aula wurde zum Musentempel«. Aber er war
zufrieden. »Sie dürfen auch über das Schülerkonzert im
Mörike-Gymnasium berichten. Nächsten Samstag.«
Dass ich am nächsten Samstagabend wieder keine Zeit hatte,
war Steffen egal, ging er eben zum Drogenstammtisch.
»Ihr trefft euch doch nie samstags?«
Er lachte: »Man muss nur wollen, dann gibts immer was
zu beraten. Außerdem wollte Kollegin Magdalena zu uns
stoßen.«
»Magdalena? Auf wen hat sie es abgesehen?«
Aber Steffen meinte, Magdalena käme aus ehrenwerten
Motiven, als Ethiklehrerin sei das Thema Drogen für sie inte-
ressant. Oder sie käme einfach deshalb, weil sie sonst nichts
vorhat.
Außerdem waren nach Steffens Berichten immer die Mark-

grafen und die Zentgrafen dabei. Beide Elternpaare hatten Teeny-Kinder, die froh waren, wenn ihre Eltern abends weggingen. Und die Eltern waren froh, nicht mehr Kinder hüten zu müssen, die hatten immer gern Zeit. So war für Steffens Unterhaltung gesorgt.

Ich musste für mich selbst sorgen. Ich war entschlossen, Weihrauch wegen einer Gehaltserhöhung anzuhauen. Muss man begründen, wofür man mehr Geld braucht? Montag früh fragte ich Frau Richter: »Soll ich Weihrauch sagen, weil unser Haushalt so teuer ist?«
Sie muffelte: »Verdient Ihr Freund nicht genug?«
Ich ignorierte das, vermutlich hatte sie ihre Tage oder sämtliche prämenstruellen Leiden. »Oder soll ich sagen, dass ich mehr Klamotten für meine repräsentativen Aufgaben benötige?«
»Weihrauch besitzt nur zwei Jacketts.«
»Wie viel könnte ich mehr verlangen?«
»Wenn Sie es nicht mal wissen, wie soll ich es dann wissen?«.
Immerhin präsentierte sie mir aus der überregionalen Zeitung, die nach Expertenmeinung die besten Horoskope hat, mein Tageshoroskop. Da stand:
»Liebe: Machen Sie sich auf Überraschungen gefasst. Und überraschen Sie Ihren Partner mal wieder.
Finanzen: Schlechte Zeiten für Ihre Finanzen. Ein wichtiger Gesprächspartner ist für Sie nicht erreichbar.«
Stimmte, Weihrauch war nicht da.
In der Mittagspause ging ich zur Bank, um ein bisschen Geld abzuheben und nach meinen Aktien zu fragen.
Das Wunder war geschehen. Meine Aktien, die beim Kauf so schlecht standen, dass sie gar nicht mehr weiter fallen konnten, waren weiter gefallen: 35 Prozent verloren. Ich schaffte es knapp, nicht zu heulen, obwohl der Beratungsfritze das zu

erwarten schien. »Die können weiter fallen. Sicher wollen Sie jetzt Ihre Verluste realisieren.«

Verluste realisieren, bedeutete zugeben, dass ich verloren hatte. Abwarten war hoffen, hoffen war besser.

Ich versuchte, mich zu trösten. Da ich Steffen nichts gesagt hatte, musste ich nichts von meiner Niederlage erzählen.

Und Geld ist nur ein äußerer Wert. Nur einer von vielen. Ich überlegte: Steffen liebt trotz seiner eigenen Lässigkeit diese ordentliche Eleganz, die wirkt, als hätte man nichts zu tun, als sich um seine Klamotten zu kümmern. Meiner Mutter machte er jedes Mal Komplimente wegen ihrer Kostüme, ihrer Frisur. Bei mir hatte er bisher nur die Figur einer lobenden Erwähnung wert befunden. Sollte ich für Steffen meinen Typ ändern?

Am Wochenende besuchte ich meine Mutter, um in dieser Frage ihre Frauenmagazine zu konsultieren. Sämtliche FrauenratgeberInnen rieten davon ab, wegen eines Manns seinen Typ zu verändern: Die moderne Frau bleibt sich selbst treu. Wenn eine Frau sich nicht selbst treu bleibt, kann sie nicht erwarten, dass ihr Mann ihr treu bleibt. Kann natürlich sein, sie bleibt sich treu, und er wird ihr trotzdem untreu, aber dann wäre er auf jeden Fall untreu geworden.

Am Dienstag kam die neue Ausgabe der Karriereleiterin, ich las: »Für Frauen gelten heute die gleichen Regeln wie für Männer, sie dürfen ihren Typ verändern, ja sollten es sogar, wenn es berufliche Vorteile bringt. Die moderne Frau liebt die Veränderung als Herausforderung.«

Ratschläge sind am besten, wenn sie das empfehlen, was man sowieso vorhatte. Also würde ich meinen Typ ändern, nicht wegen Steffen, sondern wegen meines Jobs.

Am nächsten Morgen nahm ich frei, kein Problem bei meinen vielen Überstunden. Ich beendete meine Vergangenheit als schäferhundbraune Unscheinbare. Ich kam in die Redaktion zurück, ziemlich blond, mit einer gestuften Frisur, nicht nur eine Ansammlung unterschiedlich langer Haare.

Frau Richter: »Ich erkenne Sie nicht wieder.«

So sollte es auch sein.

Weihrauch kam aus seinem Büro: »Ach, Sie sind jetzt Blondine. Muss ich jetzt langsamer sprechen?«

Frau Richter sagte, bei Weihrauch sei es ein Kompliment, dass er überhaupt was gesagt hat.

Da nur Archivarbeiten anlagen, konnte ich am Nachmittag nochmal weg, ich ließ mir Kontaktlinsen anpassen. Der Optiker schenkte mir dazu Wimperntusche für Kontaktlinsenträgerinnen. Als Höhepunkt kaufte ich Lippenstift und Rouge und goldbeiges Make-up. Ich würde nie mehr zu blass aussehen.

Frau Richter las staunend mein Horoskop. Nichts, wirklich nichts deutete auf diese Veränderung hin!

Weihrauch kam wieder aus seinem Büro: »Wollen Sie als blinde Blondine einen Behindertenparkplatz beantragen?«

»Ich sehe besser denn je. Und ich sehe, auch Sie sind blond.«

Zu dieser Tatsache fiel ihm nichts ein.

Steffen war beeindruckt und begeistert. Steffens Vater bemerkte meine Verwandlung natürlich nicht, da hätte ich im Fernsehen auftreten müssen. Seine Mutter sah mich erschrocken an: »Das muss ein Vermögen gekostet haben.«

Und sie blickte voll Mitleid auf ihren Sohn, als hätte der es bezahlt.

Ich lachte nur. Eindeutig war mein äußerer Wert rasant gestiegen. Mindestens 35 Prozent.

Beim Konzert im Mörike-Gymnasiums übersah mich keiner mehr. Der Direktor verbeugte sich nach meinem Interview dankbar, als hätte ich ihm eine Audienz gewährt.

Meine Überschrift war eine Abwandlung von Mörikes Gedicht »Frühling lässt sein blaues Band niederflattern durch

die Lüfte …«, ich hatte geschrieben »Wieder klang es durch die Lüfte«, Weihrauch änderte nichts. Er sagte und sah mich dabei sogar an: »Passt wie der Arsch auf den Nachttopf.«
Ich hatte nicht geahnt, wie viel einfacher das Leben ist, wenn dich die Menschheit sofort wahrnimmt, statt dich so lang wie möglich zu ignorieren. Warum muss man sich überhaupt zwischen inneren und äußeren Werten entscheiden? Man kann beides haben. Das ist das Vernünftigste.

52. Kapitel

Es war wieder Frühlingsanfang, da rief ich Thomas an. Er sagte, er hätte nicht gewagt, mich anzurufen. Er fragte: »Darf eine Frau, die in fester Beziehung lebt, mit Männern ihrer Vergangenheit Kontakt haben?«
»Ja. Es ist doch nichts dabei, wenn alte Freunde miteinander telefonieren. Ich will nur wissen, wie es dir geht.«
Er erzählte von seinem Job bei seinem Onkel, er schrieb Expertisen für Gemälde, die zur Auktion eingeliefert werden, machte viele Hausbesuche bei Leuten, um deren Kunstbesitz zu begutachten. Er sagte: »Das Problem im Handel mit Kunst ist nicht das Verkaufen, sondern Verkaufbares zu finden.«
Er hatte letzten Monat eine Rötelzeichnung im Stil von Renoir auf 15 000 Mark taxiert, sie wurde ersteigert für 160 000 Mark, als wäre sie von Renoir. Thomas lästerte mal wieder: »Viele Leute, die Kunst kaufen, haben mehr Geld als Verstand.«
Und er hatte für sich ein Bild eines unbekannten Malers aus dem 18. Jahrhundert gekauft, es zeigte das ungläubige Gesicht des Apostels Thomas bei der Nachricht von der Auferstehung Jesu. Das Bild war billig, nur 1 000 Mark, Thomas sagte: »Kei-

ner will einen Mann, dessen Gesicht nichts als NEIN sagt. Das ist nur was für Liebhaber.«

Ein Stichwort, das mir einen Stich versetzte. »Und was machst du sonst so?«

Nichts sonst so. Nachdem ihm sein Onkel die frei gewordene Wohnung überlassen hatte, wartete er, dass ihm jemand eine frei werdende Freundin überließ. Und er denkt oft an uns in London, und dann wird er traurig.

Ich sagte: »Ich denk auch an dich. Manchmal.«

»Bei Tag oder bei Nacht?«

Darüber wollte ich nicht reden. Ich sagte nur: »Steffen ist mein Traummann. Der Mann meines Lebens. Und davon abgesehen: Liebhaber vergleicht man nicht, das wäre Männerdiskriminierung.«

Thomas lachte, als könnte er Gedanken lesen. Und ich musste ihm versprechen, ihn irgendwann wieder anzurufen.

Steffen erzählte ich davon nichts.

53. Kapitel

Zu Weihrauchs liebsten Aufgaben gehört die alljährliche Erfindung eines Aprilscherzes. Seine beste Idee bisher: Der Fernsehturm in der Nähe wird abgerissen und flach gelegt als Fußgängertunnel weiterverwertet. Damals warteten früh am Morgen hunderte Reingefallene auf die Fällung des Fernsehturms.

Auch sehr erfolgreich die Meldung, das Bürgerhaus, ein scheußliches Allzweckgebäude der siebziger Jahre aus schwarz gewordenem Beton, sei auf Betreiben der herrschenden SPD rosa gestrichen worden, dazu ein Foto mit gefälschten Farben. Viele kamen, sahen, bedauerten, dass es nicht so war.

Ein Flop dagegen, als er meldete, das Ungeheuer von Loch

Ness sei gefangen worden im Auftrag eines Handtaschen-herstellers, der wolle nun Nessie die Schuppen abziehen und zu teuren Handtaschen verarbeiten. Nur wenige Tierschützer kamen, um gegen Frauen mit teuren Handtaschen zu demons-trieren. Als Weihrauch ihnen mitteilte, es sei ein Aprilscherz, hetzte eine ihren humorlosen Hund auf ihn.

Ganz daneben seine Idee letztes Jahr, da schrieb er, im Archiv eines Klosters sei ein köstliches Rezept für selbstgemachte Buchstabensuppe entdeckt worden. Das Rezept samt original Buchstabenschnittmuster ist kostenlos in der Redaktion abzu-holen. Frau Richter sollte den erwarteten Hausfrauen ein Blatt überreichen mit aufgedrucktem Alphabet und der An-weisung, die Buchstaben auf Nudelteig zu pausen und mit einem scharfen Messer auszuschneiden. Nur ein kleiner Junge kam, er wollte das Rezept seiner Mutter zum Geburtstag schenken.

Nun grübelte Weihrauch seit Tagen über seinem diesjährigen Gag, kam nicht zu Potte.

54. Kapitel

Sonntagnachmittag statteten wir meiner Mutter einen Besuch ab. »Na endlich«, sagte sie zu meinem neuen Look. Und zu Steffen: »Ich hab ihr seit Jahren zu Kontaktlinsen geraten.«

»Liebe Freya, du hattest natürlich Recht«, sagte Steffen. Er und meine Mutter duzten sich längst. Während ich vermied, seine Mutter irgendwie anzureden, und auch sie redete mich nie di-rekt an. Steffen meint, ich soll kein Problem draus machen, das klärt sich von allein.

Und Steffen haute Malte auf die Schulter: »Wie gehts, Spiel-kamerad?«

Natürlich seufzte Malte wieder über die deutsche Wieder-vereinigung, die harte Opfer von ihm verlangte. Vorher hatte er den DDR-Fußball selbstverständlich ignoriert, nun verwechselte er den FC Dynamo Dresden mit SG Dynamo Dresden oder BFC Dynamo. Die neueste Katastrophe war die Gründung der Regionalliga. Mein Bruder sprach: »Ich sag mal so, zwar ein großer Fortschritt gegenüber dem alten Oberliga-Modell, aber ohne Perspektive.« Und pathetisch wie ein Fußballreporter: »Die Zukunft des Fußballs führt direkt durch die Hölle.«

Steffen antwortete wie ein Journalist: »Da müsste der DFB bald den Rettungsanker werfen, sonst verlassen die Ratten das sinkende Schiff, dann ist der letzte Vorhang gefallen.«

Obwohl Steffen und Malte einhellig der Überzeugung waren, dass das Spiel, das gerade im Fernsehen anfing, beim derzeitigen Niveau beider Mannschaften unzumutbar werden musste, war es unzumutbar, den Fernseher abzustellen.

Meine Mutter wollte mit mir über meine Zukunft reden. Sie glaubte, nun, da meine Frisur ihren Wünschen entsprach, könnte alles nach ihren Wünschen gehen. Sie sagte laut Richtung Steffen: »Steffen will bestimmt Kinder.«

Der sagte nur: »Schaun mer mal«, was mit umfassendem Weitblick sowohl meine Zukunft betraf als auch seine Gegenwart als Fußballglotzer.

Meine Mutter wollte was mit »Aber« sagen, da geschah Folgendes: Anstoß – der Spieler traf direkt ins Tor. Das Stadion tobte. Der Reporter konnte es nicht fassen: Ein neuer Spieler, vom Verein gerade erst für ein paar lächerliche Millionen eingekauft, traf ins Tor.

Malte tobte: »Gilt nicht, der Ball ging direkt rein, ohne dass ihn sonst einer berührt hat!«

»Es gilt«, sagte Steffen.

Der Reporter erklärte die Regel: nach Anstoß direkt ins Tor ist ein Tor.

Malte glotzte frustriert.

Meine Mutter: »Übrigens, Julias Eltern waren im Restaurant.«

Ich: »Übrigens, wer ist Julia?« Natürlich wusste ich, sie meinte die schöne Julia, reich verheiratete Mutter eines Sohns. Julia, die genau so war, wie ich sein sollte.

Meine Mutter wusste auch, dass ich es wusste, ohne Erklärung verkündete sie: »Stell dir vor, Julia ist sogar schon wieder geschieden. Mit einer Abfindung in Millionenhöhe.«

Alles, was Julia macht, ist ganz im Sinn meiner Mutter: Ich hatte keine Lust mir anzuhören, wie finanziell vorteilhaft andere Frauen ihr Leben gestalten. Als Auch-Literaturwissenschaftlerin finde ich außerdem, Julia ist kein Name, der zu geschiedenen Müttern passt. Passt zwar zu unglücklicher Liebe, aber bitte mit Todesfolge, nicht mit Zugewinngemeinschaft. Zu unromantisch. »Richte ihr meinen herzlichen Glückwunsch zur Scheidung aus.« Und wütend brüllte ich synchron mit Steffen: »Abseits!«

»Du hast keine Ahnung, was ein Abseits ist«, giftete Malte.

Als Lebensgefährtin eines Sportlehrers lächelte ich da milde. Steffen mag zwar keine Frauen, die sich für Fußball interessieren, findet er aufgesetzt, aber wenn er zu Hause Fußball guckte, fragte ich ihn der Unterhaltung wegen ab und zu was, er erklärte mir gern alles. Also, Abseits erkennt man ganz einfach am Linienrichter mit dem wedelnden Fähnchen. Mehr erkennt man im Fernsehen sowieso meist nicht. Cool sagte ich zu Malte: »Ich kann bis zwei zählen. Mehr muss man nicht können, um festzustellen, ob es Abseits ist. Die Abseitsregel ist kinderleicht, man muss nur verstehen, was sie für einen Sinn hat.«

»Wieso hat die Regel einen Sinn?«, maulte Malte.

Steffen wollte ihm gerade den Sinn der Abseitsregel erklären, da geschah Folgendes: Ein Spieler warf den Ball von der Seitenlinie ein – direkt ins Tor.

»Tor!«, brüllte Malte.

»Gilt nicht«, sagte Steffen, »hätte ein anderer vorher Ballkontakt haben müssen.«

»Aber vorher ...« Malte brüllte nicht mehr.

Der Fernsehreporter bestätigte Steffens Entscheidung. Von da an hielt Malte Steffen für den klügsten Menschen der Welt.

Sogar jedes Fußballspiel hat ein Ende. Ein millionenschlauer Spieler des Verlierer-Teams gab seine Analyse des Spiels kund: »Ja gut, ich sag mal so, woran hats gelegen? Das ist natürlich die Frage. Und ich sag einfach mal: Das fragt man sich nachher natürlich immer.«

Und Malte sagte, das wäre natürlich die Frage, die er sich auch stellt. Immer wieder.

Meine Mutter erklärte Steffen: »Malte ist der geborene Fußballer, als ich mit ihm schwanger war, hat er ständig in meinem Bauch gekickt.«

Ich dagegen hatte nie gekickt, wollte wahrscheinlich nie raus in eine Welt, in der Fußballglotzen als Zeichen erhabener Intelligenz gilt.

Malte orakelte zum Abschied: »Das nächste Spiel ist immer das schwerste.«

Fußball macht sogar aus einem Deppen wie Malte einen Philosophen. Das brachte mich auf die Idee für meinen Aprilscherz.

55. Kapitel

Am 31. März legte ich meinen Aprilscherz dem abwesenden Weihrauch auf den Schreibtisch. Überschrift: »Fußballkunde wird Pflichtfach am Gymnasium.« Der Kultusminister hätte das gestern endlich entschieden. Da der Fußballsport im Alltagsleben eine so zentrale Stelle einnimmt, müsse auch die Schule dem Rechnung tragen. Statt die längst vergessenen Schlachten eines Alexander des Großen oder eines Bismarck zu kennen, sei es dringlicher, die Schlachten von Kaiser Beckenbauer zu analysieren, und die Alle-auf-Lothar-Taktik von der Sammer-der-Größte-Taktik unterscheiden zu können.

Dann eine Testfrage: Was ist ein Paso doble?

a) Doppelgänger eines berühmten Fernsehhunds

b) ein Tanz

c) ein Doppelpass

Mein Schlusssatz: »Mit dem neuen Pflichtfach können endlich auch Mädchen den Anschluss an das heute gültige Bildungsniveau finden.« Dazu hatte ich, des seriösen Eindrucks wegen, Daten aus dem Archiv beigemengt: Seit 1909 dürfen Frauen studieren, seit 1919 wählen, seit 1958 dürfen verheiratete Frauen ein eigenes Bankkonto haben, und seit 1974 erlaubt der Deutsche Fußballbund sogar Frauenfußball.

Als ich am 1. April den Lokalteil durchsuchte, war meine Meldung nicht drin. Leider nicht überraschend, hatte Weihrauch nicht gefallen.

Seinen Aprilscherz fand ich sofort: »Heute ab 14 Uhr findet in unserer Redaktion ein Fensterputz-Wettbewerb statt. Unsere achtfach unterteilten und gewölbten Barockscheiben sind eine Herausforderung für jede gute Hausfrau. Der besten Fensterputzerin winkt ein wertvoller Preis …«

Ich musste lachen, ich wusste, wie Weihrauch auf die Idee gekommen war: Frau Richter schimpfte seit Wochen über unsere verdreckten Scheiben.

Als ich die Zeitung zusammenfaltete, entdeckte ich unten auf Seite 1 »Fußballkunde wird Pflichtfach am Gymnasium«. Wahnsinn. Er hatte meine Meldung auf Seite 1 gebracht! Das war wie eine Ordensverleihung. Das war eine Gehaltserhöhung!

Frau Richter, die telefonierte, als ich kam, und nur gestöhnt hatte: »Heute ist der Teufel los«, telefonierte wieder heftig: »Ist nicht von der Lokalredaktion, Seite 1 sind die Überregionalen …«

Es ging um meinen Artikel! Diverse Schuldirektoren wollten wissen, wann das neue Pflichtfach eingeführt wird. Die Zentrale rief wieder an, die Meldung sei doch von uns, es sei angeordnet worden, sie ihrer Bedeutung wegen vom Lokalteil auf Seite 1 zu versetzen. »Herr Weihrauch ist derzeit außer Haus tätig«, sagte Frau Richter, hieß, er war noch nicht erschienen.

Ich grinste nur, verriet ihr nichts.

Weihrauch kam, bestens gelaunt. »Hat sich schon jemand auf den Aprilscherz gemeldet?«

Frau Richter bombardierte ihn: »Der Teufel ist los. Sie sollen das Kultusministerium anrufen.«

Weihrauch verdattert: »Das Kultusministerium?«

Ich sah ihm an, er hatte keine Ahnung. Er hatte einfach alles auf seinem Schreibtisch weitergeschickt. Das bedeutete nicht unbedingt eine Gehaltserhöhung. Das bedeutete …

Ich folgte ihm in sein Büro wie ein Schatten, er las den Artikel, ich schloss die Tür. »Vielleicht hatten Sie keine Zeit, den Artikel vorher zu lesen, Sie sind ja so im Stress. Sollte ein Aprilscherz sein. Von mir.«

»Jetzt ist die Kacke am Dampfen! Fußball ist kein Thema, über das man Witze macht!«

Sollte ich ihn mit weiblichen Waffen bezirzen? Sollte ich heulen, mich vor ihn werfen?

Weihrauchs Telefon klingelte. Gottvater persönlich. Weihrauch nahm Haltung an, grüßte und lauschte. Sein Gesicht veränderte sich, als würde es gebügelt. Seine Stimme klang nun auch gebügelt: »Ich bin Ihnen sehr dankbar, dass Sie persönlich dafür gesorgt haben, dass der Artikel seiner Bedeutung entsprechend platziert wurde.« Pause. »Nun ja, der Artikel kann auch als Aprilscherz verstanden werden, da kann uns keiner vom Ministerium an den Karren fahren. Sicher, ein anspruchsvolles Thema, wir wollen Denkanstöße geben.« Wieder sprach Gottvater. Dann Weihrauch: »Das

Kultusministerium wird dazu Stellung nehmen müssen, ob man bereit ist, verkrustete Bildungsideale zu überdenken. Es geht um die Zukunft unserer Jugend – ein Fußballer verdient Millionen, das ist ein Wirtschaftsfaktor.« Er lachte, »Ja, wir bleiben am Ball.« Gottvater sprach. Dann Weihrauch: »Danke. Danke.« Ende.

Weihrauch nahm mich wieder zur Kenntnis.

»Ich möchte eine Gehaltserhöhung.«

Weihrauch sagte drohend: »Die Sache bleibt unter uns. Ich mache eine Aktennotiz fürs Personalbüro, 10 Prozent mehr ab 1. April. Mehr ist nicht drin.«

»Danke.«

Frau Richter kam rein, hinter ihr ein Mann. »Es ist 14.45 Uhr, es kam keine Hausfrau, aber hier ein Fensterputzer.«

»Wieder ein Beweis, dass Frauen nicht sorgfältig Zeitung lesen«, sagte Weihrauch, wieder blendend gelaunt.

Der Fensterputzer: »Was gibts zu gewinnen?«

Weihrauch grinste teuflisch: »Eine Dose Handcreme mit wertvollem Nerzöl.«

»Kein Auto? Wenigstens eine Weltreise?«

»War ein Aprilscherz«, erklärte Weihrauch.

Der Fensterputzer blieb völlig humorlos: »Ihre Scheiben sehen aus wie in einem Saustall, in dem die Gespenster hausen.«

Frau Richter bestätigte das.

Der Fensterputzer hielt einen Vortrag: »Das ist uraltes Glas, sehen Sie die kleinen Blasen, das sind Unebenheiten, da braucht man Fingerspitzengefühl, das kostet. Und das Glas ist gewölbt, da kommt man mit keinem Wischer ran, das kostet. Und die Streben, das kostet.«

Alles, was Weihrauch interessierte, war ein Foto, das bewies, dass Hausfrauen auf seine Meldung hereingefallen waren. Herr Schwieberdinger musste kommen. Da nach Schwieberdingers langer Erfahrung alle Frauen beim Fensterputzen

Kopftücher tragen, musste ich in einem Laden für Landfrauen-
bedarf welche kaufen. Dann wurden Frau Richter und die
Frau des Hausmeisters und ich fotografiert bei einer Fenster-
putzsimulation – nur von hinten, man sah nur Kopftücher.
Dann wurde der Fensterputzer in Siegerpose fotografiert. Er
verzichtete auf den wertvollen Preis, putzte bis spätabends für
unverschämtes Stundenhonorar mit Notfallzuschlag. Die
Frau des Hausmeisters bekam die Kopftücher, sie wollte mit
ihrer Frauengruppe am 30. April Walpurgisnacht feiern, und
Hexen tragen immer noch Kopftücher.

Ich kam nicht dazu, Steffen all dies in der angemessenen
Ausführlichkeit zu erzählen, denn als ich nach Hause kam,
erwartete mich die Sensationsmeldung, die kein Aprilscherz
war: Sisi – heimlich genannt Sisibett – war schwanger.
Siegfried saß bei uns im Wohnzimmer, außer sich. Sisi hatte
es Siegfried die ganze Zeit nicht gesagt, angeblich hätte sie
gedacht, sie sei von der Pille dicker geworden. Jawohl, sie war
im vierten Monat. Er äffte Sisi nach mit ihrer Kleinmädchen-
stimme: »Ich hab höchstens ein paar Mal vergessen, die Pille
zu nehmen.«
»Kann jedem passieren«, sagte ich solidarisch.
»Mir nicht«, giftete Siegfried. »Und das Schlimmste: Sie
will das Kind! Sie hat es mir verheimlicht, bis es für eine
Abtreibung zu spät war! Jetzt ist alles aus! Wer will ein
Aktmodell mit Schwangerschaftsstreifen! Und der Busen wird
nie wieder! Die Frau ist unbrauchbar geworden!« Zum
Zeichen seiner Trauer zerwühlte er seine Haare. Und im Bett
war sie nicht mehr Spitze, sondern stinkfaul.
In Anbetracht dieser Entwicklung hatte Siegfried sich zum
Äußersten entschließen müssen, er hatte Sisi am Nachmittag
rausgeschmissen und zurückgebracht zu ihren Eltern. Samt
ihrem ganzen Krempel, der aus fünf Müllsäcken voll mit
Plüschtieren bestand. Nun hatte Sisis Vater einen unglaub-

lichen Skandal veranstaltet, er hatte gebrüllt, das hätte Folgen! Sogar für Siegfried! Unter anderem hatte er gedroht, er würde in die Zeitung bringen, dass ein Lehrer eine Siebzehnjährige schwängert und sie dann zu den Eltern zurückschickt.

Ich garantierte Siegfried, dass eine verlassene Schwangere keine Zeitungsmeldung wert ist, höchstens wenn sie aus Wut was sehr Wertvolles zerstört, ein Haus anzündet oder so. Das Sicherste, um als verlassene Schwangere in die Zeitung zu kommen, wäre es, das Zeugungsorgan des Kindsvaters zu demolieren.

Das beruhigte Siegfried nicht. Denn Sisis Vater war ein sturer Rechthaber, er hatte mit seiner Rechtsschutzversicherung gedroht, und morgen wollte er beim Direktor vom Hauff-Gymnasium antanzen. Und der Direktor war ein Spießer, hatte Siegfried auf dem Kieker, weil Siegfried kein Spießer war. Der Direktor fand sogar Siegfrieds Ohrring pubertär, der würde nicht davor zurückschrecken, Siegfried anzumeckern. Und obwohl er bald ein Maul mehr zu stopfen hatte, nein, sogar zwei Mäuler, und Sisi würde schon jetzt für zwei essen, würde ihn dann der Direktor bei der nächstmöglichen Beförderung nicht bevorzugen, sondern im Gegenteil!

Steffen sah es genauso. Siegfried hatte keine andere Wahl. Es war schon elf, als es zu dieser Entscheidung gekommen war und Siegfried bei Sisi anrief und dem Vater sagte, Sisi könnte wieder bei ihm einziehen.

Dann machte Sisi Zicken, sie wollte nicht zurück. Aber ihr Vater drohte ihr mit dem Jugendamt, das würde ihr Babylein wegnehmen, wenn sie in ihrem Alter ohne Kindsvater dasteht, also ließ sie sich von Siegfried samt ihren fünf Müllsäcken voll Plüschtieren wieder abholen. Es war ein entsetzliches Durcheinander.

Siegfried zog ab im Hoffnungswahn, das Kind wäre eventuell nicht von ihm. Sisi hatte an Silvester sogar seinen Sohn rumfummeln lassen, der durfte seitdem nicht mehr zu Besuch kommen, aber wer weiß, wen Sisi sonst noch rangelassen hatte!?

Steffen zitierte einen Fußballer: »Ich sag mal so, man soll nicht alles so schlecht reden, wie es ist.«

56. Kapitel

»Ein Anstoß für die Bildungspolitik« hieß Weihrauchs Artikel am 3. April auf Seite 1. Es sei mehr als ein Aprilscherz gewesen, die Resonanz hätte gezeigt, wie bedeutend die Idee sei, es könne nicht angehen, dass dieses Medium der Völkerverständigung weniger schulische Beachtung fände als eine Fremdsprache. Und er zitierte sein Telefon-Interview mit einem Fußballspieler, den er kannte, der längst Millionen verdiente, der hatte dazu gesagt: »Ich sag mal so, in Fußballkunde hätte ich eine Eins gehabt, da hätte sogar ich einen Schulabschluss geschafft. Wir hatten damals diese Chance nicht, ich saß als Bub stundenlang mit meinem Fußball vor der Kuckucksuhr meiner Eltern und versuchte Tak-Tik zu begreifen.«

Und auch Steffen hatte meine Idee toll gefunden und meinte, Fußballkunde würde das Image der Sportlehrer sehr aufwerten, und Klassenarbeiten in Fußballkunde seien nicht zeitaufwändig zu korrigieren. Und dass Weihrauch die Idee für sich verbuchte, sei eben mein Anfängerschicksal. Tröstend sagte er: »Anfänger ist kein Beruf mit Zukunft, demnächst bist du Profi. Immerhin hast du eine Gehaltserhöhung bekommen, ein besseres Lob gibts nicht.«

Im Lokalteil kam »Ein Mann putzt die Frauen an die Wand«. Weihrauch hatte launig geschrieben: »Dank reger Beteiligung einer heimischen Putzteufelinnen-Riege haben die Stadtnachrichten nun wieder den Durchblick.« Und dazu die getürkten Fotos. So kam mein Bild zum ersten Mal in die Presse.

Von meinem Erfolg begeistert ging ich zur Bank. Auf jedes Tief folgt ein Hoch, das ist das Gesetz des Wetters und der Börse.

Meine Aktien hatten weiter verloren. Bitter. In zwei Wochen war Ostern. Und wir wollten ein bisschen wegfahren. Einige Tage Hotel statt Hühnerhof. Würde ein bisschen kosten. Musste ich jetzt Aktien mit viel Verlust verkaufen? Oder mein Konto mit viel Zinsen überziehen? Erst mit Steffen drüber reden.

An diesem Abend konnte ich früh gehen, wollte in einen neuen Billigsupermarkt, der hatte bei uns inseriert, kam durch eine unbekannte Gasse und sah an einem Haus das blitzende Schild:

Paulus Herzberg
Familientherapeut

Wie viele heißen Paulus und Herzberg? Ich zögerte nicht lang, ich klingelte. Es öffnete eine Frau in beigen Hosen, beigem Pullover, mit beigen Haaren, sie musterte mich von oben bis unten, während ich erzählte, dass Paulus Herzberg möglicherweise ein alter Bekannter von mir sei, und sie bestätigte, dass er Theologie studiert hatte.

Dann führte sie mich in ein beiges Zimmer, sagte, dass ich Glück hätte, Paulus hätte einen Termin frei.

Sie schrieb auf einen Block meinen Namen, fragte: »Möchtest du geduzt werden, oder sind Sie innerlich zu gehemmt?«

Nein, nein, ich war nicht gehemmt. Es ist kein Problem, einen alten Freund wiederzusehen, wenn man einen neuen hat, der besser ist.

Sie führte mich ins Zimmer nebenan, er erkannte mich sofort, obwohl ich jetzt reichlich anders aussah. Ich erkannte ihn sofort, weil er genauso aussah wie damals. Er lächelte mir entgegen mit seinen großen vorstehenden Zähnen und sah immer noch aus wie ein erfreuter Esel. »Grüß Gott, ich wusste, dass wir uns wiedersehen.«

Ich sagte: »Zufällig kam ich vorbei.«

Er sagte: »Das Unterbewusstsein kennt keine Zufälle, nur die Sehnsucht der Wunschbefriedigung.« Und er schwieg ergriffen, als wäre es ein Wunder, dass man sich irgendwann wiedersieht, wenn man in der gleichen Stadt lebt.

Auch sein Büro war hell und hoffnungsvoll neu, naturbelassenes IKEA, er hatte keinen Schreibtisch, sondern einen runden Tisch mit sechs Stühlen, wirkte sehr gemütlich, aber er wartete, bis ich mich gesetzt hatte, setzte sich dann mir gegenüber, so weit entfernt wie möglich, wirkte sehr distanziert.

Wenn man einen Mann, den man hauptsächlich aus dem eigenen Schlafzimmer kennt, in seinem Büro wiedertrifft, ist das ein merkwürdiges Gefühl – hier auf Paulus Terrain fühlte ich mich unerwartet schwach, sogar ehrfürchtig. Ich deutete mein derzeitiges Leben nur an, er stellte keine Fragen. Umso mehr war ich beeindruckt: »Wieso bist du Familientherapeut?«

»Es hat sich herauskristallisiert, dass meine Veranlagung der abstrakt geistigen Tätigkeit weniger entspricht. Viele, die Theologie studiert haben, werden Therapeuten, auch das ist seelsorgerische Arbeit. Und die Kirche unterstützt das mit entsprechenden Zusatzausbildungen.« Er sprach immer noch mit dem bedeutungsvollen Singsang eines Predigers.

Es fiel mir spontan nichts Besseres ein: »Warum hast du als Therapeut keine Liege?«

»Interessierst du dich für Liegen? Schön, dass wir so schnell auf dein Problem zu sprechen kommen.«

»Ich dachte nur, beim Therapeuten lügt, äh, liegt man.«

Ernst wie je antwortete Paulus: »Eine Liege ist nur erforderlich bei klienten-zentrierten Therapien, in denen es darum geht, was der Klient fühlt. Wir vertreten den therapeuten-zentrierten Ansatz, der den Klienten nicht mit der Suche nach seinen Gefühlen überfordert. Beim therapeuten-zentrierten Ansatz sagt der Therapeut, was der Klient fühlt.« Er legte die

Stirn in Falten, um darzustellen, dass er nachdachte, sagte gleichzeitig: »Du bist gekommen, weil du Probleme mit deiner Beziehung hast, und du fragst dich, ob es deine Schuld ist.«

Na ja, konnte man so sagen. Aber ich sagte nur: »Wir passen gut zusammen, ich denke nur manchmal, dass die Beziehung eventuell langweilig werden könnte.« Natürlich sagte ich Paulus kein Wort davon, dass Steffen in letzter Zeit reichlich wenig Lust auf Sex hatte, er furzte kaum noch, und dass ich befürchtete, dies sei ein Zeichen, dass die Luft raus war aus unserer Beziehung.

Paulus nickte sehr zustimmend. »Es ist richtig, dass du Schuldgefühle hast, darin zeigt sich deine Weiblichkeit. Seit Eva den Apfel Adam gab, trägt jede Frau die Schuld an allem.« Bedächtig verkündete er weiter: »Wir müssen lediglich unterscheiden zwischen christlichen Frauen, sie empfinden die Unzufriedenheit mit sich selbst als gottgewollt, dagegen sind für atheistisch gesinnte Frauen Schuldgefühle genetisch bedingt.«

»Was wäre, wenn ich keine Schuldgefühle hätte?«

»Das wäre widernatürlich. Unsere Aufgabe ist es, Frauen in ihrem Schuldsein zu bestätigen. Deshalb kommen überwiegend Frauen zu uns Therapeuten.«

Ich hatte gehofft, Steffen wäre auch an was Schuld. Irgendwie platzte es aus mir heraus: »Was sagt eigentlich dein Apostel Paulus zum Thema Heiraten?«

Natürlich wusste er es auswendig: »Der Apostel Paulus schreibt im ersten Brief an die Korinther: »Wer seine Braut heiratet, handelt gut; aber wer sie nicht heiratet, handelt noch besser.« Er lächelte.

»Das sagst du nur, weil du nicht heiraten darfst als Theologe.«

»Unter meinen veränderten Berufsbedingungen steht mir die Möglichkeit offen, jederzeit zu heiraten.«

Es ärgerte mich, dass er tat, als wäre Heiraten so einfach.

»Aber du hast keine Freundin.«

»Du hast sie bereits kennen gelernt, sie sitzt draußen.«

»Und heiratet ihr?«

»Sie ist bereits verheiratet. Für mich ist das kein Problem. Eine verheiratete Frau stellt keine finanziellen Ansprüche an mich und viel weniger emotionale Ansprüche, in diesem Sinn ist auch die Empfehlung des Apostels Paulus zu verstehen.«

»Aber das ist Ehebruch.« Darauf steht Selbstmord – jedenfalls in der Literatur.

»Vom theologischen Standpunkt muss man das differenzierter sehen: Die Ehe ist das einzige Sakrament, das nicht die Kirche verleiht. Anders als Taufe, Abendmahl, Buße, Firmung, Priesterweihe und Letzte Ölung – das sind die kirchlichen Sakramente, dagegen handelt es sich bei der Ehe lediglich um eine Abmachung zwischen Ehemann und Frau, da trägt die Kirche nicht die Verantwortung.«

Gott war immer auf Seite von Paulus. Nie auf meiner. Ich stand auf. Er brachte mich hinaus. Ich sah mir seine Freundin genauer an, sie war deutlich älter als Paulus, sicher genügte das, um genügend Schuldgefühle zu haben.

Sie wedelte mir ein Papier entgegen: »Deine Rechnung.«

»Wieso Rechnung? Wir haben uns nur unterhalten.«

Er sagte: »Es ist zu deinem Nutzen, damit dir das Gespräch was bringt. Würden Therapien nichts kosten, würden die Klienten sie nicht ernst nehmen.«

Auf der Rechnung las ich: »Erlaube ich mir zu liquidieren 50 DM.«

»Mein Kurzzeittarif für Gespräche bis zu dreißig Minuten.« Die Freundin sah mich auffordernd an, bis ich ihr die fünfzig Mark gegeben hatte.

Paulus gab mir die Hand: »Wenn du wiederkommst, könnten wir konkret auf die Bedürfnisse des Mannes, an dessen Seite du lebst, eingehen.«

Sie sagte: »Es ist hilfreich, wenn du eine Liste seiner Wünsche mitbringst.«

Ich sagte: »Vergelts Gott.«

Zu Hause saß Steffen vor dem Fernseher.

»Was guckst du?«, fragte ich.

»Fernsehen«, sagte er.

Er war schlecht drauf. Die Schüler nervten ihn, er hätte eine Mathearbeit zu schlecht bewertet. Der Direktor nervte ihn, er hätte die Mathearbeit vorher zu gut bewertet, er müsse bei jeder Klassenarbeit das gesamte Notenspektrum gleichmäßig verteilen. Steffen hatte gesagt, er hätte die Arbeit schlecht bewertet, damit die Schüler nicht faul werden.

»Apropos faul werden …«, sagte ich nach einer Weile, »bist du mit unserem Sexleben zufrieden?«

»Ja.« Kein Wort mehr.

»Gut, dass wir darüber geredet haben.«

57. Kapitel

Ich verschob das andere Thema, solang es ging. Aber irgendwann musste ich es sagen: »Ich hab wenig Geld zurzeit, wenn wir wegfahren, hab ich ein Problem.«

Und da sagte er: »Zufällig kam gestern beim Drogenstammtisch die Idee auf, mal ein paar Tage miteinander zu verbringen, mit den Kids. Die Markgrafen haben ein Wochenendhaus am Chiemsee, da können wir gratis wohnen.«

»Na prima.«

»Die Zentgrafen haben zwar keine Zeit, die müssen mit ihren Kindern nach Disney World, solange die Kinder nicht zu alt dafür sind, dafür fahren Magdalena und ihr Sohn mit. Nun hat Magdalena heute Siegfried davon erzählt, und der wollte unbedingt mit, er will Ostern nicht mit seiner Schwangeren verbringen, er sagt, er ist selbstmordgefährdet, er hat Angst, impotent zu werden. Ich muss mit Siegfried zusammen in ein Zimmerchen. Und damit ist das Haus voll. Und Siegfried ist eben auch Lehrer, der kann sich nahtlos in den Kreis integrieren und vor allem sind ab Mittwoch Ferien, und du hast erst eine Woche später frei und nur von Karfreitag bis Ostermontag.«

Wenn alles dagegen spricht und nichts dafür, kann man nichts mehr sagen. Vielen Dank für mein Verständnis.

Er sagte: »Wir sind sowieso zusammen, da muss man nicht ständig klammern.« Und: »Eigentlich ist es eine Dienstreise.«

Klammern ist schlecht. Vertrauen ist gut. Gab es die nie gesehenen Markgrafen wirklich? Heimlich sah ich im Telefonbuch nach: Alexander und Ilka Markgraf, stimmte genau. Und Magdalena war keine Gefahr. Steffen sagte: »Wenn Siegfried dabei ist, macht sie sich an Siegfried ran.«

Steffen und sein Verein wollten ganz stressfrei am späten Vormittag losfahren, ich musste früher in die Redaktion. Natürlich gabs im Wochenendhaus kein Telefon, doch Steffen würde so bald wie möglich anrufen.

Abends fing mich seine Mutter ab, er hatte schon angerufen, war gut angekommen, aber so viel Regen, er melde sich irgendwann wieder. Seine Mutter sagte nicht, dass sie mich grüßen solle. Als hätte er mich vergessen. Das Wetter fällt einem nur auf, wenn es zur eigenen Laune passt, es regnete saumäßig.

Steffens Schuld, dass ich Thomas anrief. Der hatte Ostern überhaupt nichts vor. Der war begeistert, sich mit mir zu treffen. Er hatte sich einen BMW gekauft, in Vermeerblau und fast antik, er würde mich abholen. Am Samstag bei meiner Mutter.

Meine Laune stieg wie eine Rakete.

Ich rief meine Mutter an, dass ich Ostern bei ihr verbringe und schon Karfreitag komme. Ich hatte keine Lust, in Bratengeiers Dunstkreis zu bleiben, außerdem mussten seine Eltern nicht sehen, dass die Freundin ihres Sohnes von einem anderen abgeholt wurde. Da hätten sie sich viel zu viel dabei gedacht.

Meine Mutter sagte begeistert, da könnte ich im Restaurant arbeiten, am Wochenende sei Hochbetrieb. Dann fiel ihr ein, dass ich nicht mehr ihr Alleineigentum war: »Was macht Steffen?«

»Er musste auf Dienstreise.«

»Plötzlich muss er auf Dienstreise«, sagte meine Mutter so düster, als wäre er verstorben, plötzlich.

»Ich konnte nicht mit, weil ich nicht so lange Ferien habe. Außerdem habe ich Samstag einen wichtigen Termin.«

Nichts interessierte sie weniger.

Am Karfreitagnachmittag, ich hatte alles eingepackt, da rief Steffen an. Und er sagte begeistert: »Ich ruf dich mit einem Handy an!« Es war das erste Mal, dass er mit einem Handy telefonierte, und das erste Mal, dass ich mit einem Handy angerufen wurde. Das Handy gehörte Herrn Markgraf, der erklärt hatte »Handy« sei ein schwäbisches Wort, nämlich der Anfang der Frage »Hän di denn koi Schnur?« Ansonsten immer noch Regen, viele Diskussionen, vor allem mit Siegfried und Magdalena. Steffen lachte: »Magdalena macht uns fertig«, dann wurde er ernst: »Siegfried will dich jetzt um einen Gefallen bitten.«

Im Hintergrund Gelächter und Gekreische von zwei Jungs, dann Siegfrieds tragische Stimme: »Hallo du, es ist so, die Sisi sitzt allein zu Hause, du hast ja von ihrer schwierigen Situation gehört, und wir dachten, du könntest dich um sie ein bisschen kümmern, du hast frei und Sisi kann sich nicht allein beschäftigen, Sisi ist unheimlich lieb und ein Gespräch von Frau zu Frau ist auch für dich interessant ...«

»Ich hab keine Zeit«, unterbrach ich, »ich helfe meiner Mutter im Restaurant.«

Ohne Antwort gab er das Handy Steffen, quatschte auf Steffen ein, dann sprach wieder Steffen: »Es ist so, wir haben Sisi schon versprochen, dass du sie treffen willst. Nimm sie einfach mit, die kann auch deiner Mutter helfen, hast du auch Unterhaltung.«

Unterhaltung?! Ein siebzehnjähriges schwangeres Ex-Aktmodell Gassi führen, das bei unserer bisher einzigen Begegnung kein Wort mit mir gesprochen hatte?

»Mach bitte keine Probleme«, seufzte Steffen, »bitte sei nett zu Sisi.«

Und Steffen musste aufhören zu telefonieren, weil es so teuer war, mit Handy zu telefonieren.

Und Sisi rief an. Ihr war so langweilig. Sie hatte nichts zu essen. Sie hatte sich einen süßen Plüschhasen kaufen wollen, aber sie hatte kein Geld.

Sie ging mir auf die Nerven, ich wollte sie so schnell wie möglich loswerden. Ich sagte ihr, dass ich jetzt ins Restaurant meiner Mutter fahre, dass sie bestimmt dort jobben könnte.

Ihr Vater hätte aber gesagt, eine Schwangere bekommt keinen Job, und ob sie bei uns was zu essen bekäme?

Wir einigten uns schließlich, dass wir uns in einer Stunde an der Bushaltestelle am Stadttor treffen, das war bei ihr in der Nähe, ich musste da umsteigen.

»Fröhliche Ostern, ihr lieben Bratengeiers, ich bin weg bis nach Ostern!« Stellten sie sich tot oder waren sie es? Egal.

Weil es gerade nicht regnete, kam Sisi nicht mit dem Bus, sondern mit dem Rad. Ihr Modellbusen war noch praller geworden, sie trug ein weißes Top mit großen schwarzen Sternen. Jede Titte wie ein Fußball. Ihr Bauch in Jeans wirkte nicht so schwanger. Sie sah mich an, wie man jemand ansieht, den man nicht kennt, aber froh ist, die Person gefunden zu haben, die sich um einen kümmern muss. Ich kannte diesen Blick von meinen Touristinnen.

Sie sagte: »Sigi sagt, Rad fahren ist ideal für Schwangere. Hast du auch Kinder?«

Ich schüttelte nur den Kopf.

»Seit die mit der Magdalena und der dürren Tusse wegge-fahren sind, hab ich nichts gegessen. Nur Erdnüsse.«

»Dürre Tusse?«

»Die Ilka-Kuh.«

»Und ihr Mann Alexander?«

»Für mich ist das kein Mann.«

Ich bewunderte heimlich die männererfahrene Sisibett, wagte dann doch zu fragen: »Warum?«

Sisi sagte verächtlich: »Der Alex von der Ilka-Kuh ist erst vierzehn.«

»Hat die sonst keinen Mann?«

»Sigi sagt, er würde Ilka nicht mit der Beißzange anfassen, die hat nur Geld wie Stroh, sonst nix. Sigi ist nur Steffen zuliebe mitgefahren, damit die Magdalena beschäftigt ist. Steffen hat vorher gesagt, ich soll dir nichts sagen, du wärst so eifersüchtig, es wäre aber gar nichts dabei. Sigi hat mir gesagt, ich würde das sowieso nicht verstehen, deshalb soll ich gar nicht drüber reden.«

Scheiße, sagte ich lautlos.

Der Bus kam, der Busfahrer brüllte Sisi an, das Fahrrad käme nicht in den Bus, weil ein Kinderwagen drin war, und wenn ich mit will, dann dalli. Weil ich nicht sofort reinsprang, ging flapp die Tür zu.

Ach so war das. Die Tusse hatten ihren Sohn ins Telefonbuch eintragen lassen, ihn an erster Stelle, damit man sie für ver-heiratet hält. Manche Frauen schrecken vor nichts zurück, um sich wichtig zu machen. Ach so.

Als könnte sie Gedanken lesen, sagte Sisi: »Ilka-Kuh trug so 'nen schwarzen Tanga.«

Mir platzte der Kragen: »Du willst mir nicht erzählen, dass sie im Tanga kam.«

»Sie trug 'nen weißen Faltenrock drüber, total durchsichtig, von vorn hab ich den schwarzen Slip genau gesehen, hinten war nichts. Also wars ein Tanga.« Sisi überlegte: »Vielleicht hat sie auch nichts drunter, die Sau, und sich die Schamhaare schwarz gefärbt. Die auf dem Kopf hat sie rot gefärbt.«

Scheiße. Scheiße.

»Männer wollen ihren Spaß haben, das müssen Frauen akzeptieren.«

Braves Mädchen, plappert alles nach, was Männchen erzählt.

»Und die Magdalena trug ganz enge schwarze Lederjeans, die gleichen, die ich habe, aber die hat keinen Arsch.« Nun erinnerte sich Sisi an ihren Auftrag, guckte erschrocken: »Verrat nicht, was ich dir erzählt habe.«

Scheiße. Scheiße. Scheiße.

Steffen betrügt mich. Oder übertrieb Sisi, sah schwarze Tangas, wo andere weiße Faltenröcke sahen? War ja möglich, dass auch Steffen diese Ilka nicht mit der Beißzange anfasste. Aber mit seinem Dosenöffner?

Ich war mit dem Bus viel schneller als Sisi mit dem Rad. Genug Zeit, meiner Mutter zu erklären, dass eine gewisse Sisi bei ihr über Ostern jobben könnte. Ich sagte nicht, dass Sisi schwanger war, verschwieg auch, dass Sisi nichts gelernt hatte, außer nackt stillzuhalten. Ich sagte nur: »Sie ist die Freundin eines Kollegen von Steffen.« Und dann: »Ich muss morgen weg. In der Zwischenzeit hat sich herausgestellt, dass ich möglicherweise sogar übernachte.«

»Mit wem?«

»Kennst du nicht.« Keine Täterbeschreibung, kein Schuldbekenntnis.

Misstrauen erschien auf ihrem Gesicht. »Hat Steffen nichts dagegen?«

»Nein. Weil er es nicht weiß. Und er wird es nicht wissen.«

Meine Mutter sah mich an, als wäre ich eine unbekannte Sorte Frau.

»Sollte Steffen hier anrufen, sag ihm, ich verstecke gerade Ostereier, oder sonst was Passendes.«

Meine Mutter guckte nun, als hätte sie schon von solchen Frauen gehört. »Findest du das richtig?«, entrüstete sie sich.

»Frauen wollen eben ihren Spaß haben.« Als Mutter war sie verpflichtet, sich mit mir zu solidarisieren. Sie glaubte doch auch, dass Steffen fremdging. Solidarität bedeutet nicht Mitleid, sondern Mithilfe.

Sie schüttelte missbilligend ihre vorbildliche Frisur.

»Der Mann, der mich abholt, ist standesgemäß«, sagte ich. Und sagte es so überzeugend, dass sie von da an auf meiner Seite war.

Ich fing Sisi vor dem Restaurant ab. »Sag meiner Mutter nicht, dass du erst siebzehn bist, sicher gibt es irgendwelche Arbeitsvorschriften.«

»Ich bin schon auf zweiundzwanzig geschätzt worden«, sagte sie stolz. Sie war so jung, dass sie es toll fand, älter auszusehen.

»Und sag nicht, dass du schwanger bist.«

»Aber ich bin immer ehrlich.«

Ich musste sie an ihre Interessen erinnern: »Wenn sie weiß, dass du schwanger bist, macht sie dir Vorschriften, was du als Schwangere alles nicht essen darfst.«

Das kapierte sie gern.

Als ich mit ihr reinging, kam mein Bruder aus dem Keller mit einem Karton Gläser. Als er Sisi sah, ließ er ihn fallen. Fußballermäßig hielt er einen Fuß unter den Karton, das Wunder geschah, nur ein Glas ging kaputt.

Sisi hielt ihn sofort für ein Genie. »Scherben bringen Glück«, strahlte sie.

Er starrte auf Sisis fußballgroße Titten, als wäre sie die Glücksfee persönlich.

Meine Mutter war weniger angetan von Sisi. Keine Bedienung in Jeans und T-Shirt. Sisi fragte aber sofort brav, ob eine weiße Bluse und ein schwarzer Rock richtig seien. Ja, das war richtig. Und bitte morgen die Haare hochstecken, damit kein Haar ins Essen hängt. Ja, selbstverständlich. Und sie würde einen angemessen Stundenlohn bekommen. Und wenn sie schon heute Zeit hätte, könnte sie gleich Malte helfen.

Gern.

»Ist was vom Mittagessen übrig?«, fragte ich in Sisis Namen. In einem Restaurant ist immer was übrig. Jede Menge Karfreitagsfisch mit feinsten Beilagen. Mein Bruder brachte ihr alkoholfreies Bier, sagte endlos witzig: »Alkoholfreies Bier ist rausgeschmissenes Geld«, aber im Dienst kein Alkohol. Oh nein, Alkohol wollte sie sowieso nicht. Sie aß für zwei, verkniff sich aber das Schwangerschaftsalibi.

Ich ging zum Telefonieren rüber in die Wohnung, Thomas hatte nicht nur morgen Zeit. Zurück im Restaurant, setzte ich mich zu Sisi, sagte beiläufig, dass ich während der Feiertage mal wegfahre um ein Interview für die Zeitung zu machen, es interessierte sie nicht.

Mein Bruder brachte Sisi drei Sorten Dessert. Sisi strahlte bezaubernd.

Meine Mutter begleitete mich hinaus, flüsterte im Vorraum verschwörerisch: »Steffens Kollege hat eine sehr junge Freundin.« Sie zögerte, als überlege sie, ob ich zu alt bin für Steffen, sagte aber nur: »Du kannst auf dem Speicher meine alte Sommergarderobe durchsehen. Nimm mit, was du brauchen kannst. Das passt mir alles nicht mehr, ich muss alles neu kaufen.« Zum Abschied ein sorgenvoller Blick – kann ihre Tochter im Konkurrenzkampf um die Männer bestehen?

Und ich sagte noch: »Sag Malte nicht, dass ich mit jemand weg bin. Und auf gar keinen Fall darf es diese Sisi erfahren. Sie tratscht. Sisi ist gefährlich.« Ich sagte es lachend, denn ich ahnte nicht, wie gefährlich Sisi ist.

58. Kapitel

Thomas taxierte mich, als müsste er eine Expertise über mich schreiben: »Als wärst du beim Restaurator gewesen.«
Ich trug ein Kleid, das ich gestern Abend auf dem Speicher bei den zu engen und zu unaktuellen Klamotten meiner Mutter gefunden hatte, vorn zwei Reihen Goldknöpfe von oben bis unten, passte tadellos und war herrlich himbeerrot.
Der Herr Kunstexperte sah auch besser aus als ich ihn in Erinnerung hatte. Thomas ist einiges kleiner als Steffen, aber nicht zu klein, seine braunen Augen strahlten. Und er sagte: »Warum trägst du keine Brille?«
Was soll man dazu sagen? Wir lachten nur.
Thomas ging allein mit meiner Reisetasche und fuhr weg. Fünf Minuten später ging ich mit einer harmlosen Handtasche. Sein BMW parkte mittlerweile in der nächsten Seitenstraße.
Wir hatten kein Ziel. Thomas sagte: »Selbstverständlich werden wir im Hotel übernachten, man muss die Tradition pflegen. Und ich lade dich ein.«
Was soll man dazu sagen? »Danke.«
Wir fuhren den Neckar entlang, kamen durch ein Dorf, das einen Unser-Dorf-soll-schöner-werden-Wettbewerb gewonnen hatte, beschlossen, dieses Dorf durch unsere Anwesenheit weiter zu verschönern.
Als erfahrene Touristenführer ließen wir uns die Zimmer vorher zeigen. Im ersten Zimmer standen die Betten über

Eck, nein danke, im zweiten an gegenüberliegenden Wänden, kein Kommentar. Im dritten ein solides Ehebett und alles rot-weiß kariert, okay. Sogar mit Fernseher. Weil es wild regnete, konnte niemand von uns Spaziergänge erwarten, wir konnten gleich fernsehen. Hier gab es keine Pornofilme, wir sahen Tierfilme. Wir vögelten – nein, nicht wie die Vögel, dieses Geflatter ist zu hektisch. Trotzdem sagte Thomas: »Nett hier, in unserem Vögelhäuschen.«

Die Schnecken machen es sehr schön, aufrecht aneinander geklebt, endlos knutschend, und tasten sich dabei mit ihren Fühlern ab.

»Warum tun wir das?«, fragte ich mich, und gleichzeitig Thomas, und die Stimmen der Vernunft und die der Leidenschaft.

»Nachholbedarf«, erklärte Thomas. Er hatte seit London zwar Angebote zu sexuellen Aktivitäten bekommen, besonders von einer eleganten Erbin, die ihn schon zweimal zu sich bestellt hatte, zwecks Begutachtung ihrer ererbten Kunstwerke, aber ihn hatte nur die Kunst interessiert. »Du hast keinen Nachholbedarf«, sagte Thomas, »warum du?«

Wäre ich auch vor Sisis Offenbarung dazu bereit gewesen? Waren es dunkle Begierden, die mich zu Thomas trieben? Oder die Langeweile mit Steffen, der sich unter dunklen Begierden nur Sex ohne Licht vorstellen konnte? Der einfachste Grund: »Steffen ist auf Dienstreise, zwecks Fortbildung. Also ist es nur gerecht, wenn ich das Gleiche mache. Tun wirs für die Fortbildung.«

Thomas fand das völlig okay. »Meine Touristen in London gingen auch zur Fortbildung ins Puff. Das Motto ist: Am meisten lernt man aus praktischen Vergleichen.«

Fortbildungsfick.

Mein erstes Ergebnis des Vergleichs: »Du kannst beim Vögeln sprechen, das ist besser. Steffen macht es wie ein Fisch, stumm und bewegt nur den Schwanz.« Thomas sagte nichts à la

»Ich stecke meine vibrierende Wünschelrute in dein Honig-töpfchen« oder »Ich necke deine Nippel mit meinem stram-men Tippel« – wie in den Pornofilmen, die wir in London gesehen hatten und nie die Texte übersetzen konnten, ohne vor Lachen zu platzen. Sein Teil hieß schlicht Schwanz, meins Muschel oder Möse. Ich habe nichts gegen das Wort Möse, wahrscheinlich kommt es von Mörser, ein Gefäß, in dem harte Substanzen zerstoßen werden – passt doch ideal. Und zu jedem Mörser gehört ein Stößel. Also den Stößel ins Mösel.

Wenn Thomas flüsterte: »Ich komm, komm mit mir«, dauerte es noch lang genug, um bei seinen heftigsten Stößen besonders mitzugehen – mit Vorankündigung kann ich aus Solidarität zum Orgasmus kommen. Das war bedeutend besser als Stef-fens ewige 1:0-Spiele.

Wie es sich für Fortbildung gehört, unterhielten wir uns hinterher über theoretische Aspekte. Thomas sagte: »Ich hab im ›Spiegel‹ gelesen, es sei das Eheproblem Nr. 1, dass Frauen über ihre Gefühle reden wollen, aber Männer darüber schwei-gen.«

Hatte ich in jeder Frauenzeitschrift gelesen. »Frauen wollen über ihre Gefühle reden, weil sie glauben, dass sie dadurch die Männer ändern können. Männer wollen nicht darüber reden, weil Männer sich nicht ändern wollen.«

»Willst du mit Steffen darüber reden?«

Würde ich Steffen erzählen, wie ich diesen Tag verbracht hatte und den morgigen und den übermorgigen, wäre alles aus. Reden ist Silber, Schweigen ist Gold – wenn man Silber heißt, hat man diesen Spruch zu oft gehört. Außerdem ist er falsch: »Auch Silber kann schweigen.«

»Ostern ist das Fest der Auferstehung«, flüsterte ich Thomas am nächsten Morgen ins Ohr. Merkwürdig, dass sein Schwanz immer vor ihm wach war, als hätte er ein Eigenleben.

»Angenehm, wenn man geweckt wird durch einen auf einem liegenden tonnenschweren geliebten Fremdkörper.«

»Erst frühstücken, oder?«

Erst das Nächstliegende.

Zum Osterfrühstück gab es Ostereier, man durfte sie mitnehmen. Herrlich, wie es regnete, man musste sie im Zimmer verstecken. Er versteckte zwei Eier in den Achselhöhlen. Ich fand sie ewig nicht. Mein Lippenstift eignete sich hervorragend, um seine Eier zu bemalen.

Thomas hatte mal gelesen, dass ein Mann einer Frau ein Ei in die Möse schob und dann ging es nicht mehr raus. Ein Arzt musste es rausfummeln. Aber ich hatte gelesen, dass sich eine Frau zur Selbstbelustigung zwei Golfbälle reinschob. Nach dem Orgasmus, als sie sich entspannte, rutschten sie, plopp, wieder raus. Andererseits war mir einst an einem Tampon das Bändchen abgerissen, es hatte ewig gedauert, bis ich das Ding rausgefummelt hatte. Allerdings ist ein schlaffes Tampon nicht mit einem glatten Ei vergleichbar. Wir probierten es trotzdem nicht aus.

Obwohl es immer noch regnete und wir Muskelkater in den Oberschenkeln hatten, gingen wir spazieren und unterhielten uns zur Abwechslung über Kunst. Im Kunsthandel hat man jeden Tag die Chance der großen Entdeckung: Ständig wurden Thomas Cézannes präsentiert, schließlich gehört Cézanne seit über fünfzig Jahren zu den höchstbezahlten Künstlern, und seit über fünfzig Jahren lernen Kunststudenten zu malen wie Cézanne, da kommt was an Cézannes zusammen.

Aber wehe, ein Auktionshaus verkauft einen falschen Cézanne als echten. Das ruiniert den Ruf, abgesehen von Schadensersatzforderungen. Hält dagegen ein Experte einen echten für falsch und der wird dann viel zu billig angeboten, ist der Ruf des Experten auch ruiniert.

»Es kann ja sein, dass du eines Tages wirklich einen echten findest.«

»Aber werd ich ihn dann erkennen?« Pessimistisch wie immer klagte er weiter: »Es ist wie mit der Liebe, es gibt viel mehr falsche als echte.«

»Aber man darf hoffen.«

Zurück im Hotel, kam er auf meine Probleme zurück. »Zeig mir, wie es Steffen macht.«

Ich zeigte es ihm: »Du bist ich, du musst Schlafpuppe spielen: hinlegen, Augen zu, abwarten bis zum Klingeln.« Und ich, als wäre ich Steffen, machte nur so ein bisschen hin und her wie eine Zickzack-Nähmaschine.

»Ist das alles?«, staunte Thomas, »vielleicht ist er nekrophil und treibts am liebsten mit Leichen.« Er lachte. »Und wenn du bei ihm oben liegst?«

»Dann bewegt er sich noch weniger. Ich kann nicht alles allein machen, zu anstrengend. Ich bin keine Leistungssportlerin. Ich kann nicht so viel Liegestütze.«

»Warum erklärst du ihm nicht, er soll dich am Po festhalten und dich vor und zurück schieben. Und rauf und runter drücken. Als Sportlehrer muss er Hilfestellungen geben.«

»Ich werds ihm ausrichten.«

Noch eine wichtige Erkenntnis meiner Fortbildung: Man bekommt den Orgasmus nicht geschenkt, wenn man nur geduldig abwartet. Ein Orgasmus ist eine eigene Leistung und deshalb ist man genauso stolz darauf, wie ein Mann drauf stolz ist.

Am Ostermontag auf der Heimfahrt kamen wir an einem Osterflohmarkt vorbei. Thomas' Chance des Tages, den echten Cézanne zu finden. Wir gingen unter einem Schirm, eng umschlungen, herrlich dieser Regen. Ich entdeckte ein Glas, fast wie mein rotes, das ich Steffen zu Weihnachten geschenkt hatte, nur war dieses grün. Und auf meinem stand »Werde glücklich«, auf diesem stand nichts.

»Ein altes Überfangglas«, sagte Thomas, »über farblosem Glas ist eine Schicht grünes Glas, aus dem wird das Muster rausgeschliffen.«

Der Mann am Stand erklärte, das Glas koste 150 Mark.

»Nein«, sagte Thomas. Er sagte mehrmals nein, dann kostete es 110 Mark.

»Wieso hast du dieses Glas gekauft?«, fragte ich hinterher.

»Weil es schön ist, weil es günstig war, weil ich auch so ein Glas will, vielleicht können wir eines Tages damit anstoßen, du mit deinem roten und ich mit meinem grünen.«

Ich sagte nicht, dass es nun Steffen gehörte, gefühlsmäßig war es sowieso unser Glas. »Du solltest eigentlich das rote haben, dieses Ampelgrün passt nicht zu einem Neinsager. Wärst du Adam gewesen und Eva hätte dir den Apfel angeboten, du hättest Nein gesagt.«

»Hätte ich Lust auf Apfel gehabt, hätte ich es wie Adam gemacht, den Apfel gegessen und die Schuld auf Eva geschoben.«

»Weißt du, warum Adam nicht schuldig ist? Hat er Gott überzeugt, dass er unzurechnungsfähig ist?«

»Er hat Gott überzeugt, dass er nie Schuldgefühle hat.«

Plötzlich zahlte Thomas 50 Mark für zwei Bilder, gleich groß, mit gleichen Rahmen, überreichte mir eins. Darauf hinter Glas nur ein Wort, mit matt gewordenem Goldfaden auf fein gelöchertem Karton gestickt, das Wort war »vergeben«.

»Das schenk ich dir, das andere ist für mich.« Auf dem stand: »geholfen«. Und erklärte, echt Kunstexperte, dass es Volkskunst war, Mitte 19. Jahrhundert, die gestanzten Karten gabs billig zum Aussticken. Und ursprünglich waren es vier Bilder, auf dem fehlenden ersten stand »Jesus hat«, das zweite ist »vergeben«, auf dem fehlenden dritten »Maria hat« und dann »geholfen«.

»Wem soll ich vergeben?«

»Dir selbst. Vergib dir alles, was Schuldgefühle macht.«

»Danke, Herr Schuldexperte. Du hast mir sehr geholfen.«

Er lachte: »Ich will das ›geholfen‹ zur Erinnerung an die Tatsache, dass nur ich selbst mir helfen kann.«

Kurz vor meinem sogenannten Mutterhaus überfiel mich das bevorstehende Problem: »Wenn Steffen genau wissen will, was ich über Ostern gemacht habe, ich hab kein Alibi.«
»Nur Schuldige brauchen ein Alibi. Man braucht keinen Zeugen dafür, dass man allein im Bett lag.«
Wir verabschiedeten uns eine Ecke vor dem Zwitscherbaum. Es war schon dunkel, niemand sah uns.
Zum Abschied ein Geständnis: »Ich hab den Schlangenring von dir nicht mehr. Nachdem du London verlassen hast, habe ich ihn in die Themse geworfen. Ich weiß nicht warum.«
Aber Thomas sagte: »Du hast gewusst, du wirst eines Tages einen besseren bekommen.«

59. Kapitel

Ich ging ins Restaurant, meine Mutter überfiel mich, sie müsse sofort mit mir reden. »Sisi ist seit Samstag hier! Sie hat heimlich bei Malte übernachtet, aber ich habe sie die ganze Nacht gehört.«
Hoppla. Alle Achtung, Sisibett. Ich sagte aber nichts.
Meine Mutter rechnete bereits mit dem größtmöglichen anzunehmenden Unfall: »Stell dir vor, sie wird schwanger.«
»Nicht von Malte.«
»Was soll das heißen?«
Um ihre Nerven zu schonen, sagte ich: »Die ist schon länger mit ihrem Sigi zusammen, da wird sie die Pille nehmen.«
»Sie betrügt ihren Freund. Und es ist nicht richtig gegenüber Malte!«
Als wär das mein Problem. »Hat Steffen angerufen?«

»Ja. Ich sagte, es wär alles in Ordnung, und du wärst auf dem Speicher. Er hat auch nach Sisi gefragt. Ich hab ihm gesagt, dass Sisi mit Freude bei der Sache ist. Sogar Maître Moser ist von ihr angetan. Ich hab ihr zwei weiße Blusen von mir gegeben, so altmodisch weit geschnittene, sie haben ihr knapp gepasst, bei ihrer Oberweite.« Dann brach es aus ihr heraus: »Wie denkt sie sich das mit Malte?«

»Sisi denkt nicht. Sisi ist bauchgesteuert.«

Meine Mutter tat, als sei sie nicht von diesem Planeten, auf dem sogar Frauen Fortbildung machen. Sie seufzte: »Morgen ist Ruhetag, da kann ich in Ruhe über alles nachdenken.«

Hervorragend. Wenn sich Sisibett bei Malte im Bett versteckt hatte, war es ihre Schuld, dass sie mich nicht gesehen hatte.

Froh ging ich zum Bus, da rannte Sisi aus dem Restaurant: »Ich hab dich die ganze Zeit gesucht.«

Ich sagte sehr cool: »Ich weiß, warum du mich nicht gefunden hast.«

Sie tat, als täts ihr Leid: »Ich war allein und wollte nur kuscheln.« Fehlte nur, dass sie niedlich am Daumen nuckelte und erklärte, sie hätte Malte verwechselt mit einem Plüschtier. »Du verrätst Sigi nichts, gell?«

Ich musste dringend gehen, um den letzten Bus nicht zu verpassen. An Feiertagen fahren Busse nicht so lang, weil Menschen, die kein Auto haben, nicht so lang feiern sollen. Ich sagte nur: »Von mir erfährt niemand was.«

»Finde ich unheimlich lieb, wir Frauen müssen zusammenhalten. Schließlich bin ich ja schwanger. Tschüs, Tilla.« Aus Dankbarkeit erinnerte sie sich sogar an meinen Namen.

War Sisi jetzt meine Komplizin? Waren wir ein Frauenselbsthilfeverein, dessen Vereinszweck es ist, vor Männern geheim zu halten, dass wir dasselbe tun wie sie?

Ich erschrak grausam, als ich Bratengeiers Haustür öffnete:

Die Bratengeierin stand hinter der Tür. »Steffen hat angerufen, er kommt schon morgen zurück.«

»Warum denn?«

»Er war so im Stress, er hatte keine Zeit, alles zu erklären.«

60. Kapitel

Als ich Dienstagabend aus der Redaktion kam, stand ein opaalter Opel Kapitän vor dem Haus, Siegfried hatte Steffen zurückgebracht, sie waren soeben angekommen. Schlechte Laune lag in der Luft. Steffens Mutter huschte herum, brachte unter üblichem Gegacker ihrem Kind Futter.

Ich trug das rote Kleid mit den endlosen Goldknöpfen: »Ich hab die Feiertage über nur Knöpfe angenäht, mussten alle enger versetzt werden.«

Steffen fand das Kleid toll, glaubte die Story, was mich heimlich ärgerte, ich hasse Knöpfeannähen. Er stöhnte: »Wir hatten nur Stress wegen Siegfrieds Weiberproblemen.«

»Deine Ilka hat viel mehr genervt mit ihren Problemlösungen.«

»Das ist nicht meine Ilka«, sagte Steffen sehr gereizt. Und murmelte was Nichtssagendes, »die anderen« wären am Chiemsee geblieben.

»Ist was schief gelaufen?«, fragte ich freundlich.

»Ich bin Ästhet«, klagte Siegfried, »und Magdalena hat keinen Arsch und Beine wie ein Schlauchboot.« Er zischte Steffen zu: »Du weißt gar nicht, was ich für dich gelitten habe.« Dann rief er bei sich an, Sisi war nicht da.

Ich ahnte, wo sie war. »Ich ruf bei meiner Mutter an, sie ist wahrscheinlich dort, auch wenn heute Ruhetag ist, gibts was zu tun.«

Ja, sie war dort, und eben hätte sie gequiekt wie ein Ferkel, flüsterte meine Mutter, was nach den Erfahrungen der vergangenen Nächte bedeute, dass jetzt bald Ruhe sei.

Lächelnd rief ich Siegfried zu: »Sie kommt gleich, sie ruft dann hier an.«

»Schönen Gruß an Freya«, rief Steffen.

Die flüsterte: »Er hat nichts gemerkt?«

»Es ist alles in Ordnung.«

Nach einer Dreiviertelstunde hatte Sisi nicht angerufen. Siegfried drängelte. Ich musste nachfragen.

»Sie will nicht ans Telefon«, flüsterte meine Mutter, »sie hat Angst vor diesem Siegfried.«

»Dann kommt Siegfried sie abholen.«

»Werds ausrichten. Mir schwant Ärger.«

Mir auch.

Siegfried schimpfte: »Wie krieg ich die Alte je wieder los? Ich weiß nicht, ob ich bei der je wieder einen hochkriege.«

»Ich kanns nicht mehr hören«, sagte Steffen.

Das Telefon klingelte, Steffen ging ran, meine Mutter teilte mit, dass Malte Sisi herfährt. Sie waren bereits unterwegs. Steffen machte etwas mühsam Konversation mit meiner Mutter, man sei früher zurückgekommen, weil die Dienstreise nicht den Erwartungen entsprochen hätte. Und dieser Regen.

Dann kam Sisi. Und Malte stand neben ihr.

Siegfried rief: »Meine Fresse, du bist noch fetter geworden.«

Sisis Begrüßung war noch besser: »Hallo Sigi, ich wollte dir sagen, ich will jetzt mit Malte zusammen sein, bei dem kann ich Geld verdienen und er ist viel besser im Bett.«

Hier schreibt man als Journalist »Die Bombe war geplatzt«, aber eine Bombe erzeugt Lärm. Sisis Offenbarung erzeugte Stille, mindestens drei Sekunden. Sisi guckte mutig, als sei sie nur der Wahrheit verpflichtet.

Malte grinste wie üblich schlau.

Steffen guckte aus dem Fenster.

Siegfried brüllte die typischen Fragen eines Sensationsreporters: »Wer? Wo? Was?«

Steffen murmelte: »Sollen wir alle gemeinsam sagen? Achtung-Eins-Zwei-Drei: Er ist besser im Bett.«

Das Geschrei begann: »Was fällt dir ein, meine Muse zu ficken?«

Malte begriff nicht, dass die Frage an ihn ging. Er grinste immer noch schlau.

»Was hast du dir dabei gedacht?« Siegfried packte Malte am Arm.

So schwierige Fragen kann Malte nicht beantworten. Außerdem hat er Angst vor Lehrern. Aber er gibt niemals zu, dass er was nicht weiß, er sagte wie üblich schlaumeierisch: »Sag ich nicht.«

Das war Siegfried zu viel – oder zu wenig, er griff Malte an den Hals, haute ihm mit der anderen Hand aufs Auge.

Sisi quietschte wie ein verängstigtes Plüschtier.

Malte kickte und traf. Siegfried brüllte »aua« und »du Arsch«, hielt seine Hand auf seinen Pimmel. Weil er sich an Malte nicht mehr rantraute, brüllte er mich an: »Du solltest auf sie aufpassen!«

Da quietschte Sisi: »Ich konnte nicht heimfahren, weil es so geregnet hat. Du hast gesagt, ich soll mit dem Rad fahren, um Geld zu sparen. Und Tilla war die ganze Zeit weg, sogar nachts, sie konnte gar nicht aufpassen. Tilla hat versprochen, nichts zu verraten, aber ich will nicht lügen.«

Sisis Bauch hatte wieder zugeschlagen. Sie lieferte sich selbst ans Messer und mich dazu – Frauen müssen zusammen untergehn.

Steffen öffnete den Mund zur Frage Und-wo-hat-Tilla-geschlafen?

Ich sagte cool: »Ich wollte dich nicht sehen, weil ich genug von dir gehört habe, dein Gequieke. Du willst nur ablenken. Es geht hier um die Frage, wer besser im Bett ist.«

»Du bist völlig versaut, und das mit siebzehn«, brüllte Siegfried Sisibett an. »Sonst hast du nichts im Kopf.«

»Sonst hab ich nichts von dir gelernt«, quietschte Sisibett.

»Du sagst doch immer: Dumm fickt gut.«

Ja, alles, was Sisi sagte, war die Wahrheit.

»Wenn du das überall rumerzählst«, brüllte Siegfried, »werde ich dir das Sorgerecht entziehen lassen.«

Es war Malte nicht anzusehen, ob er wusste, dass Sisi schwanger ist, oder nicht wusste, was Sorgerecht bedeutet.

Siegfried beendete den Auftritt, brüllte: »Du kommst jetzt mit«, und führte Sisi ab.

Malte musste allein zurück.

»Ich will nicht stören«, gackerte Frau Bratengeier.

»Du störst aber, raus jetzt!«

Wunderbar. Alle waren rausgeflogen außer mir. Hätte leicht andersrum enden können.

Im Bett robbte sich Steffen auf mich. Plötzlich gab er sich mehr Mühe. Und ich zeigte ihm, wie sich die Mühe lohnt. War er vielleicht doch nicht fremdgegangen? Zählt bereits der Wunsch oder erst die Tat? Oder zählt die Tat erst, wenn dabei der Wunsch nach Wiederholung entsteht? Meine Meinung: Die Tat zählt erst, wenn sie entdeckt ist.

61. Kapitel

Weil Weihrauch was Besseres vorhatte, durfte ich zum Informationsabend einer Winzergenossenschaft.

Statt Wein schreibt man als Journalist »Gottesgeschenk in Flaschen«, »Lebenselixier«, »Kehlenschmeichler«, »der Trunk aus Reben«, »sonnengereifter, gesunder Genuss«, »das Dionysos geweihte Getränk«, »Bacchus' Gabe«, »berauschender Rebensaft«, »flüssige Kostbarkeit«. Man zitiert »im Wein liegt Wahrheit«, und »Wein, Weib und Gesang«, und »Rotwein ist für alte Knaben eine von den besten Gaben«. Und Wein schmeckt nicht, er »mundet«, wird nicht getrunken, sondern »kredenzt« und »verköstigt«. Man darf nur nicht schreiben, dass der Wein zum Weinen war.

Sogar Weihrauch fiel kein weiteres Synonym ein. Er schob mir ein Mitteilungsblatt der Uni hin: »Das können Sie auch machen.«

Frau Prof. Dr. Antonia Fürhaupt, berühmte Biologin und Verhaltensforscherin, wurde demnächst siebzig. Sie war die erste Professorin unserer Uni gewesen, hatte vorher in England gelehrt, viele wissenschaftliche Auszeichnungen. Ihr Forschungsgebiet war Biologie der Sexualität.

Weihrauch sagte: »Eine berüchtigte Emanze. Wir müssen was über die schreiben, sonst bekommen wir böse Brieflein von akademischen Kaffeekränzchen. Interviewen Sie die Dame, der macht es nichts aus, wenn eine Frau kommt.«

Sie war sofort selbst am Apparat.

»Frau Professorin …«

»Professorin ist falsch als Anrede«, unterbrach sie mich, »es heißt auch bei Frauen Professor.«

»Danke, Frau Professor Doktor …«

»Bei Professoren lässt man den Doktortitel in der Anrede weg.«

»Danke, Frau Professor Fürhaupt.« Pause. Aha, ich durfte weiterreden. »Ich las im Hochschulreport, dass Ihr letztes Buch vom biologischen Unterschied zwischen Männern und Frauen handelt. Darüber würden wir gern schreiben. Kann ich Sie zu einem Gespräch treffen?«

»Kann ich Ihnen auch am Telefon sagen: Von einer Ausnahme abgesehen, ist es das Weibchen, das die Kinder gebärt. Sonst gibt es keine biologischen Unterschiede.«

Was für eine Art Emanze war das? Vorsichtig fragte ich: »Mei-

238

nen Sie, es gibt sonst keine Unterschiede zwischen Männern und Frauen?«

»Keine biologischen.«

»Kennen Sie sonst Unterschiede?«

Sie wurde etwas freundlicher und sagte, ich könnte morgen Nachmittag zu ihr kommen.

Sie wohnte im vornehmen Vorort, in einer kleinen Jugendstilvilla, ringsum verwilderter Garten. An der Haustür als Türklopfer ein Frauenkopf, der auf einen Männerkopf dotzt. Ich verstand Weihrauchs Ängste. Ich war froh, dass ich meinen dunkelgrauen Hosenanzug trug, obwohls dafür zu warm war.

Sie trug auch Dunkelgrau, Hosen selbstverständlich, sie hatte graue Haare und einen Haarschnitt, den ein Mann haben könnte, war groß wie ein Mann, sah trotzdem eindeutig weiblich aus, denn sie hatte einen großen Busen, darauf eine große antike Brosche: ein goldenes Füllhorn, in dem goldene Pfeile steckten, auf einem Pfeil oben ein Kleeblatt aus Smaragd, am nächsten ein blau emaillierter Käfer, daneben ein Totenkopf aus Elfenbein und weitere Merkwürdigkeiten.

Sie führte mich durch ein großes Zimmer, natürlich voller Bücher, in einen Wintergarten, natürlich voller Pflanzen. »Was möchten Sie trinken?« Ich entschied mich für Tee, wirkt intellektueller. Sie ging hinaus, kam gleich wieder rein.

Ich hatte seit gestern in den Winkeln meines Gedächtnisses nach versunkenen Biologiekenntnissen gegraben. »Gibt es nicht auch zwischen Männern und Frauen bei den Chromosomen einen Unterschied?«

»Keinen, der typisch weiblich oder typisch männlich ist. Frauen haben die XX-Chromosomen-Kombination, Männer XY-Chromosomen – weshalb behauptet wurde, Männer seien verkrüppelte Frauen, ihr Y sei ein kaputtes X, natürlich ein Witz. Nun im Ernst: Dieses Y-Chromosom kann nicht den

Unterschied zwischen weiblichem und männlichem Verhalten ausmachen, denn bei Vögeln haben die Weibchen die XY-Chromosomen-Kombination, trotzdem verhalten sich die Weibchen nicht wie Männchen.«

»Oder steuern die Hormone das Verhalten?«

»Bei Insekten ist das Weibchen oft größer, stärker und aktiver als das Männchen – trotz weiblicher Hormone. Es gibt auch geschlechtstypisches Verhalten bei Tieren, die gar keine Hormone haben.«

Es erschien ein sehr gut aussehender Mann, viel zu jung, um ihr Mann zu sein, er lächelte, begrüßte mich kurz, stellte eine feine Teetasse und Teekännchen und schöne Kekse vor mich und eine wunderbar geblümte Kaffeetasse und Kaffeekännchen vor die Professorin. Er sagte: »Bitte schön, meine Liebe.«

Sie sagte: »Danke, mein Lieber.« Und redete schon weiter: »Wenn man über biologische Bestimmung redet, ist das Zahlenverhältnis der Geschlechter besonders aufschlussreich. Zum Beispiel kommt bei Schlupfwespen auf tausend Weibchen nur ein Männchen. Das einzige Wespenmännchen befruchtet noch im Bauch der Wespenkönigin die ausschließlich weiblichen Eier und stirbt dann. Beim Menschen kommen auf 100 Mädchen immer 105 Jungs. Aber es sind nicht nur 5 mehr, sondern viel zu viele.«

»Sie meinen, es gibt viel zu viele Männer?«, fragte ich.

»Es gibt zwei Prinzipien der Fortpflanzung: möglichst gute Nachkommen oder möglichst viele Nachkommen. Das Verhältnis von 100 Frauen zu 105 Männern ergibt pro Schwangerschaftsintervall 100 Kinder – theoretisch, denn weder Zwillinge noch Totgeburten sind berücksichtigt, und vorausgesetzt, alle Frauen sind fruchtbar. Jetzt aufgepasst, wollte die Natur bei Menschen möglichst viele Nachkommen, wäre das Zahlenverhältnis der Geschlechter ganz anders: dann gäbe es viel weniger Männer, aber viel mehr Frauen, denn dadurch viel mehr Kinder. Kämen auf 100 Frauen statt 105 Männer nur 5 Männer, gäbe es immer bei der gleichen Anzahl von Erwachsenen doppelt so viele Kinder. Das wäre das Fortpflanzungsprinzip der Quantität. Im Gegensatz dazu das Prinzip der Qualität, nicht möglichst viele, sondern möglichst gute Nachkommen. Aber auch das gilt beim Menschen nicht. Käme es uns auf die Verbreitung bester Erbanlagen an, auf Stärke, Klugheit, Schönheit, hätten nur die stärksten, klügsten, schönsten Männer Frauen. Bei den Zebras hat ein Hengst meist vier Stuten. Männer finden solche Harems paradiesisch, bis man ihnen klar macht, dass mindestens drei viertel der Hengste gar keine Stute haben. Und zu jedem Harem gehören auch Eunuchen.«

Was würde Weihrauch dazu sagen?

»Deshalb kommen Männer immer wieder gern mit der Theorie, Vergewaltigung sei eine natürliche Fortpflanzungstechnik. Das wird gern geglaubt. Weniger gern wird geglaubt, dass der biologische Überfluss an Männern bedeutet, dass sich Männer um den Nachwuchs zu kümmern haben, während die Frauen umherziehen auf der Suche nach dem optimalen Vater fürs nächste Kind. Und bedeutet, dass Frauen sich weigern, mit einem Mann, der nicht die optimalen Erbanlagen verkörpert, Nachwuchs zu erzeugen. Im Tierreich ist das ganz normal. Die Konsequenz in einem Satz: Der Sinn unserer menschlichen Gesellschaft ist es, dafür zu sorgen, dass sogar unattraktive Männer eine Frau abbekommen.«

Ich sah Weihrauchs Gesicht vor mir, es war finster, sehr finster.

Zu Hause versuchte ich, das Interview journalistisch aufzubereiten. Frau Professor hatte mir einige ihrer Bücher geschenkt. Es wimmelte von Fremdwörtern, die mit »gam« enden, was auf Griechisch »heiraten« bedeutet, wie in Bräutigam und polygam.

Ich stellte fest, dass für Biologen heiraten und vögeln das

Gleiche ist. Vögeln heißt auf biologisch begatten. Merkwürdig, dass Menschen es vögeln nennen. Weil Vögel jeden Wurm toll finden, jeden in den Schnabel nehmen? Ein Wurm ist natürlich ein Phallussymbol. Doch das war kein Thema für die Stadtnachrichten.

Was durfte ich schreiben? Weihrauch hatte gesagt: »Schreiben Sie über Unterschiede, aber nicht über angebliche Ungerechtigkeiten.« Also nichts Männerdiskriminierendes, Männer sind da sehr empfindlich, weil sie es nicht gewohnt sind.

Sogar Steffen sagte, Emanzipationspropaganda interessiert heute keinen Schwanz mehr. Er zitierte eine Schülerin: »Die Sache mit der Emanzipation hat sich erledigt, seit auch Männer Ohrringe tragen dürfen, ohne dafür blöd angesehen zu werden.«

Aber wenn ich eine bedeutende Journalistin werden wollte, musste ich über bedeutende Themen schreiben. Hier war endlich eins.

Aber ich wusste nicht weiter. Während Frau Richter einkaufen war, rief ich Frau Professor Fürhaupt an, mein Chef sei sehr angetan, ich solle einen langen Artikel schreiben, ob ich sie zu einem weiteren Informationsgespräch einladen dürfte in den Zwitscherbaum? So machte das Weihrauch auch, wenn er Lokalprominenz interviewte. Ja, sie hatte allerdings erst nächste Woche Zeit.

Einige Tage später schickte das Kultusministerium endlich die Stellungnahme zum Unterrichtsfach Fußballkunde. Man teilte mit:

»Eine von uns beauftragte Expertenkommission hat in einer statistisch relevanten Erhebung festgestellt, dass Schulpflichtige weiblichen Geschlechts nicht oder nur in eingeschränktem Maße fähig sind, die Komplexität dieses Mannschaftssports zu erfassen. Da das Grundgesetz die Gleichbehandlung von Männern und Frauen fordert, wäre ein Prüfungsfach, das einem Geschlecht wesensfremd ist, nicht mit dem Grundgesetz vereinbar.

Ihre Testfrage verdeutlicht die Problematik aus anderer Sicht: Ein Paso doble ist ein Tanz, was zwar von der Mehrheit der weiblichen Schulpflichtigen richtig beantwortet wurde, jedoch von der Mehrheit der männlichen Schulpflichtigen für einen Doppelpass gehalten wurde, mit dieser Testfrage würden Schulpflichtige männlichen Geschlechts benachteiligt.

Mit freundlichen Grüßen

PS: Ein Vorschlag für Ihren nächsten Aprilscherz: Statt Kunstunterricht werden Make-up-Leistungskurse eingeführt.«

Auch in Ministerien gibts Witzbolde.

62. Kapitel

»Sisi hat den Verein gewechselt«, teilte Malte meiner Mutter mit. Sisi war geflohen – zu Malte! Malte wusste, wer den Verein wechselt, ist wertvoller, dass es andere Umstände als beim Fußball gibt, verstand er nicht.

Und nun wusste meine Mutter alles: »Schwanger! Mit siebzehn!«, rief sie mit Katastrophenstimme am Telefon. »Jetzt will sie sich bei Malte einnisten.«

Läuse und Parasiten nisten sich ein. Ein befruchtetes Ei nistet sich ein in der Gebärmutter. Es war auch das richtige Wort für Sisis Lebensplanung, da war sie nun und man musste sich um sie kümmern. Meine Mutter wollte wissen, was Sisis Freund dazu sagt. Ich sollte es rausfinden.

Das war nicht so einfach, denn Steffen war stocksauer auf Siegfried. »Ruf ihn selbst an.«

Siegfrieds Wutgebrüll, kurzgefasst: Also, er hatte gedroht, Sisi wieder rauszuschmeißen, falls sie wieder in unseren Scheißladen geht. Sie hatte gesagt, sie geht sowieso, eigenes

Geld zu haben sei geil. Er hätte sie völlig sachlich darauf hingewiesen, dass sie gefälligst erst in seiner Wohnung ihren Dreck wegmachen soll, ehe sie in unserem Scheißladen dreckiges Geschirr abräumt, und ein Skandal, dass sie sich für das Geld von einem dummen Bubi …

»Du hast Recht, mein Bruder ist dumm«, unterbrach ich ihn, »aber du weißt ja: Dumm fickt gut.«

Da wollte er das Thema wechseln: »Ich bin froh, dass die Alte weg ist. Und Steffen soll sich einkriegen, seine scheiß Markgräfin hat mich angebaggert, nicht ich sie.«

»Das kannst du ihm selbst ausrichten«, ich legte auf.

Meiner Mutter richtete ich aus, Siegfried sei begeistert, dass Malte für sein künftiges Kind sorgt.

»Malte übernimmt nicht das Kind von einem andern!«

»Du musst positiv denken – Malte tut nichts, was andere für ihn tun könnten. Warum soll er ausgerechnet seine Kinder selbst machen?«

Das weitere Schimpfen und Jammern meiner Mutter kann man vergessen. Als ich ankündigte, dass ich nächste Woche mit hohem Gast bei ihr aufkreuze, auf Spesen, rächte sie sich: »Deiner Mutter kannst du nichts vormachen. Wärs auf Kosten der Zeitung, würdest du woanders hingehen.«

Kurz vor dem Treffen mit Professor Fürhaupt hatte Steffen die Idee, er könnte mitkommen in den Zwitscherbaum.

Ich wollte nicht. »Das ist kein Familienausflug, das ist ein Geschäftstermin.«

»Hältst du mich für zu blöd, an so einem Gespräch teilzunehmen? Oder hast du Angst, wenn du mit einem Mann kommst, hält sie dich für eine Verräterin eurer Emanzipation?«

»Nein. Sie hält mich für unprofessionell. Ich habe mich vorbereitet, und wenn du unvorbereitet mitredest, wirkt das, als hätte meine Vorbereitung keinen Sinn gehabt. Warum gehst du nicht zu deinem Drogenstammtisch?«

»Die Sache hat sich totgelaufen.« Er maulte weiter: »Fängst du jetzt mit Selbstverwirklichung an?«

Als ich ging, schwieg er beleidigt vor dem Fernseher.

63. Kapitel

Sie kam im giftgrünen Lederkostüm und giftgrünen Stöckelschuhen, hängende Ohrringe mit Smaragden. Reichlich auffallend für eine Frau von siebzig. Und sehr eindrucksvoll.

Meine Mutter, deren blassblaues Deshaniau-Chanel-Kostüm daneben blass aussah, rief durchs Lokal: »Tisch Nummer 1 ist für Frau Professor Fürhaupt reserviert und für meine Tochter«, obwohl sie uns selbst an den Tisch brachte. Ob es irgendwas gibt, was Frau Professor besonders gern isst? Ob es irgendwas gibt, was sie nicht isst? Ob es ein Überraschungsmenü sein darf? Und ein Aperitif?

Sie beantwortete alles mit Ja. Zu mir sagte sie: »Haben Sie sich Fragen überlegt?«

Viele Fragen. »Bei Frauen tickt eine biologische Uhr, wenn sie nicht bis zu einem gewissen Alter Kinder haben. Tickt die auch bei Tieren?«

»An dieser Frage ist alles falsch«, sagte sie gnadenlos. »Diese biologische Uhr wurde erst vor einigen Jahren erfunden. Vorher hieß es, die Überbevölkerung bedroht die Welt, Überbevölkerung sei die biologische Bombe. Deshalb wurde weltweit Geburtenkontrolle propagiert. Aber nach der biologischen Bombe wurde plötzlich die biologische Uhr entdeckt, die angeblich Kind-Kind-Kind-Kind tickt. Dass Frauen aus biologischem Zwang Kinder haben müssten, wird nun ausgerechnet in Europa propagiert, dem Teil der Welt mit der größten Bevölkerungsdichte. Daran sieht man, dass es in Wahrheit darum geht, dass Frauen heute Arbeitsplätze haben, die auch Männer wollen, weil es zunehmend weniger Arbeitsplätze gibt. Man erfand die biologische Uhr, damit Frauen schneller aus der Arbeitswelt verschwinden. Bei den Tieren bekommt keineswegs jedes Weibchen Kinder. Die Schwächeren wollen nicht gebären, um ihre Kräfte zu schonen. Tiere wollen nur Nachkommen, wenn es ihnen gut geht. Sieht man auch daran, dass sich im Allgemeinen Tiere im Winter nicht begatten.«

Es kam die Vorspeise, kalte Entenbrust.

»Ente ist ein gutes Beispiel«, sagte sie, »Enten brüten oft nicht alle ihre Eier aus, das ist ihre Art der Geburtenkontrolle. Aber wenn ein Bauer Enten züchtet, lässt er die nach Meinung der Ente überflüssigen Eier von Hühnern ausbrüten. Die ausgeschlüpften Entchen halten dann das Huhn für ihre Mutter, auch das Huhn glaubt das. Wenn die Entchen einen Teich sehen, rennen sie sofort rein. Aber Hühner können nicht schwimmen. Mutter Huhn regt sich furchtbar auf, glaubt, ihre Küken ertrinken – aber kein Huhn stürzte je ins Wasser, um sie zu retten. Jedes Tier denkt an sich selbst zuerst.«

»Wars recht?« Beifall heischend kam meine Mutter an den Tisch.

»Sehr interessant, die Ente.«

Als nächstes gabs Fisch. Auch Fische bekommen Kinder. »Fische sind viel klüger, als man denkt, viele ändern sogar ihr Geschlecht, wenn sie als anderes Geschlecht bessere Chancen haben. Bei den Anemonenfischen, die in Gruppen leben, kommen auf ein Weibchen viele Männchen. Nur das größte Tier ist Weibchen, und nur das größte Männchen darf es besamen, die kleineren Männchen haben keinen Sexpartner. Stirbt das Weibchen, dann verwandelt sich das größte Männchen in ein Weibchen. Bei Lippfischen verwandeln sich besonders große Weibchen in Männchen, verjagen dann kleinere Männchen. Es gibt auch Würmer …«

Zum Glück kam nun Hase. Da spricht man nicht über

Würmer. Mir fiel sogar was Passendes ein: »Die Kirche sagt: Gibt Gott Häslein, gibt Gott Gräslein.«

Schon unterbrach sie mich: »Aber die Natur, also das Häslein, sagt: Kein Gräslein, kein Häslein. Denn Tiere sind lernfähig, sie stellen sich auf ihre Umwelt ein. Ein biologisches Gesetz: Je lernfähiger ein Tier, desto mehr ist sein Verhalten von der Umwelt geprägt. Das lernfähigste aller Tiere ist der Mensch.« Endlich aß sie.

Meine Chance, eine meiner vorbereiteten Fragen vorzulesen: »In der heutigen Gesellschaft hat eine große Annäherung zwischen Männern und Frauen stattgefunden, gleiche Schulbildung, gleiche Ausbildung, ähnliche Kleidung, es gibt sogar Frauen, die im gleichen Beruf das gleiche wie ein Mann verdienen, wo also gibt es noch Unterschiede?«

Schon redete wieder sie: »Der größte Unterschied zwischen Männern und Frauen zeigt sich heute erst, wenn eine Frau Mutter wird. Das Ideal unserer Gesellschaft ist: Tu, was du willst. Doch ab dem Moment der Mutterschaft gilt: Tu, was deinem Kind nützt. Viele Frauen leiden darunter, denn diese Selbstaufgabe ist kein natürlicher Instinkt, sie ist gesellschaftlicher Zwang.«

Meine Mutter kam, hinter ihr Sisi, sie sah nun deutlich schwanger aus, trug eine weiße Bluse mit hochelegantem Schleifenkragen, ganz der Stil meiner Mutter. Sisi grüßte reizend lächelnd: »Geiles Essen hier, was?« Sie rollerte auf dem Tisch rum mit einem silbernen Krümelmonster, so ein Ding, das Krümel in sich hineinkehrt. Alle Krümel verschwanden. Sisi guckte begeistert, als hätte sie einen schwierigen Zaubertrick fehlerlos vorgeführt.

Als Sisi weg war, sagte meine Mutter: »Sie gibt sich viel Mühe.«

»Die Freundin meines Bruders«, erklärte ich. »Ihre Schwangerschaft verdankt sie aber einem anderen Männchen.«

»Sisi ist so naiv«, jammerte meine Mutter und jammerte weiter: »Gestern beschwerte sich eine Dame, weil Sisi das

Wechselgeld ihrem Begleiter rausgab, obwohl sie bezahlt hatte. Und dann sagte Sisi als Entschuldigung noch, sie hätte gedacht, es sei vornehm, so zu tun, als ob der Mann bezahlt hätte. Und sonst hätte sich nie eine Frau beschwert, und die Männer hätten immer das Wechselgeld eingesteckt. Zum Glück hatte die Dame Humor.« Meine Mutter ersparte uns kein Detail. Malte war begeistert von Sisi und wollte abwarten, was sich ergab. Sisi war begeistert von allem und wollte sowieso abwarten. Meine Mutter musste ebenfalls abwarten.

»Was möchten Sie als Dessert?«, unterbrach ich meiner Mutter Klagen.

»Allenfalls was ganz Kleines«, sagte Frau Professor.

Das Dessert waren viele ganz kleine Windbeutel, kaum größer als die Kirsche darin.

»Und Zwitscherschnaps oder Zwitscherlikör?«, fragte meine Mutter, es war ihr anzuhören, dass sie dachte, Frau Professor nimmt Schnaps. Sie nahm aber einen damenhaften Likör und einen Kaffee.

Ich bot Frau Professor an, sie mit dem Taxi nach Hause zu bringen, sie lehnte dankend ab, das sei ein großer Umweg, sie zahle ihr Taxi schon selbst, und vielen Dank für die Einladung, und sie sei gespannt, was aus dem Artikel wird, wenn ich noch Fragen hätte, soll ich sie anrufen. Meine Mutter dankte überschwänglich für die Ehre des Besuchs, als wäre Frau Professor ihr Gast gewesen, nicht meiner.

Als sie weg war, wollte meine Mutter natürlich kein Geld für die Einladung von mir annehmen, dafür teilte sie mir zum Abschluss meines erfolgreichen Abends mit: »Übrigens, Julias Eltern waren hier, Julia hat schon wieder einen Neuen. Noch reicher als der Barbesitzer, der Neue ist Bankier.«

Egal, was ich mache, Julia macht Besseres.

Um meine Mutter zu beeindrucken, beschloss ich, mir selbst ein Taxi zu leisten, behauptete, die Stadtnachrichten würden das bezahlen, damit man nicht betrunken rumfährt. Meine Mutter sagte dazu nichts. Wenn meine Mutter nichts sagt, bedeutet das, sie glaubt nichts.

Mein Taxi kam, ich bekam Schluckauf, der Fahrer war dieser Hannes, dieser Bavögler. Ich hatte völlig vergessen, wie er aussieht, erkannte ihn aber sofort wieder. Hätte ich schreiend wegrennen sollen? Ich setzte mich hinten rein. Wahrscheinlich wusste er nicht mehr, welche seiner vielen Weiber ich war.

Aber er sagte: »Bei Leuten, die ich kenne, schalte ich die Uhr ab und mach 'ne Schwarzfahrt. Was machst du jetzt so?«

»Ich bin Journalistin bei den Stadtnachrichten.«

»Was bringt dir das geldmäßig?«

Spontan verdoppelte ich mein Gehalt.

»Mäßig«, befand er.

Er sah noch gammliger aus als früher. Ich hätte ihn nicht mehr mit der Beißzange angefasst, ich hätte ihn mit Insektenspray in die Flucht geschlagen. Wenn mein Problem Geld war, dann waren seins die Frauen. Also fragte ich: »Und wie gehts dir frauenmäßig?«

»Bestens, meine Freundin ist Sozialhilfeempfängerin. Frauen, die von der Hand in den Mund leben, sind unschlagbar im Bett.«

Er lachte so dreckig, dass ich den blöden Witz kapierte. »Hast du deinen Abschluss geschafft?«

»Hältst du mich für blöd? Natürlich habe ich keinen Abschluss. Seit das mit Bafög vorbei ist, bin ich eben so immatrikuliert. Brauch ich keine Lohnsteuerkarte, arbeite ich brutto für netto. Da bleibt schon was hängen.«

»Für mich ist es wichtiger, dass ein Job intellektuell was bringt. Ich habe gerade eine Professorin interviewt für die Stadtnachrichten.«

»Dann bekommst du die Taxikosten erstattet.«

»Natürlich«, sagte ich.

Vor der Haustür sagte er: »Gib mir 50 Mark.«

»Sonst kostet das höchstens 30 Mark.«

»Ich geb dir 'ne Quittung für 55 Mark. Du musst mir sowieso Trinkgeld geben.«

Noch heute träume ich davon, ich hätte »Nein« gesagt.

64. Kapitel

Eine Woche später überreichte ich Weihrauch meinen Artikel. »Frau Prof. Dr. Antonia Fürhaupt, die prominente Biologin und Verhaltensforscherin, sagt: Wäre wahr, dass Frauen einen biologisch triebhaften Kinderwunsch haben, müsste jede Frau mindestens zwanzig Kinder gebären wollen, biologisch wären sogar mehr möglich.« Weihrauch las entsetzt irgendwo weiter: »Nach den Gesetzen der Biologie sollten unattraktive Männer keine Nachkommen zeugen ...« Weihrauch hatte genug gelesen: »Das kostet mich den Arsch, wenn wir das drucken!«

Ich rief Frau Professor an, ob sie einen Tipp hätte, wie ich meinen Chef überzeuge?

Sie dachte nicht lange nach: »Denken Sie an die Interessen der Männer. Lesen Sie meine Kapitel über Frauen und Geld.«

Das Thema Frauen und Geld hatte nichts mit Biologie zu tun, aber überraschend viel mit Heiraten. Die Ehe aus Liebe gab es früher nicht, geheiratet wurde nur des Gelds wegen, wer zu arm war, um eine Familie zu ernähren, bekam keine Eheerlaubnis. Kinder bekam man trotzdem: Um 1800 waren in Deutschland nur ein Drittel der Mütter und Väter verheiratet.

Bei den Adligen war es so: Die Söhne heirateten das Mädchen mit dem meisten Geld, ihre sogenannte Mitgift war eigentlich der Kaufpreis des Ehemanns. Und reiche Bürger sparten viel für die Mitgift, reichte das Geld für einen adligen Ehemann, war man endlich mit einflussreichen Kreisen verwandt. Aber die Töchter des Adels hatten die schlechtesten Heiratschancen. Es hätte eine Familie ruiniert, mehrere Töchter standesgemäß zu verheiraten, deshalb endeten viele adlige Fräuleins im Kloster. Nicht aus Frömmigkeit, sondern wegen der Finanzen. Das Beste für adlige Mädchen war, sozial nach unten zu heiraten: Ein bürgerlicher Mann konnte keine hohe Mitgift verlangen. Er wurde dadurch entschädigt, dass er mit höheren Kreisen verwandt wurde, die ihm beruflich weiterhalfen.

Erinnerte mich alles an die großen Frauenromane der Weltliteratur.

Nach ihren historischen Betrachtungen schrieb Prof. Fürhaupt: »Obwohl heute die Ehe aus Liebe das Ideal ist, werden die alten Heiratsmotive zunehmend wichtiger. Ein Drittel der allein erziehenden Mütter lebt von der Sozialhilfe, dagegen sind Mütter mit eigenem Vermögen größtenteils verheiratet.« Und sie schrieb: »Den größten Unterschied zwischen Männern und Frauen verursachen nicht die Veranlagungen, sondern die Finanzen. Deshalb beginnt Emanzipation beim eigenen Geld.«

Was bedeutete das für mich? Ich hatte Verliereraktien und mein Konto war ewig leer. Emanzipiert war ich also nicht. Wenigstens ein Trost, Steffen mag keine Emanzen. Aber was hatte ich zu bieten, falls ich heiraten will? Meine schlechten Heiratsaussichten wurden immer schlechter.

Meine Mutter rief an: »Übrigens, Julia bekam von ihrem Neuen einen Mercedes geschenkt.«

Ich sagte nicht wie üblich »wie schön«, ich fragte, als wäre ich sehr enttäuscht: »Nur einen?«

Ich versuchte alles zu vergessen und beschloss sogar, mehrere Artikel zu schreiben, eine Serie.

Wenn ich abends nicht zu Veranstaltungen musste, schrieb ich und war froh, dass Steffen wieder zu seinem Drogenstammtisch ging, neue Interessenten hatten seiner Initiative neuen Schwung gegeben. Auch Siegfried engagierte sich jetzt, sein Thema war die Alkoholgefährdung alleingelassener werdender Väter. Von Ilka Zentgraf war nicht mehr die Rede. Manche Frauen sind Probleme, die sich in Luft auflösen.

65. Kapitel

Der seriöse Bankberater saß versteinert an seinem Schreibtisch, als er mich sah, kam Leben in sein Gesicht: »Sie wissen, was passiert ist?«

Mir wurde flau. Ich ahnte, seine finsteren Prognosen waren wahr geworden. Ich schwieg.

Er: »In den letzten Wochen gab es eine regelrechte Explosion Ihres Werts.«

Peng, puff, futsch. »Wie viel hab ich noch?«

»Das macht jetzt, Kurs von gestern, sechsundvierzigtausend …«

Staun. Wahnsinn.

Er betrachtete mich interessiert. »Erfahrungsgemäß bröckelt der Kurs nach so einem überraschenden Erfolg.«

»Dann werde ich jetzt verkaufen«, sagte ich, die erfolgreiche Aktionärin.

»Sehr gut. Und was machen Sie jetzt?«

Ich hatte Glück gehabt. Würde ich jetzt Pech haben?

Er sagte: »Es gibt zwei Möglichkeiten: Risiko oder Sicherheit. Risiko kann viel Gewinn bringen, Sicherheit bewahrt vor viel Verlust.«

Schlau, schlau. Ich konnte mich nicht entscheiden. »Geht auch halbe-halbe?«

Fand er ideal. Zur Hälfte die momentan schlechtesten Aktien

der Welt, diesmal japanische, die andere Hälfte ganz solide Werte.

So ein Glück. Es war Zeit, mein Schweigen zu beenden. Wie ein Mann konnte ich nun von meinem Erfolg berichten.

Steffen staunte bewundernd: »Heimlich hortest du Geld, aber mir erzählst du, du hättest nie was.«

»Ich hatte Angst, bald keins mehr zu haben. Ich verbrauche hier mehr als in London.«

»Wenn du bitte in den Kühlschrank siehst, ich hab eingekauft«, sagte Steffen beleidigt.

Na endlich. Nun war die Zeit gekommen, das ganze Problem aufzuarbeiten. »Übrigens, deine Mutter meinte, ich dürfte die Hälfte der Öltankfüllung zahlen. Ich find das happig. Vor zwei Wochen hab ich dem Schornsteinfeger die Jahresabrechnung bezahlt, und deine Eltern haben mir das Geld nicht zurückgegeben. Warum soll ich mehr als ein Viertel zahlen?«

Steffen war beleidigt. Er hätte etwas mehr Gerechtigkeitssinn von mir erwartet, er spart für unser Haus, ich sitze auf meinem Geld, aber in seinem Haus will ich dann wohnen.

»Wenn wir heiraten, kann ich mit meinem Geld das Haus mitfinanzieren.«

»Wie kommst du jetzt aufs Heiraten? Bist du etwa schwanger?«

»Nein.« Dann wars so weit: »Soll ich auf deinem Hühnerhof ewig das dümmste Huhn bleiben? Für deine Eltern existiere ich überhaupt nicht, solange wir nicht verheiratet sind.«

»Hast du etwa Minderwertigkeitskomplexe, weil du nicht verheiratet bist?!«

Minderwertigkeitskomplexe sollte man nie zugeben, hat man nur ein Problem mehr. »Ich frag mich nur, wie das weitergehen soll.«

»Hast du etwa die Torschlusspanik?«

Soll man niemals zugeben, wird man nur ausgelacht. »Ich lass mich nicht länger ausnutzen.«

»Wer bitte, nutzt dich aus?« Steffen war tagelang beleidigt.

Beim verdammten Sonntagmittagessen gackerte seine Mutter sorgenvoll: »Habt ihr euch gestritten?«

»Nein«, sagte Steffen stocksauer, »es ist alles in Ordnung. Tilla hat fünfzigtausend Mark in ihrer Privatschatulle, die will sie allein für ihre Luxusbedürfnisse ausgeben.«

»Statt für Steffens Luxusbedürfnisse«, sagte ich genauso stocksauer.

Das entsetzte Gesicht seiner Mutter hätte man fotografieren sollen – als hätte ich mein Geld ihrem Sohn geraubt. Hätte ich ein echtes Huhn so erschreckt, der Tierschutzverein hätte mich angezeigt. Sogar ich bekam Mitleid, erklärte: »Ich brauch das Geld für meine Aussteuer, schließlich ist dafür die Frau zuständig.«

»Ja, ja«, gackerte sie, »ich hatte eine sehr gute Aussteuer.«

»Damals war das anders«, sagte Steffen, »ihr habt erst nach der Heirat zusammengelebt …«

»Ja, ja«, dann merkte sie mit ihrem Hühnerinstinkt, dass der Wind aus einer anderen Richtung weht, aber sie wusste nicht, aus welcher.

Ihr Sohn sagte es ihr: »Ich will nicht heiraten, nur damit Tilla bereit ist, ihren Teil zum Haushalt beizutragen.«

Bis abends erklärte er mir sämtliche sonstigen Gründe gegen eine Heirat: Das Geld für eine Hochzeit könne man sich sparen.

Ich sagte, dann würde ich es bezahlen, samt Essen, ich kannte da ein Restaurant … und als verschleierte Jungfrau in Weiß, mit Spitzen, Rüschen und Brautjungfern wollte ich sowieso nicht auftreten …

Steffen sagte, es ginge um viel mehr Geld: Als Ehefrau würde mir automatisch die Hälfte seines künftigen Hauses gehören.

»Kannst du schriftlich haben, dass du dein Haus behalten kannst.«

»Wenn die Frau vor der Ehe unterschreibt, dass sie bei der Scheidung auf alles verzichtet, ist das nach heutiger Rechtsprechung ungültig, das gilt als sittenwidrig. Ich kann nichts dafür.«

»Kannst du beim Thema Heirat mal an was anderes denken als an Scheidung!?«

»Komm mir nicht mit dem Steueraspekt! Wenn ich baue, kann ich die Steuern wegdrücken, muss ich mich nur verschulden.«

»Kannst du mal an was anderes denken als an Geld!?«

»Wenn du plötzlich Kinder willst und nichts verdienst, wirds ganz happig.«

»Es wären auch deine Kinder.«

»Ich hab den ganzen Tag Kinder um mich, dazu muss ich nicht heiraten.«

Jetzt war die Frage, wer es schaffte, länger beleidigt zu sein. Unser Sexleben war nicht mehr in der Allzeit-bereit-Phase, man musste erst in der Stimmung dazu sein, und es war im Moment so, dass man mehr Gründe hatte, nicht in der Stimmung zu sein.

In der Nacht stupste er mich: »Willst du etwa Bratengeier heißen?«

»Nein.«

»Aber ich.«

Wer das letzte Wort hat, ist länger beleidigt, sonst müsste man mit dem letzten Wort aufhören, beleidigt zu sein.

In der nächsten Nacht brummte er vor sich hin: »Heiraten ist nur ein Wort.«

»Nein, es ist eine Tat. Wie sagt Faust:

›Ich kann das Wort so hoch unmöglich schätzen,

drum schreib ich wohlgemut, am Anfang war die Tat.‹« –

Sogar die Klassiker waren gegen Steffen.

Das Einzige, was sich durch diesen Krach änderte, war seine Mutter. Ihr Hühnerhirn hatte begriffen: Da ich schon jetzt bei ihrem Sohn wohnte, hatte er schon jetzt das Anrecht auf meine Aussteuer.

»Dass Steffen mit den alten Bettdecken zufrieden ist«, staunte sie demonstrativ, »die sind noch von meiner Aussteuer. Sollte man die nicht erneuern?«

Man schwieg.

Eine Woche später schob sie ihren Mann vor. Er sagte: »Die alte Waschmaschine geht kaputt. Man muss eine neue kaufen.« Pause. Er erinnerte sich, was sie ihm eingebläut hatte: »Unbedingt mit Trockner.«

Man schwieg.

Er ging zurück zu seinem Fernseher und sagte vor sich hin: »Sie hat genug Geld.«

Ich sagte zum Fernseher: »Sie bezahlt genug.«

Kein Ton von Steffen.

Seine Mutter machte auf armes Huhn: »Dann müssen wir eben sehen, wie wir mit der alten Maschine über die Runden kommen, uns alten Leuten ist ja zuzumuten, die Wäsche zum Trocknen rauszutragen, im eisigen Winter.«

Immerhin widersprach Steffen: »Mutter, jetzt ist Sommer.«

»Es wird auch wieder Winter.«

Sie hatten den Lauf der Welt auf ihrer Seite.

Eine Woche später, als ich einen Slip anzog, rutschte er runter, das Gummi total ausgeleiert, in der Spitze überall Löcher, die nichts mit Spitze zu tun hatten. Ich nahm den nächsten Slip aus der Schublade – ausgeleiert. Mit letzter Beherrschung fragte ich abends die Bratengeierin: »Was hast du mit meiner Unterwäsche gemacht?«

»Die Waschmaschine läuft nur noch auf Kochwäsche. Und jetzt hat dein rotes Kleid die Unterhosen von meinem Mann rosa gefärbt.«

Mein rotes Kleid gekocht! Ich kochte vor Wut. Es war eingegangen, verzogen, zum Wegwerfen. Ich trennte die Goldknöpfe ab und heulte, als ich daran dachte, wann ich es zum ersten Mal trug.

Steffen hatte keine Lust, sich in diesen Weiberkram einzumischen, und ich müsste mittlerweile kapiert haben, dass seine Mutter alles wäscht, was rumliegt. Aber mein Kleid hatte außen am Schrank gehangen, ordentlich auf einem Bügel. Seine Mutter sagte, sie hätte gedacht, ich hätte es zum Waschen rausgehängt. Steffen sagte, früher hätte alles geklappt. – Früher, als ich die Idylle nicht störte.

Meine nächste Idee war, meine Wäsche bei meiner Mutter zu waschen. Aber das war zu peinlich. Einen Waschsalon wie in London gab es nur in der Innenstadt, das war zu umständlich. Frau Richter hatte dann die beste Idee: In einer Kleinanzeige wurde eine gebrauchte Waschmaschine angeboten. Für 350 Mark wurde sie geliefert und funktionierte einwandfrei.

»Sie hat keinen Trockner«, klagte die Bratengeierin.

Immerhin war ich mit meinem Geld für seine Eltern zu einer ernst zu nehmenden Frau geworden. Und Steffen lenkte ein: »Wenn das Haus fertig ist, können wir über Heirat reden.«

66. Kapitel

»Es reicht jetzt«, sagte Weihrauch zu meinem vierten Artikel über Unterschiede zwischen Frauen und Männern. »So was drucken wir nicht.«

Ich schickte Prof. Fürhaupt Kopien meiner Artikel. Und schrieb ehrlich, dass Weihrauch sie nicht wollte.

Sie rief mich an und lachte: »Die Themen passen sowieso nicht in die konservativen Stadtnachrichten. Bieten Sie die Artikel anderswo an.«

»Ich kenne niemand bei einer anderen Zeitung oder Zeitschrift.«

»Das spielt keine Rolle. Schicken Sie Ihre Artikel hin, wo sie hinpassen.

Ich fragte Weihrauch, ob es erlaubt ist, dass ich die Artikel über die Arbeiten von Prof. Fürhaupt anderswo anbiete.

»Mit den Produkten Ihrer Hobbytätigkeit dürfen Sie machen, was Sie wollen. Sie dürfen sich damit sogar den Arsch wischen.«

Ich schickte die Artikel an zwei Frauenzeitschriften, die viel über Mann-Frau-Probleme schrieben, und an zwei Zeitschriften, deren Titelbilder suggerierten, sie würden nur von Männern gelesen, weshalb sie als seriös galten. Ich schrieb, dass mich Frau Prof. Dr. Fürhaupt wissenschaftlich beraten hatte. Und legte ein Foto bei, extra neu gemacht vom Fotografen, in der Hoffnung, als Autorin sogar mit Bild vorgestellt zu werden.

Wenige Tage später hatte ich bereits zwei Absagen. Eine Frauenzeitschrift schrieb, sie wollten die Unterschiede zwischen Männern und Frauen aus einem höheren Blickwinkel zeigen, nämlich aus Sicht der Astrologie. Eine Männerzeitschrift schrieb, das Thema sei leider in der Vergangenheit von Frauen monopolisiert gewesen, man wolle es nun objektiver behandeln, nämlich aus Männersicht. Anbei meine Artikel zurück.

In der nächsten Woche kam ein Brief von der zweiten Frauenzeitschrift namens Francis, ich solle bitte bei John F. Monz anrufen.

Ich war aufgeregt ohne Ende. Mit einer Ausrede schaffte ich es, am Nachmittag nach Hause zu kommen, hatte Herrn Monz bald am Apparat, er war sehr nett. Sehr angetan von meinen Artikeln. Und er fragte: »Könnten Sie sich vorstellen, in Berlin zu arbeiten?« Man könnte mich zu einem Vorstellungsgespräch einladen … sogar die Bahnfahrt 2. Klasse bezahlen …

Ich konnte es nicht glauben, und konnte mir alles vorstellen. Fassungslos erzählte ich es Steffen.

Er sagte fassungslos: »Wenn du den Job bekommst, gehst du weg, wenn du ihn nicht bekommst, bewirbst du dich weiter. Wie lange soll ich abwarten? Wenn du gehen willst, dann geh gleich.«

Riesenkrach. Ich sagte wieder mal, dass es so nicht weitergeht. Außerdem gibt es viele Paare, die sich nur am Wochenende sehen. Entfernungen spielen heute keine Rolle mehr. Steffen fühlte sich erpresst: Soll er mich etwa heiraten, nur damit alles so weitergeht? Und ich fühlte mich erpresst: Soll ich auf meine große Chance verzichten, nur damit alles so weitergeht?

Das überraschende Endergebnis: Ich werde hinfahren, aber den Job auf keinen Fall annehmen. Steffen erklärte: Wenn mir andere einen besseren Job anbieten, kann ich von Weihrauch ein höheres Gehalt fordern.

»Sinnvoll streiten«, sagen die FrauenratgeberInnen, »bedeutet, durch einen Streit die Verbesserung der Situation herbeizuführen.« Genau. Wenn ich mehr verdiene, klappt es besser mit Steffen.

Und als wir an diesem Abend wieder miteinander schliefen, dachte ich: Sex ist wie Geld, macht allein auch nicht glücklich. Aber wenn mans nicht hat, hat man ein Problem.

Dann kam das Gespräch mit Weihrauch. »Also, Sie wollten meine Artikel nicht.« Er nickte. »Aber eine größere Zeitschrift will sie. Und die haben mir sogar einen Job angeboten.«

»Sehr gut, bis wann können Sie gehen?«

»Ich dachte …«, ich merkte, dass ich nichts gedacht hatte. Nicht das.

»Wir haben eine Bewerberin auf Ihre Stelle, ihr Vater ist ein Platzhirsch der Stadtpolitik. Das Töchterchen möchte bei uns als Journalistin debütieren. Oder dilettieren.«

Ich sammelte meine Gedanken wie Scherben eines Blumen-

topfs, der aus einem Dachfenster auf die Straße geknallt ist.
»Ich will nicht kündigen. Ich wollte nur fragen, ob ich nächsten Donnerstag und Freitag frei haben kann …«

»Sagen Sie der Richterin, dass Sie Urlaub nehmen. Aber Sie müssen nächsten Sonntagmorgen den Vortrag in der Stadthalle journalistisch abdecken. Sehr interessantes Thema: Rund um die Krampfadern.«

Danke für das Gespräch.

Niedergedonnert fragte ich Frau Richter: »Kennen Sie die Bewerberin?«

»Sie ist perfekt«, strahlte sie begeistert. »Bei ihr stimmt sogar der Aszendent.«

»Woher wissen Sie das?«

»Sie hat in ihrem Lebenslauf ihre astrologischen Daten angegeben. Da weiß man, dass sie weiß, worauf es ankommt.«

»Perfekt«, knirschte ich. »Kann sie gleich den Krampfadernvortrag übernehmen, da lernt sie den Job am Besten kennen.«

»Es ist leider nicht sicher, ob sie sich für uns entscheidet. Eigentlich sind die Stadtnachrichten zu unbedeutend für jemand mit ihren Beziehungen.« Frau Richter war voll freudiger Erwartung auf eine der oberen Tausend dieser Stadt.

Mir war zum Heulen zumute: Niemand würde mir eine Träne nachweinen.

Ich hatte nicht den Nerv, Steffen anzurufen, zu berichten, dass unser Plan mehr als gescheitert war. Stattdessen rief ich abends aus einer Telefonzelle Thomas an. Passenderweise regnete es wild, als müsste das Wetter mit meiner Stimmung konkurrieren. »Wie wird mein Leben besser?«

Thomas dachte nach. »Ich mach dir einen Vorschlag, keineswegs uneigennützig, aber vielleicht gemeinnützig – wenn du in Berlin eine Nacht länger bleibst, komme ich nach. Natürlich nur, wenn du allein fährst.« Pause. »Dadurch würde mein Leben besser.«

Ich kam nach Haus, als wäre nichts Schlimmes geschehen. Ich sagte Steffen, ich wolle mit Weihrauch erst nach dem Vorstellungsgespräch reden, das sei dann eindrucksvoller. Und um Freitag 14 Uhr in der Redaktion anzutanzen, musste ich schon Donnerstag fahren. Und wollte bis Samstag bleiben, damit ich ein bisschen Berlin besichtigen kann. Erfreut stellte ich fest, dass ich kein schlechtes Gewissen hatte.

Steffen hatte auch kein schlechtes Gewissen, dass ich seinetwegen auf den Job verzichtete. Er fand nur überflüssig, dass ich extra zum Frisör ging und so blond wiederkam wie nie zuvor.

Am Mittwoch verkündete Frau Richter: »Die Debütantin hat leider abgesagt, wir bieten ihr nicht genug Prestige.«

Na prima. Nun konnte ich Berlin richtig genießen. Und falls es was zu bereuen gab, würde ich es später bereuen.

67. Kapitel

Wie in London! – war das Erste, was ich in Berlin dachte. Der Bahnhof Zoo voller Penner, die nirgendwohin wollten und überall Wachpersonal. Und ringsum nur Ramschläden, genau wie beim Londoner Bahnhof Charing Cross. Auf dem kurzen Weg zum Kurfürstendamm kommt man an einem gammligen bilka-Kaufhaus vorbei, bilka ist die Abkürzung für »billiges Kaufhaus« fiel mir ein, und alles in den Schaufenstern sah noch billiger aus, als es war.

Thomas hatte das Hotel empfohlen, zehn Minuten vom Bahnhof entfernt. Es war im vierten Stock eines ehemals noblen Hauses, der käfigartige Aufzug ächzte, ruckelte, als würde er gleich stecken bleiben. Das Zimmer war dunkelgrün düster, bei Beleuchtung wirkte es staubig, egal, ich war nicht hier, um Staub zu wischen. Es hatte ein französisches Bett, der Rest war mir egal. Aus Vorfreude ging ich sofort ins Bett.

In dieser Stadt, die nach fast einem halben Jahrhundert Provinzialismus plötzlich wieder Weltstadt werden sollte, schossen die Neubauten aus dem Boden. Mittendrin in einer Großbaustelle das Verlagshochhaus des Burhier-Konzerns, alles Granit und Glas, der normale Architektenscheiß.

In der Empfangshalle Dutzende von bunt bedruckten Glastafeln mit den Namen aller Zeitschriften, die hier residierten: Zeitschriften für Aktien; Antiquitäten; Autos; Literaturblätter; Science-Fiction-Blätter – diese Groschenromane für junge Männer; Landserheftchen – die Groschenromane für alte Männer; für den niveauvollen Herrn die Softpornomagazine; und auch Frauenzeitschriften.

Der Mann am Empfangstresen schickte mich nach telefonischer Anmeldung in den zwanzigsten Stock. Am Aufzug empfing mich eine Sekretärin, nannte ihren Namen mit mindestens acht Silben, garantiert ein Doppelname, ich war froh, dass ich ihn mir nicht merken musste. Sie führte mich in ein gigantisches, menschenleeres Büro mit Aussicht auf die gigantische Baustelle. »Bitte nehmen Sie Platz, Kaffee oder Tee?«

Kaffee passte besser zur dynamischen Umgebung. Ein Schreibtisch ragte schräg in den Raum. Der Tisch, an dem ich Platz nehmen sollte, war designermäßig schräg. Die Sessel dynamischrot. An der Decke viele Neonröhren, darunter eine rote, eine gelbe, eine blaue, kunstvoll chaotisch aufgehängt, wie hingeworfene Mikadostäbchen.

Ich passte prima ins Ambiente mit meinem schwarzen Leinenkleid. Ein schlichtes Kleid, das gemäß den Erkenntnissen der Karriereleiterin signalisierte: Ich habs nicht nötig, ein Kleid zu tragen, das nach was aussieht, weil ich selbst so dynamisch bin. Ich hatte es extra für diesen Anlass gekauft. Und weil Thomas Schwarz liebt.

1408 wars auf der schwarzen Wanduhr mit den roten Klapp-
zahlen, als John Monz mit ausgestreckter Hand hereineilte.
Monz war mittelgroß, etwas pummelig, 40 oder jünger.
Dunkle Haare, die etwas fettig wirkten, auch sein Gesicht
etwas fettig. Grauer Anzug und graues Hemd. Als er vor mir
stand, sah ich Mitesser auf seiner Nase, alte Mitesser. Auf den
ersten Blick ein Nicht-mein-Typ.
Ich durfte erzählen, dass ich seit der Schulzeit nicht mehr in
Berlin war und jetzt sehr beeindruckt und dass es mich an
London erinnert …
Er guckte ständig erfreuter. »Und Sie wären bereit, nach Berlin
zu ziehen? Sind Sie ungebunden?«
»Ja, ja«, sagte ich schnell. »Sonst wär ich ja nicht hergekom-
men.« Und lächelte.
Seine Augen leuchteten blau, vielleicht lags auch an der blau-
en Neonröhre direkt über uns. »Ich möchte Ihnen erzählen,
was wir hier im Hause planen, wir entwickeln eine neue
Frauenzeitschrift. Ich bin zuständig für Werbung und Mar-
keting. Meine Aufgabe ist es, herauszufinden, was Frauen
wollen. Nur so sind maßgeschneiderte Werbestrategien machbar. Leider ist es so, dass sich viele Frauen von den traditionellen Frauenzeitschriften gelangweilt fühlen.«
»Ach«, machte ich, als hätte ich das noch nie gehört.
»Am wichtigsten sind für uns Frauen mit der höchsten Schulbildung und Studium, denn die sind für die Werbung am
wichtigsten.«
»Ach?« Echt erstaunlich, ich hatte gedacht, Werbung wird nur
für die dümmsten Frauen gemacht.
»Frauen mit der höchsten Schulbildung verdienen am meisten
und sind mit Männern verheiratet, die am meisten verdienen.
Für diese Zielgruppe brauchen wir ein neues Konzept.« Er
holte eine Mappe von seinem Schreibtisch, darin mein Brief,
meine Artikel, mein Foto. Er betrachtete mich, dann das Foto,
sagte: »Eine angenehme Enttäuschung, Sie sehen besser aus.«

Ich bemühte mich, nicht geschmeichelt zu lächeln. Ja, manchmal lohnt es sich wirklich, beim Frisör gewesen zu sein.

Er sagte: »Ihre Arbeiten sind hier im Hause gut angekommen.«

Ich wollte fragen, was genau gut angekommen war, und bei wem genau. Aber ich konnte nicht sprechen, mein Herz schnappte über vor Glück.

Herr Monz weiter: »Primär für das neue Projekt zuständig ist Frau Norden, aber sie weilt zurzeit im Süden.«

Ich lachte herzlich über dieses Scherzlein, um mein Glück zu tarnen.

Er lachte auch.

»Frau Norden hat sich vor fünf Jahren ein Häuschen in der Toskana gekauft und hatte jetzt zum ersten Mal Zeit, dort Urlaub zu machen, sie ist länger weg, kann man ja verstehen.«

Verstand ich. Alles andere war komplizierter. Ehe eine neue Zeitschrift auf den Markt kommt, müssen Probehefte gemacht werden, um Anzeigenkunden zu gewinnen. Weil eine Zeitschrift hauptsächlich durch die Anzeigen finanziert wird, sind die Auftraggeber der Werbung wichtiger als die Käuferinnen, erklärte Herr Monz. Er bedauerte, dass manche das nicht kapieren wollten, wer es nicht kapierte, sagte er auch: »Möglicherweise machen wir dieses Experiment nur unserer Frau Norden zuliebe, damit die auch mal Chefredaktrice sein darf. Der Arbeitstitel für ihr Projekt ist W – W wie weiblich. Wie finden Sie das?«

»Wunderbar. Ich hab nie verstanden, warum Frauenzeitschriften immer Frauennamen haben. Männerzeitschriften heißen auch nicht Steffen oder Thomas.«

Und ich lächelte strahlend, als ich es sagte, weil es immer nett ist, die Namen der Liebsten unauffällig unterzubringen.

Hatte ich was Falsches gesagt? Er sah aus dem Fenster, als er sagte: »Es gab diesbezüglich auch die Idee einer Frauenzeitschrift namens Rosa, gedruckt auf rosa Papier.«

Es schien seine Idee gewesen zu sein, sonst hätte er so einen Schwachsinn nicht erwähnt. »Sehr, sehr hübsch«, sagte ich schnell.

»Genau«, sagte er und schaute nicht mehr aus dem Fenster. »Bis es die neue Zeitschrift gibt, könnten Sie bei Francis arbeiten. Im Ressort Modernes Frauenleben. Unser Oberboss ist zurzeit natürlich auch in Urlaub …« Ich hörte nicht mehr richtig hin, bis ich hörte: »Für den Anfang 7 000 Mark, plus 13. Gehalt … ginge das?«

Mit letzter Kraft sagte ich: »Ich muss es mir überlegen … ob das ginge.«

»Ich habe einen Vertrag vorbereitet, nehmen Sie ihn mit, lesen Sie ihn in Ruhe durch. Bitte geben Sie mir bald Bescheid.« Die blaue Neonröhre strahlte in seinen Augen.

Ich rief Steffen an, beruhigte ihn, trotz des tollen Angebots würde ich absagen, was sollte ich allein in Berlin?

Und er tröstete mich: Meine Artikel würden sie bestimmt auch so drucken. Ich brauchte nur eine nette Ausrede, warum ich leider nicht nach Berlin ziehen konnte. Er würde sich was einfallen lassen für mich.

Und Steffen sagte zum Abschied: »Warum in die Ferne schweifen, etwas Besseres als mich findest du nirgendwo.« Und schickte Küsschen durchs Telefon.

68. Kapitel

Als ich Thomas vom Zug abholte, konnte ich noch nicht richtig denken. Das war ein Traumjob, oder?

Thomas sagte: »Ja, es ist ein Traumjob.«

»Ich habe Steffen versprochen abzusagen, ein Versprechen darf man nicht brechen, das ist unmoralisch.«

»Was nützt dir Moral, wenn sie dir schadet?«

Im Bett wars keine Frage: Unmoral schadet nicht, im Gegenteil, Unmoral macht Freude. Um mein schlechtes Gewissen zu beruhigen, dachte ich daran, was ich Steffen beibringen könnte. Es gefiel mir, wenn Thomas hinter mir kniete, so waren seine Stöße am stärksten. Warum kriegte Steffen das nicht hin? Weil er sich dabei auf mich lehnt. In einer gekrümmten Haltung wird das nichts. Thomas kniete aufrecht hinter mir und sah zu, wie sein Stilzchen in meinem Schlitzchen rumpelte. Und mit zwei Fingern hielt er mich vorn an jener Stelle, ohne die es bei mir keinen Orgasmus gibt. Und es fiel mir eine gute Sexszene ein, die ich mal gelesen hatte, nur der Satz: »Sie tanzte auf der Spitze seines Fingers.« Ja, das war gut.

Thomas hatte was zu erzählen: »Sie arbeitet nebenan bei der Bank, sie ist Betriebswirtin, fünfundzwanzig und bildschön, wie von Botticelli gemalt. Ich hätte mich nicht getraut, sie machte sich an mich ran. Sie heißt Veronika. Sie sagte, sie will alles, was Männer wollen: Oralsex, Analsex und ein Baby. Sie sei bereit, sämtliche Konsequenzen zu tragen. Sie war beleidigt, als ich sagte, ich wolle keine Konsequenzen tragen, nur ein Kondom. Dann irritierte mich furchtbar, dass sie beim Vögeln entsetzlich lärmte. Stell dir vor, eine Botticelli-Venus wird zur Kreischsäge. In der Wohnung nebenan war ein Hund, ihr Gekreisch animierte den Hund, noch lauter zu winseln. Bei dem Hund fand ichs echt. Woran merkt man, dass eine Frau einen Orgasmus simuliert?«

»Daran, dass sie keinen hatte.«

»Blödfrau. Und wie merkt man das?«

»Orgasmus ist, wenn man danach keine Lust mehr hat, aber vorher viel hatte. Leider leicht zu verwechseln mit keine Lust mehr, weil man den Typ nicht länger ertragen kann. Und dann gibts bei Frauen auch ein bisschen Orgasmus, da ist die Lust nur ein bisschen vorbei, kommt aber meist gleich wieder. Und dann gibt es die verbreitete Möglichkeit, gar keinen Orgasmus zu haben.«

»Und warum simulieren Frauen einen?«

»Frauen simulieren einen Orgasmus, weil sie ein Happyend wollen.«

Er dachte nach. »Ich glaube, für Veronika ist Sex ein Pflichtprogramm, das ordnungsgemäß mit Orgasmus abgeschlossen wird, damit er sich für den Erfolgsvögler hält.«

Ich musste es fragen: »Du bist noch mit ihr zusammen?«

»Ich weiß es nicht. Hör auf. Wenn es sich lohnt, mehr von ihr zu erzählen, werde ich es dir erzählen.«

War da Eifersucht in meiner Stimme gewesen?

Thomas blieb bis Montag, er wollte noch zu einem Auktionshaus auf dem Kudamm, ein Ölbild zur Auktion einreichen, das er mitgebracht hatte. Eine Berliner Stadtszene, um 1850, nichts besonderes, aber in Berlin viel teurer zu verkaufen als in Schwaben. Als Kunsthändler muss man wissen, wo die Kunden sind. Und ich musste für den blöden Krampfadernvortrag schon Samstagnachmittag zurück. Ich nahm im Hotel einen Prospekt für Stadtführungen mit, um Steffen erzählen zu können, was ich alles gesehen hatte, und wir sahen in einer Kunstbuchhandlung die aktuellen Ausstellungskataloge durch, ich würde Steffen erzählen, dass ich in einer Frida-Kahlo-Ausstellung war, das interessierte ihn überhaupt nicht. Als Souvenir kaufte ich ihm eine Schneekugel, darin ein Berliner Bär mit Schild »Das ist die Berliner Luft«, schüttelte man die Kugel, fielen statt Schneeflocken schwarze Rußflocken.

Auf dem Bahnhof sagte Thomas: »Und jetzt gehst du zurück, investierst dein Geld in Steffens Häuschen und entsagst den Freuden des Lebens.«

Das Elend meiner Zukunft kam in mir hoch. »Das Leben ist kein Abenteuerspielplatz. Ich will wissen, wo ich hingehöre. Vielleicht habe ich die Torschlusspanik.«

»Panik, dass sich das Tor vom Hühnerhof vor dir schließt oder hinter dir?«

»Hör auf, ich bin kein Huhn.«

»Nein. Jetzt beginnt deine Karriere als Opferlamm.«

69. Kapitel

Auf dem Tisch stand ein riesiger Rosenstrauß. Rote von der teuersten Sorte.

»Für dich«, strahlte Steffen. »Als Dankeschön, dass du bei mir bleibst.«

Mit einem Schlag fiel aller Stress von mir ab. Ich wusste, wenn es so ist, dann ist alles gut. Das zweite Mal in meinem Leben schenkte mir ein Mann Rosen. Marti damals wollte mich ver-arschen. Jetzt war es ganz anders. Steffen hatte kapiert, dass er sich Mühe geben musste.

Das Einwickelpapier lag neben dem Sofa, als ich es zum Müll-eimer trug, entdeckte ich den kleinen Umschlag, mit Tesa an-geklebt, und machte ihn auf: »Trotzdem in Liebe von deiner drogenabhängigen Ilka.«

Ich gab Steffen die Karte: »Du hast was übersehen.«

»Also, es ist so«, grinste Steffen, »Ilka hat mir die Dinger geschenkt, aber ich will sie nicht.«

»Die Dinger nicht oder Ilka nicht?«

»Ilka.«

»Ist sie drogenabhängig?«

»Ja. Raucht zwei Schachteln am Tag. Die Frau hat unheimlich Probleme, weil sie so viel Geld hat.«

»Die Ärmste.«

»Zieh das nicht ins Lächerliche. Sie wollte, dass ich zu ihr ziehe, sie hat ein Riesenhaus.«

Ilka-Kuh. Ja, eine Kuh ist wertvoller als ein Huhn. Macht aber auch mehr Arbeit. Ilka wollte nicht auf den Hühnerhof. Ilka wollte den Hahn kidnappen.

»Aber ich ziehe nicht zu ihr. Meinen Eltern würde das Herz brechen. Die müssen ja eines Tages auch versorgt werden.« Es schien ihm einzufallen, dass auch ich ein Herz haben könnte: »Ich weiß, es ist nicht angenehm für dich zu hören, dass Ilka meinte, sie könnte Ansprüche an mich stellen. Aber jetzt ist es over.«

Ja, unangenehm, das zu hören. Aber over.

»Kannst du mir verzeihen?«, fragte er. »Im Grund bin ich unschuldig. Ilka ist schuld.«

Heimlich triumphierte ich: Ich hatte die reiche Ilka-Kuh ausgestochen. Und heimlich musste ich eingestehen, dass ich auch nicht ganz schuldlos war. Alles in allem waren wir quitt. Wir konnten wieder von vorn anfangen.

Steffen staunte, dass die Rosen am nächsten Morgen rettungslos die Köpfe hängen ließen. Er sagte: »Die waren wohl nicht so gut.« Er kam nicht auf die Idee, dass ich das Wasser aus der Vase gekippt hatte.

70. Kapitel

Es ist immer wieder überraschend, dass jedes Thema Parallelen zu den eigenen Problemen hat. Sogar Krampfadern: Sie entwickeln sich schleichend und können das Befinden dramatisch beeinträchtigen bis zur völligen Bewegungsunfähigkeit. Es gibt diverse Methoden ihrer Beseitigung, sanfte Methoden nützen nur vorübergehend, die einzig dauerhafte Lösung ist Rausschneiden. War Ilka nun dauerhaft entfernt?

Mein Artikel war schneller fertig als der Vortrag, ich brachte ihn Weihrauch in die Redaktion. Er las »Kampf den Krampfadern« mit wohlwollendem Gebrumm durch und ohne

Änderung. Er fragte nicht nach meinem Jobangebot, ich erzählte es ihm trotzdem.

Er sagte: »Die neuen Frauenzeitschriften schießen wie Pilze aus dem Boden, aber wenn sie dann nicht weggehen wie warme Semmeln, gehen sie ein wie die Primeln.«

»Man hat mir siebentausend Mark geboten.«

»Immer das Gleiche«, sagte Weihrauch, »da baut man mühsam eine Anfängerin auf, kaum kann sie zwei Sätze hintereinander schreiben, will sie Karriere machen. Dann gehen Sie doch.«

»Hier verdiene ich nicht mal die Hälfte.« Pause. »Und ich weiß, dass die Tochter vom Platzhirsch abgesagt hat. Wenn Sie im August in Urlaub fahren, haben Sie niemand, der einge-arbeitet ist.«

»Gott sei Dank hat die abgesagt«, sagte Weihrauch. »Passen Sie auf, Sie haben sich bisher nicht ganz blöd angestellt. Also, 500 Mark mehr ab 1. Juli. Mehr ist nicht drin.«

Na also. »Vielen Dank.« Und in der Ferne winkte weiteres Geld: Francis würde meine Artikel bestimmt auch drucken, wenn ich hier weiterarbeite.

Weihrauch brummte: »Was ist mit dieser alten Biologin? Haben Sie endlich was Druckbares? Kümmern Sie sich darum. Zwanzig Zeilen genügen. Solche Frauen haben meist Katzen, die Madame Curie heißen oder Virginia Woolf, schreiben Sie so was.«

Eigentlich kann man sonntags nicht geschäftlich anrufen, aber weil Professor Fürhaupt so freundlich gesagt hatte, ich könnte sie jederzeit anrufen, tat ich es doch. Sie freute sich ehrlich, dass meine Artikel ziemlich sicher und sicher schon bald in Francis gedruckt werden. Als ich fragte, ob ich sie noch mal treffen könnte, um für die Stadtnachrichten was zusam-menzufassen, sagte sie: »Ich verreise morgen anlässlich meines Geburtstags für einige Zeit. Kommen Sie heute Abend um 19 Uhr.«

Professor Fürhaupt führte mich direkt in ihren Garten. Ein Dschungel, wilde Rosenstöcke, dazwischen eine Gartenbank, so von Efeu überwuchert, dass sie aussah, wie aus dem Boden gewachsen. Nur auf der Terrasse war die Zivilisation bereits erfunden. Weißwein im Weinkühler, Mineralwasser und Eistee samt schöner Gläser und Schnittchen standen bereit.

»Sie haben so ein großes Haus«, sagte ich, »haben Sie eine Katze?«

»Nein.«

Ich sagte aus Verzweiflung: »Wenn Sie Kinder hätten …«

»Ja, mein jüngster Sohn liebt Katzen.«

»Sie haben einen … jüngsten Sohn?«

»Folglich habe ich mehrere Söhne. Drei.«

Ich hätte gern gefragt, wie das möglich ist. Das fragt man eine Biologin nicht. »Warum haben Sie das nicht gleich gesagt? Jede Frau, die Kinder hat, spricht zuerst über ihre Kinder.« Ich hätte fast gesagt: jede richtige Frau, doch ihr ungnädiger Blick warnte mich.

»Das ist der Unterschied zwischen Frauen und Männern, der mich am meisten stört: Männer werden nach ihren Leistungen beurteilt, nach mehr Geld, mehr Erfolg, mehr Frauen, mehr Auto. Frauen werden nach ihrer Bereitschaft beurteilt, auf eigene Leistungen zu verzichten. Weibliches Leben ist nur schön und gut, wenn es ein Leben für andere ist. Das ist mein Leben nicht.«

Der schicke Mann, der neulich den Tee gebracht hatte, guckte zur Tür raus, lächelte mir zu, fragte: »Habt ihr alles, was ihr braucht?« Er lächelte ihr zu: »Denk daran, wir müssen heute bald ins Bett.« Und verschwand.

»War das Ihr jüngster Sohn oder der mittlere?«

»Das ist mein Mann.«

Oha. »Er sieht irgendwie jünger aus.« Ich wurde knallrot, wie unhöflich von mir. Weil Frauen nicht alt sein dürfen, darf man nicht erwähnen, dass andere jünger sind.

»Er ist nicht irgendwie jünger, er ist viel jünger, zweiund-zwanzig Jahre. Er ist natürlich nicht der Vater meiner Söhne. Mein erster Mann, ebenfalls Biologe, ist lange tot. Er starb eines natürlichen Todes – ein Presseheini hat mal vermutet, ich hätte ihn totgebissen.«

»Warum haben Sie einen so viel jüngeren Mann geheiratet?« Ich konnte nicht fragen, warum er sie geheiratet hatte.

»Weil ich so alt bin«, lachte sie. »Um einen so viel jüngeren Mann zu heiraten, muss man alt sein. Und falls Sie wissen wollen, warum er mich geheiratet hat – er ist Archäologe. Er liebt alte Sachen.« Sie lachte wieder.

»Archäologe«, notierte ich.

Aber da sagte Professor Fürhaupt: »Ich bin kein Filmstar, son-dern Wissenschaftlerin. Mein Privatleben ist privat. Ich will mich nicht für Leute interessant machen, die mich nicht in-teressieren. Sagen Sie Ihrem Chef, ich gebe kein derartiges Interview.«

»Sie könnten ein Vorbild sein für Frauen, die anders sein wol-len.«

»Es gibt viele Wege, anders zu sein.«

Und da brach es aus mir heraus und ich erzählte ihr mein Privatleben.

Und sie gab mir den Rat: »Am meisten erreichen Sie, wenn Sie NEIN sagen, das ist das Geheimnis menschlicher Freiheit.«

»Sagen Sie immer Nein?«

»Nicht immer. Denken Sie auch daran: Freiheit ist nicht das Gleiche wie Glück.«

71. Kapitel

Es war nach elf, als ich nach Hause kam. Im trüben Trep-penlicht surrte mir eine Schnake entgegen. Sie ließ sich ausgerechnet auf dem Kruzifix nieder. Ich starrte auf den

hölzernen Jesus, die Bratengeierin nennt ihn »Unser Erlö-
ser«.

Wenn ich hier bleibe und ein richtiges Frauenleben führe,
winkt mir als Belohnung ein wunderbares Leben – jedenfalls im Jenseits. Das Diesseits war der Hühnerhof. Aber Hühner sterben keines natürlichen Todes, sie werden geschlach-
tet. Meine Zukunft zog an mir vorbei. Die Schnake vibrierte
erwartungsvoll. Ich zog meinen Schuh aus und haute sie platt.
Es gab einen gemeinen Blutfleck auf der Hüfte unseres Erlö-
sers. Ich erschrak. Es dauerte, bis ich wieder logisch denken
konnte: Es war nicht das Blut Jesu, es war nicht das Blut der
Schnake, am wahrscheinlichsten war es Steffens Blut.

Er schlief, als könnte ihm keiner was anhaben. Mein Entschluss stand fest.

72. Kapitel

Ich unterschrieb den Vertrag. Montagfrüh rief ich Herrn Monz
an, wäre der 1. Juli recht? Er war begeistert. Der Oberboss war
noch im Urlaub, er musste den Vertrag absegnen, aber das
war kein Problem, wirklich nicht. »Rufen Sie mich an, sobald
Sie hier sind. Wiedersehen.«

Frau Richter als typisch gute Astrologin hatte es natürlich
hinterher schon vorher gewusst. Sie fand es richtig, dass ich
nach Berlin ging, in einem großen Verlagshaus gebe es viele
Männer, und eine Noch-nie-Verheiratete wie ich musste die
allerletzte Chance nutzen. Sie sagte: »Auch in meinem Leben
bahnen sich bedeutende Veränderungen an.« Und lächelte bedeutungsvoll, als sei ihr Traummann mit seiner fliegenden
Untertasse bereits gelandet.

Frau Richter schrieb in Weihrauchs Auftrag mein Zeugnis:
bereit Überstunden zu machen, selbstständig, zuverlässig,
verlässt uns auf eigenen Wunsch …

Sie hatte wieder die beste Idee, wo ich vorläufig wohnen konnte, unter »Ferienwohnungen« wurde ein Apartment in Berlin inseriert, 500 Mark pro Woche, zentral, mit Fernseher und allem, was man zum Kochen braucht, und so weiter. Ich rief bei der Hausverwaltung an, ich konnte den Schlüssel dort beim Hausmeister abholen, dort bezahlen, jeweils eine Woche im Voraus.

Ich packte meine Kekse, Tampons, Deospray ein, damit war mein Job vorbei.

Weihrauch sagte zum Abschied: »Beliebte letzte Worte: Versuch macht kluch.«

73. Kapitel

Die goldene Regel der Trennung: Es ist viel leichter, jemand zu verlassen, als verlassen zu werden.

Natürlich wollte ich es Steffen nicht so brutal egoistisch sagen. Sondern sagen, dass wir Freunde bleiben und eine Trennung jetzt besser ist. Ich überlegte, was ich über das Ende von Beziehungen weiß:

Manche Beziehungen enden, wie eine Brücke einstürzt, mit einem Schlag gibt es keine Verbindung mehr zwischen A und B.

Viele Beziehungen enden wie Autounfälle. Meist sind beide verletzt, der eine mehr, der andere weniger. Manchmal gibt es sogar Tote.

Manche Beziehungen enden wie eine Tube Zahnpasta, man weiß, sie wird zuende gehen, man quetscht immer noch mal rum, rollt sie noch mal auf, eines Tages kommt wirklich nichts mehr raus.

So wars bei uns.

Probehalber informierte ich zuerst meine Mutter. Sie wurde wütend, dass ich nach London gegangen war, hätte auch nichts gebracht. Dass ich zurückkam, hätte immerhin Steffen gebracht. Aber wenn ich jetzt nach Berlin gehe, würde es wieder nichts bringen. Es war die Prognose, dass alles, was ich tun würde, enden musste, wo ich angefangen hatte.

Steffen reagierte anders, als ich gedacht hatte. Steffen fing an zu heulen.

»Ein richtiger Mann heult nicht«, sagte ich, sollte witzig sein, klang nur kläglich.

»Und was wird aus mir?« Er heulte mit echten Tränen. »Du hast dein Versprechen gebrochen.«

»Ich kann dir nicht versprechen, mein Leben nach dir zu richten. Dein bequemes Leben ist nicht mein Lebensziel.«

»Deinetwegen habe ich mit Ilka Schluss gemacht.«

»Deinetwegen, weil sie nicht so praktisch war wie ich.«

»Ich kanns nicht fassen, du willst mich verlassen«, sagte Steffen tränig.

Reimte sich, trotzdem nicht zum Lachen. Ich heulte auch, als ich sagte: »Übermorgen.«

Ohne weiteres Wort fuhr Steffen weg.

Nachts kam er wieder, besoffen, und jemand hatte ihm meine Motive sehr klar gemacht: »Du denkst nur an dich.«

Als Steffens Eltern am nächsten Nachmittag aus der Behörde kamen, wussten sie noch nichts. Als ich sagte, dass ich morgen ausziehe, schwiegen sie.

»Was ist mit ihrer Waschmaschine?«, fragte Herr Bratengeier – nicht mich, sondern seine Frau.

»Ihr könnt die Waschmaschine behalten.«

»Was ist mit unserem Hausschlüssel?«, fragte er seine Frau.

»Steffen fährt mich morgen zum Bahnhof, dann gebe ich ihm die Hausschlüssel.«

Die Bratengeierin gackerte erleichtert. »Dann ist ja alles geklärt. Alles Gute, Fräulein Silber.«

»Auch Ihnen alles Gute.«

Ich packte meine Klamotten in vier Koffer. Was ich aus dem Haushalt meiner Mutter angeschleppt hatte und was ich für uns beide angeschafft hatte, konnte Steffen behalten – bekanntlich hatte ich ja keine Miete bezahlt.

Steffen kam erst gegen Abend. Ich sagte: »Ich wollte dich um was bitten, ich hab dir zu Weihnachten dieses rote Glas geschenkt, es ist eine Art Talisman für mich, von meinem Vater. Und dir bedeutet es nichts. Kann ich das mitnehmen?«

Es stand schon auf dem Tisch, leuchtete rot.

»Klar, kannst du das auch noch mitnehmen«, er nahm das Glas, ging zur Tür und warf es die Treppe runter. »Hast du wenigstens auch einen Grund zum Heulen.«

Das waren seine letzten Worte, dann fuhr er weg.

Ich fegte die Splitter zusammen, dachte, ich könnte es zusammenkleben wie ein Puzzle, sinnlos. Ich versuchte die Schrift »Werde glücklich« zusammenzusetzen. Ich fand nicht alle Buchstaben.

Er kam erst in der Nacht wieder, schlief auf dem Sofa, morgens hörte ich ihn kurz, hörte seine Mutter, dann war er weg. Keine großen Worte zum Schluss. Nicht mal ein kleines.

Ich legte die Schlüssel auf den Tisch. Bestellte ein Taxi, schleppte meine Koffer runter. Als ich die Tür öffnete, gab es ein entsetzliches Geräusch. Ein Glassplitter hatte sich unter der Tür verklemmt. Als ich die Tür zuzog, war das Geräusch noch entsetzlicher. Wie eine Alarmanlage. Als wäre die Tür in Panik, weil ein Huhn flieht.

74. Kapitel

Am Abend des 28. Juni lag ich wie tot in diesem Berliner Apartment.

Ich rief meine Mutter an, damit das erledigt war. Ja, der Teppichboden, die Kochnische, das Duschklo waren prächtig, ja sogar ein Telefon mit eigenem Zähler – gegen eine gnadenlose Kaution beim Hausmeister. Meine mühsame Begeisterung interessierte meine Mutter nicht: »Ich kanns nicht fassen! Musste das sein?«

Zum psychologischen Wiederaufbau rief ich Thomas an. Auch er konnte es nicht fassen. »Das musste sein!«

Erst am nächsten Tag räumte ich meine Koffer aus. Bei Tageslicht ging man auf dem Teppich besser nicht barfuß. Der Staubsauger war älter als ich, saugte nicht, weil er platzvoll war. Die Küchenausstattung bestand aus zwei verbeulten Kochtöpfen, einer Gammelpfanne, alten Tassen, angeschlagenen Tellern und vielen toten Fliegen. Im Duschklo kein Klopapier. Interessierte mich alles nicht, zuerst wollte ich in der Redaktion anrufen.

Im Zug hatte ich die neueste Ausgabe der Karriereleiterin gelesen, mit Tipps zur telefonischen Karrierepflege: Man soll den Namen des Gesprächspartners möglichst oft nennen, das schafft eine vertraute Atmosphäre. Wieder war die Sekretärin mit dem langen Namen dran. Ich verstand »Deutelmoserdelrio«, ein Name zum Jodeln.

»Hier ist Tilla Silber« – ich sagte meinen Vornamen dazu, damit sich mein Gesprächspartner meinen Namen besser merken kann. »Ich soll bald anfangen bei Ihnen, ich freue mich sehr. Herr Monz hat mich gebeten, ihn anzurufen, kann ich ihn bitte sprechen?« Und alles fröhlich und locker.

»Bitte warten«, sagte sie wie eine Computerimitation. Ich durfte dieses Warteschleifen-Gedudel hören, das das Warten endlos macht, weil man nichts dabei denken kann als bittewartenbittewartenbittewarten.

Nach einer Ewigkeit: »Sind Sie rückrufbar?«

»Natürlich«, sagte ich herzlich, gab ihr herzlich meine Nummer und verabschiedete mich herzlich.

Ich wartete und wartete und wartete, ohne Kaffee, ohne

Klopapier. Um halb zwei hielt ich es nicht mehr aus, rief wieder an, um zu sagen, dass ich kurz einen Termin außer Haus wahrnehmen müsste, es meldete sich: »Monz.«

Ich: »Ach, Entschuldigung, ich wollte Sie gar nicht anrufen, eigentlich nur Ihre Sekretärin, ich wollte fragen, wann ich wieder anrufen kann. Entschuldigung, ach, hier ist Tilla Silber, Entschuldigung.«

»Schönen Tag, Frau Silber«, sagte er nett. »Wie geht es Ihnen?« Und die Sekretärin sei in der Mittagspause, und Nachricht hätte er keine gefunden.

Ich schilderte mein Wohlbefinden. – In der Karriereleiterin stand: Wenn Sie ein Anliegen haben, kommen Sie zur Sache – schließlich wagte ich zu fragen, wann wir den Vertrag machen.

»Heute gehts leider nicht«, sagte Herr Monz, »unser Oberboss ist erst gestern vom Urlaub zurückgekehrt. Morgen siehts besser aus. Morgen ruf ich Sie wieder an.«

Als er aufgelegt hatte, hüpfte ich vor Glück.

Es war Sommer, und Berlin war wie London, so großstädtisch. Auch in engen Straßen sind die Häuser hoch, sechs Stockwerke sind hier das Mindeste. Meine Gegend war voller Boutiquen von der flippigen und eher billigen Art. Wie nennt man eine Gegend, in der es nichts Notwendiges gibt, aber alles Überflüssige, und das nicht so teuer, dass es eine Luxusgegend wäre? Da ist journalistische Kreativität gefragt. Ich nannte es Schöner-Leben-Gegend, passte genau zu meinem Lebensgefühl. In einem Secondhandladen fand ich total günstig ein Baumwollkleid, sah aus wie echt Leinen und war grün wie die Hoffnung.

Dann suchte ich ewig nach einer Klopapierverkaufsstelle. Merkwürdig, dass man sich nicht getraut zu fragen: Wo kann man hier Klopapier kaufen? In einem der vielen Geschenkartikel-Läden gabs Geschenkklopapier mit witzigen Sprüchen auf jedem Blatt, nannte sich Schmunzel-Rolle, und erst wollte ich es kaufen, weil Schmunzeln auch so ein Wort ist, das nur Journalisten gebrauchen, aber zehn Mark für zwei Rollen, da vergeht einem das Schmunzeln. Ich suchte weiter durch die Gegend. Dabei fiel mir eine Berliner Spezialität auf: überall Hundescheiße. Die Berliner gehen deshalb mit gesenktem Kopf, mit Vorsicht-Hundescheiße-Blick. Endlich entdeckte ich ein Billigkaufhaus. Und fühlte mich in Berlin schon zu Hause. Zu Hause ist man da, wo man Klopapier kauft.

Am nächsten Morgen rief Herr Monz an, lachte locker: »Frau Silber, ich würde gern etwas mit Ihnen bereden. Am Telefon ist das zu kompliziert. Haben Sie heute Abend was vor?«

Ich musste nicht so tun, als würde ich im Terminkalender blättern.

Herr Monz schlug ein Café beim Savignyplatz vor, da konnte man draußen sitzen, und das Café war sehr angesagt, da ging man hin. Um acht.

Ich war zu früh da. Machte einen Schaufensterbummel ringsum. Für den Fall, dass er mich von weitem sah, achtete ich darauf, nur die richtigen Schaufenster anzusehen, keine billigen Diskoklamotten, keine Ramschläden. Ich stand lang vor einer Buchhandlung, was auf jeden Fall einen guten Eindruck macht und ein hervorragender Hinweis auf meine Berufserfahrung war. Ich betrachtete mich in der spiegelnden Schaufensterscheibe: Den Empfehlungen der Karriereleiterin gemäß trug ich wieder das Schwarze vom Vorstellungsgespräch. Wenn man mehrmals das gleiche Outfit hintereinander trägt, wirkt man nicht wie eine Modepuppe. Schließlich tragen Männer auch immer das Gleiche. Da legte sich eine Hand auf meine Schulter, es durchzuckte mich wie ein Blitz.

Er sah besser aus als beim ersten Mal: Weniger fettige Haare, ein hellblaues Hemd, das besser zu seinem büroblassen Gesicht passte. Er lachte mich an, das Café sei zu voll, das hätte keinen Sinn hier. Um die Ecke kannte er einen Geheim-tipp.

Es war ein Bistro, schick wie aus einer Fernsehwerbung für Longdrinks. Also bestellte ich einen Longdrink, er nahm Bier.

Er seufzte: »Folgendes hat sich heute ereignet, eine Kollegin Ihres künftigen Arbeitsbereichs Modernes Frauenleben hat mitgeteilt, dass sie schwanger ist. Sie wissen, was das be-deutet?«

»Ja.«

»Ja«, sagte er. »Das bedeutet, dass der Dame nicht gekündigt werden kann. Kein Mensch hätte damit gerechnet, dass die schwanger wird. Sie wusste, dass wir ihr zum Monatsende kündigen wollten, da legt sie uns dieses Ei ins Nest. Das wäre Ihre Stelle gewesen.«

Es wurde mir kalt.

»Außerdem hat mir heute der Oberboss signalisiert, dass er den Redaktionsstab für das neue Projekt auf Sparflamme halten will, wir sollen das Projekt nebenher entwickeln.«

Es wurde mir heiß: »Es wird also nichts?«

»Der Oberboss sagte, ich soll mit Ihnen reden. Wenn Sie dar-auf bestehen, unterschreibt er den Vertrag, es war ja alles ab-gemacht. Aber ganz bestimmt wird er mit seinem derzeitigen Sparfimmel den Vertrag nach der Probezeit nicht verlängern. Wenn Sie nach der Probezeit rausfliegen, ist Ihr Image futsch. Wollen Sie das?«

Ich wollte heulen. Aber das tut man niemals. Mit letzter Cool-ness sagte ich: »Werde ich mich anderswo bewerben. In Berlin gibts reichlich Redaktionen …«

»Nein, bitte tun Sie das nicht. Wir wollen Sie nicht an die Konkurrenz verlieren.«

Ich verstand nichts mehr.

»Ich kann Ihnen anbieten, dass Sie vorläufig als freie Autorin für Francis arbeiten. Freie Autoren haben keine Arbeitsver-träge, deshalb gibt es da keinen Einstellungsstopp. Sie werden

280

pro Artikel bezahlt.« Ich sagte nichts. Er um so mehr. »Viele träumen davon, freie Autoren zu sein. An einem Tag wie heute können Sie in einem Café Ihre Ideen sammeln, statt in einem Büro langweilige Konferenzen abzusitzen. Was gäbe ich dafür, könnte ich so arbeiten.« Er bestellte ein weiteres Bier. Für mich einen weiteren Longdrink. Er sagte: »Ich werde alles in meiner Macht Stehende tun, damit Sie bei uns freie Autorin werden. Wir brauchen neue Ideen.«

»Wechselbad der Gefühle« nennt man so was als Journalist. Freude. Frust. Freude.

Er zahlte mit seiner goldenen Kreditkarte.

75. Kapitel

Das nächste Kapitel meines Lebens ist dies: Freitagmittag rief Monz wieder an, alles war geklärt, ich war freie Autorin. Wahnsinn.

Als letzten, und wie er sagte, angenehmsten Akt dieser Arbeitswoche trafen wir uns im Geheimtipp-Bistro, abends um neun, früher schaffte er es nicht. Der Arme konnte sich seine Zeit nicht frei einteilen.

Auf Wolken schwebte ich ins Bistro, betrachtete mich in den allgegenwärtigen Spiegeln: Bei meinen Spaziergängen durch die Schöner-Leben-Gegend war ich nett braun geworden und meine Haare blonder. Meine Frisur war super, Strähnen hingen so weit ins Gesicht, dass ich knapp noch sehen konnte. Ich trug das neue Hoffnungsgrüne, heftigen Lippenstift und etwas Rouge.

Er kam zwanzig Minuten zu spät, so war es leider in seinem Job. Er überreichte mir aus seinem Aktenkoffer einen Briefumschlag, darin mehrere Hundertmarkscheine, ich ignorierte sie mühsam, nahm den Brief raus. »Quittung« stand oben drauf und »Journalistische Fremdleistungen als freie Autorin«, unten »500,– DM«. Ich sagte langsam: »Wofür ist das?«

»Für Ihren ersten Artikel.«

»Das ist nicht … üppig.« Was hatte ich erwartet? Nicht so wenig.

»Es ist nur für einen Artikel. Das ist das übliche Zeilenhonorar.«

Ich wusste nicht, was ich sagen sollte.

»Bitte, Frau Silber, ich habe das in Ihrem Sinn geregelt, Sie bekommen Ihr Honorar in bar, brauchen Sie nichts zu versteuern. Wir verbuchen das intern.«

Ich sagte nichts.

Er redete auf mich ein: »500 steuerfrei, für einen Tag Arbeit, länger brauchen Sie nicht für so einen Artikel.«

Keine Ahnung, wie andere einen Artikel an einem Tag schreiben. Trotzdem wagte ich nicht zu sagen, dass ich dazu viel länger brauche. Fast flehend sagte er: »Ich habe dafür gesorgt, dass Ihr Artikel sofort im nächsten Heft erscheint. Normalerweise hätte das Monate gedauert.«

Aber ich sagte: »Auch wenn in jedem Heft ein Artikel von mir erscheint, sind das nur 1 000 Mark pro Monat. Allein mein Apartment kostet 2000.«

»Lohnt es sich nicht für Sie, in diese Chance zu investieren?«

Ich zuckte mit den Schultern, ich hatte lange genug investiert.

»Ich will alles tun, damit Sie bleiben, bei Francis. Und überhaupt.« Pause. »Es ist so …« Pause. »Erst sah ich Ihr Foto … dann sah ich Sie!« Pause. »Bei mir war es Liebe auf den ersten Blick.«

»!«

Er sank zusammen, sah mich an wie ein Dackel, rührend, unfähig, seine Gefühle zu verstecken.

Pause. Pause. Pause.

Bekanntlich hatte sich noch nie ein Mann auf den ersten Blick in mich verliebt. Allerdings hatte ich geglaubt, bei Liebe auf den ersten Blick trifft es beide. Und jetzt bitte eine intelligente Antwort. »Das wäre doch nicht nötig gewesen«, sagt meine Mutter, wenn sie was bekommt, was sie nicht will. Sagte ich nicht, ich sagte nichts.

Er lachte, zeigte seine schönen Zähne: »Verachtest du mich jetzt, weil ich so emotional bin?«

Hat je eine Frau einen Mann verachtet, weil er sich, egal auf welchen Blick, in sie verliebte? Solche Fragen soll man gar nicht beantworten.

Er redete auch schon weiter: »Ich will dich nicht überrumpeln.« Er hatte mich geduzt.

Dann sagte er: »Es ist so anders, ich kann es Ihnen gar nicht erklären.«

Jetzt hatte er mich gesiezt. Total verwirrt, der Mann.

»Ich hätte schwören können, dass mir sämtliche Frauen gestohlen bleiben können für ewig. Seit letztes Jahr meine Verflossene auszog.«

War mir völlig klar, dass er allein lebte. Jede Frau, die näher als einen halben Meter an ihn rangekommen wäre, hätte ihm die Mitesser ausgequetscht. »Und was tut Ihre Frau jetzt?« – Wo quetscht sie jetzt Mitesser aus?

Er erzählte seine ganze Geschichte: Vor sechs Jahren hatte er geheiratet, durchaus aus Liebe. Mein Herz wurde wärmer – ein Mann, der nicht fürs Finanzamt heiratet! Seine Frau hieß Daphne, war Schauspielerin in einer Fernsehserie gewesen. Sobald sie schwanger wurde, gab sie ihre Serienrolle auf und verkündete, sie wolle von nun an als Mutter leben, was die gesamte Film- und Fernsehbranche voll unterstützte, sie bekam nie wieder eine Rolle angeboten. Sie wurde zunehmend frustriert, machte zunehmend Terror, letztes Jahr hielt er das nicht mehr aus, zog aus, kaufte sich eine Eigentumswohnung und hatte mit seiner Frau nur noch Geldverkehr. »Das einzig

Schmerzliche ist, dass ich meine kleine Chloe nicht mehr sehen kann.«

Die übliche Geschichte, nur die Namen waren außergewöhnlich. »Warum heißt sie Chloe?«

»In den Kreisen meiner Ex hat man solche Namen. Daphne ist eine Waldgöttin, Chloe heißt die Maigrüne. Daphne liebt Pflanzen, und ihr Kind ist ihr Ableger. Und nun hat sie Chloe verschleppt nach Bali. Dort lässt sie für teures Geld ihre Stimme ausbilden, keine Ahnung, wozu sie die Stimmbildung braucht.«

Ich wollte ihn weder siezen noch duzen. »Schon geschieden oder noch verheiratet?«

»Leider noch.«

Ich wollte das Thema wechseln. »Wer entscheidet eigentlich, ob man sich duzt oder siezt? Die Dame oder der Chef?« – Schlau gefragt, so blieb die Entscheidung in jedem Fall bei ihm.

»Ich bin nicht dein Chef, ich bin allenfalls dein Agent oder dein Geldbriefträger. Ich heiße John.«

Meine Hand lag auf dem Tisch, er stupste mit seinem Mittelfinger an meinen Mittelfinger. Wenn ein Journalist Bildung demonstrieren kann, tut er es. Ich sagte: »Unsere Finger, wie bei Michelangelos Gemälde, auf dem Adam erschaffen wird.«

»Bist du die Frau, die mich neu erschaffen kann?«

Bisschen viel verlangt. Dieser John machte große Worte. Wahrscheinlich denkt man so als Werbemensch. Ich sagte: »Es ist alles zu plötzlich. Ich bin erst vor drei Tagen bei meinem Freund ausgezogen … Und jetzt … ist alles zu plötzlich.« Um nicht noch mal das Gleiche zu sagen, erzählte ich von Steffen.

»Ich dachte mir, dass eine so attraktive Frau wie du einen Mann hat. Liebst du ihn noch?«

»Nein«, so spontan, dass er spontan überzeugt war.

»Ich will dich nicht überrumpeln. Nach all dem, was du durchgemacht hast.«

Jede hört gern, dass sie viel durchgemacht hat, klingt nach viel Erfahrung. Allerdings klang es auch, als müsste ich jetzt Probleme mit Männern haben. Ich hatte nur mit einem Mann ein Problem. Mit John.

Im Prinzip gab es drei Antworten:

1. Jetzt merke ich es auch: Ja, ich liebe dich auch. Diese Antwort war falsch.

2. Ich liebe dich trotzdem nicht. Noch falscher. Dann würde er sich nie wieder um meine Artikel kümmern.

Als wär ich in Gedanken versunken, griff ich nach dem Umschlag, zog die Quittung raus, unterschrieb, schob ihm die Quittung hin, steckte den Geldumschlag in meine Handtasche. »Ich muss mir über meine Gefühle klar werden.« Die Antwort, die immer richtig ist.

»Du siehst süß aus, wenn du nachdenkst«, sagte John.

Er bezahlte wieder mit seiner goldenen Kreditkarte, fuhr mich wieder mit seinem silbernen Audi zum Apartment. Ein echter Gentleman, er versuchte nicht, mich zum Abschied abzuknutschen. Er sagte nur, eindeutig flehend: »Bitte überleg dir alles. Gründlich.«

Es war nicht die geeignete Situation, ihn nach der Reisekostenerstattung zu fragen.

In der Karriereleiterin stand: »Hast du deine Firma lieb, liebe niemals im Betrieb.« Anscheinend eine internationale Weisheit, denn da stand es auch auf Englisch: »Don't fuck in the factory.«

Ich sah die Stellenangebote in den Berliner Zeitungen durch: Eine Journalistin mit nur halbjähriger Erfahrung bei einem Provinzblatt wurde nirgends gesucht. So sahs aus. Aber sobald meine Artikel in Francis erschienen waren, würden meine Chancen viel besser aussehen.

Wenn man niemand hat, der einem die eigene Meinung be-
stätigt, hilft immer das Horoskop. In einer Zeitung las ich:
Liebe: Eine gute Woche, um über Neues nachzudenken.
Finanzen: Achten Sie auf Ihr Geld.
Allgemein: Übereilen Sie nichts.
Stimmte alles.

76. Kapitel

Samstagabend musste ich raus aus der Einsamkeit. Ich fuhr
mit dem Bus nach irgendwo, auf jeden Fall in die falsche
Richtung, da war Berlin eine Stadt voll alter Leute, Hunde,
Apotheken und Beerdigungsinstitute.

Ich fuhr zurück, landete in der Bleibtreustraße, las auf einem
Schild, dass die Straße benannt ist nach einem Schriftsteller,
der 1886 mit seiner Kampfschrift »Revolution der Literatur«
berühmt wurde. Ich hatte noch nie von ihm gehört, aber
Bleibtreu ist ein schöner Name, auch wenn der Name nicht
zu jedem passt. Hier war das aufregende Berlin. Eine schrille
Boutique mit schrillen Klamotten hieß »Kaufhaus Schrill«.
Eine Bar präsentierte hinter ihrer Glasfront Leute meiner Art.
Die Beschallung war heftig, günstig für Einsame, da kann
einem keiner unterstellen, man suche Unterhaltung, im Gegenteil, man kann tun, als ginge man in so ein Lokal, um endlich mit niemand mehr reden zu müssen. Am Tresen einzelne
Männer, dazwischen ein Pärchen, das sich nichts zu sagen
hatte. Drei freie Hocker hintereinander, ich setzte mich selbstverständlich auf den mittleren, man kann sich nicht direkt
neben einen fremden Mann setzen, nicht als Frau. Aber wenn
links und rechts ein Platz frei ist, muss man nur warten.

Ich bestellte den »Hit des Sommers«, angepriesen auf einer
Leuchttafel, was mit Rum und Minzezweigen drin, sehr erfri-
schend, schmeckte kaum nach Alkohol, nur nach Gesundheit.

Ich beobachtete mein Glas, beobachtete den Barkeeper, beobachtete die anderen Gäste, die ihr Glas beobachteten, versuchte trotz der Beschallung irgendwas zu denken. Endlich hörte ich jemand fragen: »Ist hier frei?«

Ein guter Typ, mittelgroß, schlank, guter Haarschnitt, schicker Anzug, klappte sein schickes Laptop auf, tippte rum, fluchte, weil nichts klappte, klappte alles zu, brüllte mir zu, er müsse Schluss machen und sich entspannen, und ich brüllte: »Genau.« Und er brüllte, er arbeite achtzehn Stunden täglich, selbstständig mit Computern, und Wahnsinnsprojekte und: »Mein Firmenvermögen bewegt sich jetzt im achtstelligen Bereich.« Achtstellig, waren das Millionen oder zählen die Stellen hinterm Komma mit? Auf jeden Fall Wahnsinn. »Interessierst du dich für die Maximierung von Finanzen?« brüllte er mich an. »Mein Name ist Benjamin, in meiner Branche duzt man sich.« Nachdem ich zurückgebrüllt hatte, dass es mich interessiert und was mein Name ist, brüllte er: »Gehen wir woanders hin, hier kann man nicht relaxen.« Fand ich gut beobachtet. Er winkte dem Kellner zu, fragte mich: »Soll ich für dich mitzahlen?«

»Nein, nein.« Wenn man gefragt wird, muss man Nein sagen als Frau, sonst denken die Männer, man wäre käuflich.

Draußen fragte er: »Kennst du das Kempinski?«

Natürlich nicht.

»Das Kempinski ist das älteste Nobelhotel in Berlin, gleich hier um die Ecke. Alle Stars steigen da ab. Da wohn ich. Gehen wir ins Kempinski«, sagte er.

»Ach, ins Hotel?« Ich versuchte es cool zu sagen, merkte leider selbst, dass ich mich anhörte wie ein Kleinkind, das nicht ins Bett will.

Er lachte: »Natürlich in die Hotelbar.«

Ich nickte cool, als hätte ich nichts anderes erwartet.

Die Kempinski-Bar war, wie es sich für ein altes Nobelhotel gehört: altmodisch und nobel. Benjamin ging sofort zu einem Tischchen in einer Nische: »Hast du was dagegen, wenn wir

Champagner trinken?«, er lächelte mich ungeduldig an, mir wurde ganz komisch. »Und wir essen eine Kleinigkeit.«

Klar, dass er mich einlädt, denn sonst darf ein Herr keine Verzehrvorschläge machen. Herren, die dich ins Kempinski führen, wissen das, hätte meine Mutter bestätigt.

Er bestellte zwei Mal Blinis mit Kaviar und eine Flasche Veuve Cliquot für schlappe 145 Mark. Die Blinis waren Pfannkuchen, klein wie Bierdeckel und so gestapelt, dazu runder Pumpernickel und Kaviar auf Crème fraîche.

Wir stießen an auf unsere Bekanntschaft, er wollte mir unbedingt auf seinem Laptop die rasante Entwicklung seiner Geschäfte vorführen. Batterie alle. Er fragte den Kellner, ob es in der Bar einen Computeranschluss für seinen Laptop gebe, das müsse in so einem Hotel selbstverständlich sein. Der Kellner sagte gereizt, das sei eine Bar, kein Büro.

»In den Zimmern ist ein Anschluss«, sagte er.

»Wir haben noch viel Champagner«, sagte ich. Unwillkürlich musste ich lächeln über meine Erfolge bei den Berliner Männern. Schon wieder eine Liebe auf den ersten Blick? Wie er wohl im Bett war? Software oder Hardware?

Der Kellner goss Champagner nach. Ich hatte Zeit. Ich wollte von meinen Erlebnissen erzählen.

Benjamin lächelte zappelig. »Ich frag oben an der Rezeption, wo hier ein Anschluss ist.« Und rannte mit seinem Laptop die Treppe hoch.

Ich lächelte. Und lächelte. Der Kellner goss wieder Champagner nach.

Der Kellner hatte den letzten Champagner eingeschenkt, zweimal gefragt, ob ich noch was wünsche, ich bestellte einen Kaffee und sagte dem Kellner, ich würde oben an der Rezeption nach meinem Freund sehen. Der Kellner begleitete mich. Es stellte sich heraus, dass der Herr mit kleinem Computer, mittelgroß, schlank, mittelblond, heller Leinenanzug, nicht an der Rezeption aufgetaucht war.

»Sicher ist er auf seinem Zimmer.«

»Der Name des Gastes?«

»Benjamin«, tja, peinlich, wenn man den Nachnamen des Mannes, den man eben als Freund bezeichnet hat, nicht kennt.

»Seine Zimmernummer?«

Unbekannt.

Der Kellner sah mich an, als wäre ich eine Nutte. Ich fragte ihn: »Und was jetzt?«

»Kassiere ich bei Ihnen.«

»Aber ich …«, fing ich an.

»Meine Dame, ich habe nicht ewig Zeit, wenn Sie nicht zahlen, holen wir die Polizei. Der Herr gab keine Order, auf Zimmerrechnung zu schreiben.«

»Aber er hat gesagt, dass er hier wohnt.«

»Das weiß ich nicht, für unser Hotel ist Diskretion äußerst wichtig. Ich kann nur sagen, das ist nicht das erste Mal, dass so was passiert.«

Der von der Rezeption mit traurigem Kopfschütteln: »Über die Naivität mancher Damen können wir nur den Kopf schütteln.«

Der Kellner: »Wenn Sie bei der Polizei beweisen können, dass er Sie ausdrücklich eingeladen hat, können Sie ihn anzeigen.«

Er lächelte amüsiert bei der Vorstellung, ich geh zur Polizei und kenne nicht mal den Namen meines Freundes …

Der von der Rezeption etwas freundlicher: »Wenn Sie jetzt nicht zahlen können, lassen Sie Ihren Ausweis hier, wenn Sie innerhalb einer Woche bezahlen, erstatten wir keine Anzeige.«

Schicksal, dass ich den Umschlag mit den 500 Mark in der Handtasche hatte. Der von der Rezeption guckte demonstrativ weg, als wolle er sich überhaupt nicht fragen, warum ich 500 Mark in einem Briefumschlag hatte. Sinnlos peinlich. Mit reichlich Trinkgeld zur Besänftigung des Kellners kostete mich das 230 Mark. »Ich bin neu in Berlin«, sagte ich, als käme ich von einem unbekannten Planeten. Weihrauch hätte geschrieben: Eine Landpomeranze im Sündenpfuhl der Großstadt.

»Schönen Abend noch, die Dame.«

Vergiss es, dachte ich. Es war kein Abenteuer, war nur ein teurer Abend.

Direkt vor dem Kempinski trat ich in Hundescheiße.

77. Kapitel

Solche Erlebnisse beschleunigen Entscheidungen. Außerdem hatte John das ganze Wochenende nicht angerufen. Wie lang hält Liebe auf den ersten Blick?

Montagnachmittag, ziemlich spät, rief ich ihn an. Er fragte chefmäßig, ob ich was Neues geschrieben hätte. Ich sagte, es seien so viele Eindrücke auf mich niedergeprasselt, ich hätte nicht gewusst, was zuerst schreiben. Und er sagte, der Bildredakteur hätte ein Bild zu meinem Artikel gefunden und gesagt, es sei genau das richtige Bild. Schließlich blieb mir nichts übrig, als selbst zu fragen: »Sieht man sich demnächst wieder?«

Sofort sagte er: »Wann passt es denn?«

Meinetwegen so bald wie möglich. Je mehr man in einer fremden Stadt allein unternehmen kann, desto einsamer fühlt man sich. Trotzdem konnte ich nicht sagen »heute«, ich musste sagen »morgen«, weil man sich nicht aufdrängt.

Um neun holte mich John an meiner Haustür ab, in Berlin geht man erst reichlich spät weg. Er führte mich in ein vornehmes Restaurant. Er war begeistert, als ich ihm vom Zwitscherbaum meiner Mutter erzählte. Natürlich war er noch begeisterter, als ich sagte, er soll von sich erzählen. Sein Vater ist pensioniert, war früher Topmanager bei einer Fluggesellschaft und erwartet von John, dass er auch Topmanager wird, und zwar bald, denn John war jetzt fünfunddreißig, und da wird es Zeit, Topmanager zu sein. Und seine Mutter ist von Beruf Gattin, wie es sich bei Topmanagern gehört. Außerdem hat er eine viel jüngere Schwester, Caroline, ebenfalls mit einem Topmanager verheiratet, zwei Kinder.

Ich hatte geglaubt, auch John sei Topmanager, er hatte doch dieses Riesenbüro? Das war leider nicht seins gewesen, sondern das von Oberboss Herrn Lever. John hatte mich nur dort empfangen als Vertreter von Herrn Lever, sein viel kleineres Büro ist zwei Etagen tiefer. Aber John sagte: »Es kann noch mein Büro werden. Nichts ist unmöglich, bis man es probiert hat.«

Und dann erzählte John von seinem Berufsstress. Heute war er dem Oberboss begegnet, ausgerechnet auf dem Klo. Eigentlich hatte der Alte nichts zu suchen im Gemeinschaftsklo der Redaktionsetage, er hatte oben in seiner Vorstandsetage ein Privat-Pissoir. Es erzeugt Stress, wenn man seinen Chef beim Pinkeln trifft. Und wenn Männer im Stress sind, können sie nicht richtig pinkeln. Der Stress fängt damit an, dass man den Chef nicht grüßen darf, wenn er gerade pinkelt. Doch John hatte aus Versehen »Guten Tag« gesagt. Der Chef hatte nichts gesagt, als wär er total aufs Pinkeln konzentriert. Dann dieses Problem: Auf diesem Klo für Normalpinkler gab es fünf Pissoirs. Der Oberboss hatte am zweiten Pissoir gestanden. Wo stellt man sich dann hin? John erklärte: »Daneben ist unmöglich, das wäre, als wollte man dem Chef auf den Schwanz gucken. In die hinterste Ecke ist genauso blöd, das wäre, als müsste man seinen Schwanz verstecken, weil er zu mickrig ist.«

Es gefiel mir, dass er nicht damenmäßig etepetetig redete, sondern so, wie er auch mit einem Mann geredet hätte. Ich lachte: »Ach, daher der Ausdruck: den Kürzeren ziehen.«

Er lachte auch und erklärte, er hätte sich dann für ein Pissbecken Abstand entschieden, das sei optimal.

»Frauen sind besser konstruiert, die können sogar mit einem Nichts Pipi machen. Und warum gehst du nicht in eine Kabine?«

Ich erfuhr: Männer, die zum Pinkeln in die Kabine gehen, sind keine richtigen Männer, denn das macht den Eindruck, als würden sie beim Pinkeln sitzen. Und kacken kann man geräuschmäßig nicht simulieren. »Lässt man dauernd die Spülung laufen, hält man dich für verklemmt, kommt kein überzeugendes Kackgeräusch, hält man dich für verstopft und fragt sich, warum du verstopft auf dem Klo rumhockst und der Firma die Zeit stiehlst.«

»Und wenn man zuerst am Pissoir steht, und der Chef kommt rein?«

»Dann ist es am schlauesten, so zu tun, als wäre der Pinkelvorgang bereits beendet und zu gehen. Ist der Chef zuerst da, pinkelt man nur, wenn man viel pinkeln muss. Nur ein bisschen pinkeln gilt als unmännlich. Wenn man nicht unbedingt muss, pinkelt man am besten gar nicht, sondern wäscht sich nur die Hände. Wenn der Chef dabei ist, muss man sich immer die Hände waschen, was man nicht tut, wenn man allein ist.«

Ein interessanter Unterschied zwischen Frauen und Männern: Frauen gehen gemeinsam aufs Klo, um über andere zu reden. Männer gehen nicht gemeinsam aufs Klo, aus Angst, ihr Pimmel käme ins Gerede. Und da behauptet Freud, Penisneid sei Frauensache! Schon wieder ein Thema für einen Artikel.

John sagte: »Man unterhält sich gut mit dir.«

Das hört man gern. Und es war schmeichelhaft, dass er mir so offen von seinem Stress erzählte.

Als wir in seinem Auto saßen, sagte er: »Ich würde dir gern meine Wohnung zeigen, das ist alles unfertig bei mir, du könntest mir Tipps geben, wie ich das farblich gestalte. Du hast einen guten Geschmack.«

Hört man auch sehr gern. Gibt es eine Frau, die keine Farb-
tipps geben will?

Er wohnte in einem neuen Hochhaus, in der 14. von 16 Etagen. Sein großes Wohnzimmer war eine Ecke des Hauses, zwei
Wände Fenster, umlaufender Balkon mit kaum sichtbarer
Stahlrohrverkleidung, ungebremster Blick auf die aufgetürm-
ten Lichter Berlins und all die magischen Baustellenbeleuch-
tungen. Ein Sofa, ein Fernseher, ein Glastisch auf hellem
Holzboden. Schick, aber wenig wohnlich.

Im Schlafzimmer ein richtiges Ehebett, ein Mitbringsel aus
seiner Ehe, seine Frau wollte es nicht behalten. Ansonsten
zwei Umzugskartons statt Nachttischchen. Und eine Wand
lang Einbauschränke. Im dritten Zimmer ebenfalls Einbauschränke und Umzugskartons. »Was meinst du dazu?«, fragte
er hochinteressiert.

Ich musste lachen. »Kann man viel draus machen, muss man
aber viel machen.«

Er seufzte: »Ich komm zu nichts. Die Putzfrau hat mich vor
zwei Monaten verlassen, weils hier nichts zu putzen gibt.« Er
holte aus dem Kühlschrank eine Flasche Champagner. Davon
hatte er mehrere. An Gläsern nur schwere, geschliffene Whis-
keygläser. Natürlich kann man daraus auch Champagner
trinken. Als wäre er der Barkeeper, stand er im Küchenbereich
hinter dem Tresen mit der schwarzen Granitplatte, ich stand
vor dem Tresen im Wohnzimmerbereich. Die Champagner-
flasche sprühte, wie es Champagnerflaschen so tun, als hätte
sie einen Orgasmus.

Es war mein Vorschlag, die kahle Glühbirne überm Tresen
auszuschalten. Die Berlinkulisse war genug Beleuchtung. Und
es war Vollmond. Auf was sollten wir trinken?

Mutig sagte ich: »Auf meine Reisekostenerstattung.«

Die Geldsorgen nagten an mir, erst recht nach der zwangs-
weisen Einladung dieses Multimillionärs. Davon erzählte ich

John aber nichts, denn wenn einer dich reingelegt hat, heißt es hinterher immer, man sei selbst dran schuld. Und ich wagte endlich zu fragen, ob der Verlag jetzt wenigstens meine Fahrkarte nach Berlin bezahlt, und für die erste Fahrt war auf meinem Konto auch noch kein Geld eingegangen, obwohl ich die Belege mit dem Vertrag an John geschickt hatte.

»In diesem Saftladen geht immer was schief«, rief John, »warum hast du es nicht gleich gesagt?«

Er holte eilig seine Brieftasche, und er hatte nicht nur Kreditkarten, er gab mir fünf Hundertmarkscheine und fragte, ob das reicht! Das war zu viel. »Nein, behalt den Rest. Und ich kläre das mit dem Verlag, hast du keine Arbeit damit.«

Toll. Wenn man weniger Sorgen hat, fühlt man sich besser. So einfach ist das. Ich lächelte John an.

Er lächelte nicht. Nun guckte er sorgenvoll: »Tilla, ich hab über deine finanzielle Situation nachgedacht, bitte nimm es mir nicht übel, ich will dir helfen. Ums kurz zu machen, du kannst hier einziehen. Selbstverständlich völlig unverbindlich.«

»Nein danke. Kenne ich von meinem früheren Freund: keine Miete, doppelt so viele Nebenkosten. So blöd war ich nur einmal.«

»Du darfst nicht behaupten, dass alle Männer gleich sind. Ich nehm keinen Pfennig von dir.«

»Und was ist mit deiner Noch-Ehefrau?«

»Sie ist in Bali. Und das ist meine Wohnung.«

Die Sache musste einen Haken haben. »Wo leben deine Eltern?«

»In Kiel.«

War weit genug weg. »Was hast du davon, wenn ich hier einziehe?«

Er seufzte: »Dich.« Pause. »Ich schwör dir, ich tu nichts, was du nicht willst.«

Wie soll das gehen beziehungstechnisch, beziehungsweise bettbeziehungstechnisch? Kann mir keiner was erzählen von völlig unverbindlich, ich würde unweigerlich in seinem Bett landen. Und wenns da nicht klappt, mach ich mich beschämt davon, abgestempelt als bettuntauglich. Nein, wenn ichs sowieso tu, dann gleich.

Im Dunkeln sieht man keine Mitesser. Es kommt nicht auf die Geschwindigkeit an, mit der man sich verliebt. Wenns bei mir nicht Liebe auf den ersten Blick war, vielleicht Liebe auf den dritten Blick? Oder Liebe auf den ersten Fick?

Weil seine Platten und Kassetten in irgendeinem Umzugskarton waren, suchte er im Radio was Passendes. Auf AFN kam ein Song mit dem Refrain »That's amore, Signore!«. Mit viel Gitarrenschmalz und Tamburinklimbim sang ein Amerikaner, der tat, als wär er Italiener, und ich übersetzte gleich ins Deutsche: »… wenn du nicht mehr weißt, was du siehst und glaubst, der Mond wär eine Pizza – that's amore, Signore.« Nein, der Mond war der Mond und ich wusste genau, was ich sehe.

John sah mir aus einer Entfernung von 15 cm in die Augen. Die Entfernung verringerte sich. Aber er war immer noch im Küchenbereich, ich im Wohnzimmerbereich. Zwischen uns der Tresen.

»… Wenn du auf der Straße tanzen willst – that's amore, Signore.«

Ich begab mich zum Sofa. Dankbar folgte er mir. Er küsste mich ins Ohr, dieses schabende Geräusch, dieses Gefühl, dass Spucke ins Ohr läuft. Er betatschte meinen Busen sacht, als wäre er aus Schlagsahne. Man liest oft von zickigen Ziegen, die sich in Momenten wie diesen zieren. Aber wenn ich jetzt ging, dann musste ich zurück zu meiner Mutter ins Kinderzimmer. Was man will, wird oft viel klarer, wenn man die Alternativen bedenkt.

»… Wenn die Welt scheint zu sein, wie nach zuviel Wein – that's amore …« Gute Idee. Nicht nur die Liebe vernebelt das Gehirn, Alkohol tuts auch. Alkohol macht mehr aus kleinen

Gefühlen. Deshalb werden im Suff so viele Kinder gezeugt. Schwanger konnte ich nicht werden, dank Pille. Ich brauchte nur mehr Promille. Ich verlangte mehr Champagner, trank das Glas sofort aus, sah ihn albern an, als würde ich ihn nun mit anderen Augen sehen. Und er, damit ich was anderes sehe, öffnete seinen Hemdknopf, Brusthaare quollen mir entgegen. Nicht alle Frauen stehen auf Brusthaare, aber es gibt Schlimmeres.

Und John sagte: »Let's make amore, Signora.«

Da ich auf diese Variante von Abendgestaltung nicht vorbereitet war, hatte ich nur überlegt, was ich anziehe, nicht, was ich ausziehe. Ich trug den BH, der am bequemsten sitzt und leider, nach den ehernen Gesetzen der BH-Designer, nie der ist, der am besten aussieht. Eher im Gegenteil. Leicht angeleiert, aber es war dunkel.

Zur Ablenkung sagte ich: »Hier auf dem Sofa kann uns halb Berlin dabei zusehen.« – Außerdem weiß man aus Film und Fernsehen, wie Sexszenen auf Sofas enden: Weil ein Sofa zu schmal ist, landet einer vorm Sofa, immer die Frau. Und dann hat sie die Arbeit, er das Vergnügen. Aber ein Blowjob ist keine Arbeitsbeschaffungsmaßnahme für Frauen, für die man noch dankbar sein muss. Ich sagte cool: »Ich bin nicht der Sofatyp. Ich finde Betten besser.«

Das Bett war frisch bezogen.

Seine schwarze Unterhose nagelneu.

Sein Plan hatte funktioniert. Für John war alles machbar.

Ab fünf Männern, sagen die Expertinnen der Frauenzeitschriften, wird es schwierig, sie im Bett zu unterscheiden – falls es sich nicht um ein Sammelsurium von Perversen handelt. Der Schwanz von John war nicht bemerkenswert anders als der von Steffen, aber der Schwanz von John war schlauer und sensibler. Steffen hatte mal erklärt, Begabung bedeutet, dass man schnell und leicht lernt. John konnte meine Bewegungen zu seinen Bewegungen machen. John war für Sex begabt.

Und wenn man sich ein bisschen Mühe gab, konnte man sich vorstellen, der Mond sei eine Pizza.

Am nächsten Morgen rief John im Büro an, er komme später, vielleicht gar nicht. Keine Erklärungen. Das genügte.
Er hatte nichts im Kühlschrank außer gewellten Pumpernickel, eine Tube Lachspastete und ein Paket Nudeln. Deshalb fuhren wir zuerst zu einem Geldautomaten, ich sah, dass er seine Brieftasche vollstopfte mit einem Bündel Hunderter. Dann zum Brunch in ein bezauberndes Café in einem Museum.
Am Abend führte er mich schon wieder in ein wunderbares Lokal. Und er sagte, so viele Kneipen wie in Berlin gibts nirgendwo sonst in Deutschland. Und er will mir die schönsten und besten zeigen. Und ganz selbstverständlich zahlte er alles. Und als er ziemlich schüchtern fragte, ob er mich noch mal fragen dürfte, ob ich zu ihm ziehe, und wie schön es mit mir sei, war mein Restwiderstand geschmolzen. Und ich sagte überzeugt »Ja.«
Er half mir bei allem. Beim Einpacken meiner Klamotten. Beim Auspacken meiner Klamotten. Dabei fiel ihm auf, dass er fast keine Kleiderbügel hatte. Weshalb seine anderen Klamotten noch in den Kartons waren. »Was kosten Kleiderbügel?« fragte er. Ich wusste es auch nicht.
»Darf ich dir Geld geben, und du kaufst alles, was wir brauchen?« Und gab mir 500 Mark für Kleiderbügel und so.
Das muss man sich mal vorstellen. Gibt es eine andere Antwort als JA?

78. Kapitel

John empfahl mir das KaDeWe, was eigentlich »Kaufhaus des Westens« heißt und Berlins berühmtestes Kaufhaus ist.
Es gibt sehr teure Kleiderbügel, auch ganz billige. Ich kaufte

fünfzehn mittelteure, zehn teure Hosenbügel, dreißig billige. Außerdem kaufte ich in der berühmten Lebensmittelabteilung im 6. Stock französische Butter, leicht gesalzen, dreimal so teuer wie normale Butter, vielmals besser; Pflaumenmarmelade mit Armagnac; Orangenmarmelade mit Cointreau; getrüffelte Wildpastete; Schinken aus Spanien, der Pata Negra heißt; und die besten Croissants am Stand von Lenôtre, dem französischen Nobel-Bäcker. Zur Belohnung für dieses Einkaufsvergnügen genehmigte ich mir ein traumhaftes Törtchen, eine Charlotte russe. An den Tischen um mich herum Törtchen essende Luxusweibchen.

John war begeistert von allem, was ich anschleppte. Ob ich Lust hätte, mehr einzukaufen? Als er bei seiner Exfrau auszog, hatte er nichts mitgenommen. Ich konnte alles kaufen, was ich wollte. Wenn ich ihm die Quittungen gab, rechnete er nie nach. Er vertraute mir total. Er wollte die Quittungen gar nicht, nur die, die er von der Steuer absetzen konnte, ich gab ihm trotzdem alle, und jedes Mal fragte er mich dann, ob ich wieder Geld brauche. Es war wie im Märchen. Nur dass im Märchen so ein Mann seiner Geliebten eine seiner Kreditkarten gibt. Denn im Märchen darf eine Frau mit einer Karte zahlen, die ihr nicht gehört. In der Realität ist das leider Kreditkartenbetrug. Was ich mit John erlebte, war ein wahres Märchen. Er gab mir immer Bargeld.

Täglich kaufte ich exklusive Lebensmittel, täglich Neues für die Wohnung. Mehr Handtücher, mehr Küchenhandtücher, Badematte, Schuhabputzer, sogar Putzlappen musste ich kaufen. Ich brachte Prospekte für Porzellan: wir entschieden uns für edel-schlichtes. Wir brauchten Weingläser, Biergläser, Wassergläser, Töpfe, Besteck, Bügeleisen, Bügelbrett. Als überall Lampen installiert waren, sagte John: »Du hast Licht in mein Leben gebracht!«

John fragte, ob wir nicht ein paar gute Möbel brauchen? Richtig, wir brauchten statt der Umzugskartons Nachttischchen, aber nicht so spießige. Fürs Wohnzimmer mindestens zwei Sessel und Stühle für den Tresen. Ich besorgte noch mehr Prospekte. Eine schöne Aufgabe. Dabei lernte ich, in den teuersten Läden ganz natürlich zu wirken. Wie ein Luxusweibchen. Niemand ahnte, dass mein Einkommen unter dem Existenzminimum lag. Wer mich sah, hielt mich für ein Luxusweibchen.

In einer Filiale meiner Bank informierte ich mich über meine finanzielle Situation. Ich war 400 Mark reicher geworden: Die guten Aktien waren etwas gestiegen, die schlechten standen nicht schlechter. Na also, ich konnte es mir leisten zu bleiben. Und John war ja so großzügig.

Ich rief meine Mutter an, um ihr meine neue Adresse und die dazu führenden Umstände mitzuteilen.

Sie, entsetzt: »Wieder bei einem anderen! Das hast du von deinem Vater, dieses Umherziehen.«

Bisher hatte ich gedacht, mein Vater sei allein durch die Welt gezogen – aber warum sollte ein Mann wie er allein sein? Warum sollte ich allein sein?

Ob sie den Herrn mal kennen lernen dürfte, fragte meine Mutter argwöhnisch. Selbstverständlich, wenn sich die Gelegenheit ergibt. Aus einer Entfernung von einigen hundert Kilometern sind solche Drohungen keine Aufregung wert.

Aber am gleichen Abend rief sie an, eindeutig in der Absicht, John ans Telefon zu bekommen, und bekam ihn ans Telefon. Nun wusste sie, dass er einwandfrei Deutsch spricht, äußerst höflich ist, und er sagte zu ihr: »Ich kann mein Glück gar nicht fassen, Ihre Tochter getroffen zu haben.« Als er mir das Telefon übergab, war sie sprachlos. Mütter wünschen selbstverständlich das Beste für ihre Töchter, aber wenn es den Töchtern besser geht als den Müttern, ist das unmoralisch.

Dann klagte sie über Sisi. Die liebte in jeder Hinsicht Überraschungen, wollte vorher nicht wissen, obs ein Junge wird oder sonst was. Und Supersohn Malte wollte es auch nicht vorher wissen, der hatte wie ein Philosoph gesagt: »Der Bauch ist rund und eine Schwangerschaft dauert neun Monate.«

Das war nicht meine Zukunftsplanung. Ich ging zum Frauenarzt, ich brauchte ein neues Rezept für die Pille. Dabei stellte ich fest, dass ich mich nun freiwillig versichern musste. Da ich offiziell nichts verdiente, war das nicht teuer, trotzdem sagte John lässig: »Ich geb dir das Geld.«
Und als ich fragte, ob ich eine Waschmaschine kaufen soll, sagte er: »Wäre es nicht bequemer für dich, wenn die Wäsche abgeholt und schrankfertig zurückgebracht wird? So hab ich das bisher gemacht.« Und er fragte ernsthaft: »Wär dir das recht?«
Ich konnte nur nicken vor Begeisterung.

Ich rief Thomas an – während John weg war, erzählte ihm alles in aller Ausführlichkeit.
Thomas sagte pikiert: »Du hast immer so schnell Ersatz.« Als wärs meine Schuld, dass er keinen hatte. Dann fragte er misstrauisch: »Wenn du die Stelle in der Redaktion bekommst, lebst du weiter geheim mit ihm zusammen?«
Ich erklärte, dass mir John hilft, wo er kann, und Johns Lieblingswort ist »machbar«. Ganz anders als Thomas mit seinem Lieblingswort »nein«. Und ich sagte etwas giftig: »Nur mit nein ist nicht viel machbar.«
»Schön, dass du dich so vernünftig verliebt hast«, sagte Thomas, es klang neidisch.
Muss denn Liebe Dummheit sein? Was wird aus all den Schmetterlingen im Bauch? Man darf gar nicht dran denken. Und satt wird man davon auch nicht. Wenn die Leidenschaft des Anfangs vorbei ist, ist es besser, man war vernünftig statt verblödet.
Und John war so dankbar. Er war begeistert, als ich ihm

die Mitesser auf der Nase ausdrückte. Und es gäbe nichts Geileres, als wenn ich nackt auf seinem Rücken liege und seine Mitesser ausquetsche.

79. Kapitel

Es war ein großer Moment meines Lebens, als John eine druckfrische Francis brachte mit meinem Artikel. Dem ersten meiner Serie »Was ist eine richtige Frau?«. Das seitengroße Foto dazu zeigte eine nackte Frau von hinten, kniend vor nacktem Mann von vorn, ihr Kopf verdeckte seine sogenannte Männlichkeit. Fand ich unpassend, die Frau sollte doch im Blickpunkt stehen. John konnte nichts dafür, Fotos waren Zuständigkeit des Bildredakteurs, und zu meinem Thema war eben das sein Einfall gewesen. Der Bildredakteur galt als Künstler, den man machen lassen musste, obwohl den wenigsten gefiel, was er machte, was er wiederum für den eindeutigen Kunstbeweis hielt.

»Was haben die anderen in der Redaktion zu meinem Artikel gesagt?«

Er war allgemein gut angekommen. Allerdings hatte es durchaus Gegenstimmen gegeben. Mein zentrales Thema, dass die Unterschiede zwischen Männern und Frauen viel geringer sind, als allgemein behauptet, wurde nicht von allen akzeptiert, es wurde argumentiert, wenn es keine Unterschiede zwischen Männern und Frauen mehr gäbe, wozu dann Frauenzeitschriften? »Aber ich habe für dich gekämpft«, sagte John stolz, »ich habe deutlich gemacht, das sei für eine Frauenzeitschrift der zukunftsweisende Trend.«

Glücklich überflog ich meinen Artikel: »Es ist nicht mal typisch weiblich, dass Frauen gebären, es gibt eine Ausnahme im Tierreich: das Seepferdchen. Das Seepferd-Männchen hat eine Bruttasche, in die legt das Weibchen ihre Eier, er trägt die

Eier bis zum Schlüpfen bei sich, sein Bauch schwillt wie bei einer Schwangeren, und wenn die Jungen im Bauch aus den Eiern geschlüpft sind, stößt er sie aus, als wäre er in den Wehen. Also ist er der Gebärende. Diese Leistung machte das männliche Seepferdchen in der chinesischen Medizin zu einem der teuersten Heilmittel gegen Impotenz. Schlappe Penisse werden angeblich hart wie getrocknete Seepferdchen. Man schluckt sie aber nicht als Ganzes, sondern pulverisiert. Seepferdchen sind heute vom Aussterben bedroht, denn es gibt bedeutend mehr Impotente als Seepferdchen ...«

»Über Heilmittel bei Impotenz hab ich gar nichts geschrieben«, staunte ich.

»Weil Frau Norden, die dafür zuständig wäre, in Urlaub ist, hat der Textchef Dr. Schwarz den Artikel bearbeitet. Er kam zu mir und wollte noch mehr einfügen über Heilmittel bei Impotenz, aber ich habe ihm gesagt, das sei nicht das Problem der Autorin. Worauf er beleidigt war.«

Weiter gings mit meinem Thema, dass Männer genauso gut Mütter sein können: »Bei vielen Fischen bewacht das Männchen die Brut, bei Pinguinen brüten die Männchen, bei Schnabeltieren zieht das Männchen die Jungen allein auf, und bei Tauben entwickelt der Täuberich sogar Kropfmilch, um die Jungen zu füttern.«

Wieder fiel mir was auf: »Es ist anders geschrieben.«

»Der Wichtigtuer Schwarz musste sich profilieren, schließlich ist er Literaturwissenschaftler. Er hat behauptet, stilistisch sei der Artikel zum Teil geschrieben, wie heute nur noch Werbefuzzis schreiben und Provinzjournalisten.« John sagte entschuldigend: »Ich konnte ihn nicht daran hindern, es ist sein Job.«

Genau, das war der Unterschied. Weil nach »Taube« gleich »Täuberich« kam, hatte ich als anderes Wort für »Taube« geschrieben »die als fliegende Ratten in Verruf geratenen Friedenssymbole« – war Originalton Weihrauch. Und statt all meiner Synonyme für »Seepferdchen« kam nun sechsmal hintereinander »Seepferdchen«! Es war so schwierig gewesen, Synonyme zu finden: »dieses Gebilde, das nur aus Haut und Knochen zu bestehen scheint«, und »urzeitlicher Wasserbewohner« und »Hippocampus«.

John sagte: »Schwarz hat mir sein Merkblatt mitgegeben. Und er tut so, als hätte ich den Artikel geschrieben.«

Das Merkblatt hatte den Titel: »Deutsch für Journalisten.« Zuerst schrieb Schwarz, das Wichtigste für jeden Journalisten sei, so zu schreiben, dass jeder Leser es versteht. Dann schrieb er über die häufigsten Fehler der Journalisten, nämlich die:

»Vermeiden Sie Synonyme! Wenn Sie für die gleiche Sache verschiedene Worte benutzen, erwartet der Leser zu Recht, dass Sie jedes Mal was anderes meinen. Wenn Sie zum Beispiel abwechselnd schreiben ›Frau‹, ›Dame‹, ›Weibsperson‹, ›Evastochter‹, dann verwirren Sie die Leser mit Ihren Ratespielchen. Warum soll man erraten müssen, was Sie meinen? Schreiben Sie einfach exakt. Die meisten Synonyme sind verstaubte Klischees wie zum Beispiel ›Ehegespons‹, ›bessere Hälfte‹, ›Gemahlin‹, auch ›Gattin‹ ist so altmodisch, dass es abwertend klingt.

Vermeiden Sie Altertümlichkeiten, sogenannte Archaismen! Vermeiden Sie alle Worte, die keiner mehr spricht. Schreiben Sie nicht so, als müssten Sie Antiquitäten fälschen. Verstaubte Sprache ist schlechter Stil.

Vermeiden Sie Konjunktive! Wenn Sie die Rede oder die Ansichten eines anderen wiedergeben, brauchen Sie keinen Konjunktiv, Sie müssen nur deutlich machen, dass Sie zitieren. Eine Häufung von Konjunktiven wirkt gestelzt und verkrampft. Oft ist der Konjunktiv sogar falsch, weil irreführend: Der Konjunktiv schwächt Bedeutungen, macht aus Tatsachen unrealistische Möglichkeiten. Wenn Sie zum Beispiel berichten: »Er sagte, er kommt, wenn er kann«, hat das Kommen

eine viel größere Wahrscheinlichkeit als in der Konjunktiv-konstruktion: ›Er sagte, er käme, wenn er könnte.‹
Grundsätzlich: Wenn Sie Aussagen sprachlich komplizieren, gibt das Bürokratendeutsch. Schwieriges einfach darzustellen, das ist die Kunst der Journalisten.«

John sagte: »Wirf es in den Müll.«
Nein, ich war dem Textchef sogar dankbar, dass die Sucherei nach den umständlichen Synonymen ein Ende hatte. Ich wollte schreiben wie eine Großstadtjournalistin.
Und dann merkte ich: Mein Name stand nicht über dem Artikel, unter dem Artikel stand er auch nicht. John war genau so platt. Er würde rausfinden, was wieder schief gelaufen war in dem Saftladen.

80. Kapitel

Es dauerte einige Tage bis klar war, wer schuld war. John sagte: »Ich habe eine gute und eine schlechte Nachricht. Zuerst die gute: Dein Artikel ist bei den Leserinnen sehr gut angekommen. Der nächste Artikel erscheint garantiert. Jetzt die unangenehme Nachricht: Der Oberboss höchstselbst hatte angeordnet, dass dein Artikel ohne Namen erscheint. Ich hatte eine Privat-audienz bei ihm. Es ist nicht so falsch, was er sagt: Francis pflegt ein klassisches Frauenbild, das heißt, für wissenschaftliche Themen und für Reisen und für Humor sind traditionell Männer zuständig. Und deshalb meinte Lever, deine Artikel müssten eigentlich unter einem Männernamen erscheinen, damit sie wissenschaftlich wirklich seriös wirken.«
»Ich soll unter einem Männernamen schreiben?«
»Viele Journalisten schreiben unter Pseudonymen für meh-rere Zeitschriften. Dadurch haben sie viel mehr Möglich-keiten. Und viel mehr Honorar.«

War wahr.

John grinst: »Ich hab mir ein Pseudonym für dich überlegt: Till Gold!«

Ich lachte.

»Du schreibst für Francis als Till Gold, und falls Frau Nordens Idee realisiert wird, schreibst du für die unter Tilla Silber.«

»Tilla Silber und Till Gold ist keine zufällige Ähnlichkeit, das fällt auf.«

»Selbstverständlich fällt das auf. Die Leser werden denken, Tilla Silber sei das Pseudonym, die Reaktion auf Till Gold. Wenn du eines Tages das Geheimnis von Till Gold lüftest, hast du bewiesen, dass du als Frau aus Männersicht schreiben kannst, damit gehörst du automatisch zur Crème de la crème des Journalismus.«

John holte das Telefonbuch, in Berlin wie überall ist der Name »Gold« viel häufiger als »Silber«. So gesehen wirkte Till Gold sogar echter als Tilla Silber. Passte wirklich gut: Silber ist in vielen Sprachen weiblich und Gold männlich. Der Gold. Nicht schlecht.

»Noch was«, sagte John, »du bekommst für Till-Gold-Artikel 800 Mark. Selbstverständlich steuerfrei.«

Alles war machbar.

Mein zweiter Artikel erschien nun unter Till Gold. John hatte sogar meinen Vorschlag für das Bild zum Artikel durchgesetzt: nun ein nackter Mann von hinten, der kniete vor einer nackten Frau von vorn und betrachtete ihr Sexzentrum.

Stolz las ich meinen Text: »Was ist eine richtige Frau? Die Frage ist leichter zu beantworten, fragt man zuerst: WER ist eine richtige Frau? Madame Curie oder Madame Pompadour? Simone de Beauvoir oder Mutter Teresa? Prinzessin Diana oder Marilyn Monroe? Die Queen oder ihre Putzfrau?

Wer sagt, Frauen, die nicht Mütter wurden, seien keine richtigen Frauen, muss uns erklären, was sind die Pompadour, die Beauvoir, die Monroe und Mutter Teresa? Die biologische Möglichkeit ist nur eine Möglichkeit von vielen. Biologie ist keineswegs ein unabänderliches Schicksal.«

Und am Ende: »Ein Mann soll bekanntlich einen Sohn zeugen, ein Haus bauen und einen Baum pflanzen. Aber wenn er nichts davon tut, gilt er trotzdem als richtiger Mann. Eine richtige Frau muss auch nicht unbedingt eine Tochter gebären, einen Herd kaufen und eine Blumenvase töpfern. Eine richtige Frau bestimmt selbst, was sie will.«

Und kaum Änderungen von Dr. Schwarz.

John übergab mir acht Hundertmarkscheine: »Ich hab die Tante von der Buchhaltung gebrieft, dass sie das unter Spesen verbucht, so bist du absolut sicher vor der Steuer. Übrigens, soll ich dir einen Computer kaufen?«

Toll. Als Journalistin musste ich lernen, mit Computern zu arbeiten. Auch John würde demnächst einen Computer am Arbeitsplatz bekommen, denn die neuen waren so einfach zu bedienen, dass nicht nur die Sekretärinnen damit umgehen konnten, sondern sogar auch die Chefs. Und er bestellte über die Redaktion – zum Sonderrabatt selbstverständlich – einen Computer für den Privatgebrauch und einen Techniker, der alles installierte und mir die Grundlagen beibrachte. Außerdem schloss er den teuersten Servicevertrag ab, falls was schief ging, konnte ich jederzeit einen Experten anrufen.

John bestand darauf, dass ich nicht das zweite Mickerzimmer, sondern das Wohnzimmer zum Büro machte. Er bestellte auch den besten Anrufbeantworter und einen Schreibtisch aus Kirschbaumholz und den besten Bürosessel aus schwarzem Büffelleder. Es war toll, mit welcher Dynamik John alles managte. Wenn Geld keine Rolle spielt, werden Wünsche sehr schnell wahr.

Aus meinem Büro schickte ich als erstes meine beiden Artikel an Professor Fürhaupt. Erklärte, warum sie vorläufig unter Till Gold erscheinen. Und schrieb ihr: »Sie haben doch gesagt, dass auch Tiere ihr Geschlecht ändern, wenn Sie dadurch besser leben können.«

81. Kapitel

Mit Weltuntergangsgesicht kam John aus dem Büro: »Daphne und Chloe sind back in town. Daphne hat im Büro angerufen, Frau Deutelmoserdelrio genervt, die musste ihr versprechen, dass ich jetzt um 8 nach 8 anrufe, pünktlichst, damit Chloe nicht ans Telefon geht und nicht mit ihrem eigenen Vater spricht.«

So durfte ich mithören, wie John sagte: »Ich kann dich nicht verstehen, wenn das Kind ständig brüllt … Nein, ich will meiner Tochter nicht das Atmen verbieten, aber bitte, bleib auf dem Boden der Tatsachen, wenn ein Kind gern brüllt, bedeutet das nicht, dass sie Talent zur Politikerin hat.« Schließlich sagte er: »Selbstverständlich will ich meine Tochter sehen, aber warum musst du dabei anwesend sein? … Außerdem bin ich berufstätig und habe sogar an den Wochenenden Geschäftstermine.« Und ehe er auflegte: »Bei mir gibts keinen Diskussionsbedarf.«

Danach brauchte er einen Cognac. »Was hat dieses Gebrüll mit Kreativität zu tun? Das ist nur krähaktiv.« Noch einen Cognac. »Daphne sagt, Chloe hätte eine sehr gute Stimme, nur fehle es ihr an sprachlicher Ausdruckskraft. Sie ist aus Bali zurückgekommen, damit Chloe lernt, in ihrer Muttersprache rumzubrüllen. Sie haben jetzt einen deutschen Stimmtherapeuten. Ich soll Chloe treffen und ihr sagen, wie toll ich diesen Quatsch finde.« Noch einen Cognac. »Daphne glaubt, alles hätte nach ihren Wünschen zu gehen. Ihr Vater ist früh gestorben, er war fünfunddreißig Jahre älter als ihre Mutter. Daphne ist das einzige Kind, ihr wurde jeder Wunsch erfüllt. Und jetzt wird sie nicht damit fertig, dass sie sich als Mutter nach ihrem Kind zu richten hat. Das erste Problem, das Daphne nicht mit Geld lösen kann.«

»Was mache ich, wenn sie hier anruft?«

»Kann sie nicht. Das ist eine Geheimnummer, die geben wir nur persönlich weiter. Diese Wohnung bleibt daphnefreie Zone, das ist schriftlich vereinbart.«

Vorsichtshalber nahm ich nie wieder das Telefon sofort ab, ließ erst den Anrufbeantworter laufen, bis ich wusste, wer dran war.

Etwa eine Woche später rief Johns Mutter an. Sie sprach ohne Zögern auf den Anrufbeantworter. Sie hatte eine sanfte, liebenswürdige Stimme: »Mein lieber John, ich bitte dich sehr, mit Daphne einen Termin zu vereinbaren betreffs Chloe. Daphne hat mehrmals bei uns angerufen und sich bitter beklagt, sie hat gedroht, du weißt ja, wie sie ist, uns das Leben zur Hölle zu machen. Mein lieber John, wir haben Chloe in letzter Zeit oft bei uns gehabt, nun bist du dran. Seit die Kinder deiner Schwester dein Kind an den Haaren gezogen haben, oder umgekehrt, sollen wir auf alles aufpassen. Außerdem hat Daphne gesagt, wir hätten keine Ahnung von moderner Kindererziehung, wir müssten uns da erst einarbeiten. Und dazu sind wir zu beschäftigt. Dein Vater will, dass ich zum Golfturnier ans Kap mitfahre. Ganz herzlich deine Mutter. Und viele Grüße an Frau Silber, ich hoffe, wir lernen uns demnächst kennen.«

Vor Freude, dass sie mich grüßen ließ, wäre ich fast ans Telefon gegangen, traute mich dann doch nicht.

Für John hörte sich die sanfte Bitte seiner Mutter an wie ein knallharter Befehl: »Jetzt muss ich einen Termin machen, sonst wird meine Mutter sauer.«

»Was ist, wenn sie sauer wird?«

»Das will ich lieber nicht wissen. Sie ist eine eiserne Lady. Sie regiert die Familie. Sie tut, als ginge alles nach dem Willen ihres Gatten, aber der weiß gar nicht, dass er all das will. Garantiert würde er lieber ohne Bewachung zu seinem Golfturnier fahren. Aber am Kap der Guten Hoffnung gibt es zu viele freundliche Zimmermädchen, die gern von einem reichen Ausländer guter Hoffnung wären.«

Und John rief Daphne an und vereinbarte ein Treffen am nächsten Wochenende. Da Daphne nach der Trennung eine neue Wohnung gemietet hatte, um sich vom Geist der Vergangenheit zu befreien, durfte er ihre neue Wohnung nicht betreten, sein Geist musste draußen bleiben, auch das war schriftlich vereinbart. Es wurde daher als Treffpunkt ein Café beim Botanischen Garten ausgemacht. Daphne würde Chloe bringen und abholen. John würde mit Chloe den pädagogisch wertvollen Garten besichtigen, Daphne verzichtete auf ihre Forderung, in Hörweite zu bleiben, nachdem John versprochen hatte, Chloes Interesse an der Natur zu unterstützen.

Nachdem sie endlich genug angeordnet hatte und John auflegen durfte, sagte er: »Sie behandelt alle wie ihre Dienstboten. Hat sie von ihrer Mutter. Als ich Daphne das erste Mal in ihrer Familien-Villa besuchte, kam die Mutter an die Tür, nahm mir meinen Blumenstrauß weg, sagte: Worauf warten Sie? Wir geben grundsätzlich kein Trinkgeld für die Erfüllung beruflicher Pflichten, allenfalls für besondere Leistungen. – Sie hielt mich für den Blumenboten. Als das Missverständnis geklärt war, sagte sie: Wie sollte ich das ahnen? Warum läuten Sie nicht am Portal? Das hier ist der Dienstboteneingang. Haben Sie zu Hause keinen Dienstboteneingang?«

82. Kapitel

Meine Mutter rief an, sie fand es besser, dass ich unter Till Gold schreibe. Sie schien zu befürchten, wenn ihre Gäste wüssten, dass ich über das Sexleben der Tiere schreibe, würden sich ihre Gäste künftig weigern, diese Tiere weiterhin bei ihr zu essen. Dann der Schlag: »Ich komme übermorgen übers Wochenende nach Berlin. Es ist das letzte Mal, dass ich dich besuchen kann.«

Was war los? Ich erschrak.

»Das Baby kommt bald.« Als wäre es ihr Baby. Sie jammerte, dass Sisi und mein Bruder nur gemeinsam vor dem Fernseher saßen und gemeinsam Erdnüsse aßen. Meine Mutter würde sich um alles kümmern müssen. Nur dieses Wochenende hatte sie noch Zeit, sich auch um ihre Tochter zu kümmern. Der Zwitscherbaum war zwei Wochen geschlossen, weil die Sommerferien angefangen hatten, ihr Reisebüro hatte einen günstigen Flug besorgt, und ich hatte schließlich immer Zeit, weil ich freiberuflich war. Und ich hatte gesagt, John hätte so eine tolle große Wohnung.

Sag deiner Mutter, dass sie ungelegen kommt, und sie wird dir erzählen, dass die Wehen bei deiner Geburt auch äußerst ungelegen kamen.

Ich rief John im Büro an, was ich fast nie tat, weil meist seine Deutelmoserdelrio abnahm, und die soll meine Stimme nicht wiedererkennen, wenn ich demnächst bei Francis arbeite. Ich sagte nur: »Herr Monz soll bitte Herrn Golds Büro anrufen, er hat die Nummer, vielen Dank, auf Wiederhörn.«

Ich grinste vor mich hin und freute mich auf den Tag, an dem ich Johns Sekretärin kennen lerne. Ihr richtiger Name ist »Deutelmoser del Rio« und mit Vornamen sogar »Dolores«! Sie hatte ihren Doppelnamen nicht angeheiratet, sondern seit Geburt: Vater Deutelmoser war Bayer, Mutter del Rio Brasilianerin. Und sie wollte dringend heiraten, um diesen albernen Namen loszuwerden. Und John hatte gesagt, sie heißt nicht nur so, sie sieht auch so aus. Zwar eher bayrisch als brasilianisch, trotzdem heiß. Aber ihn ließ sie trotzdem kalt. John hatte cool gesagt: »Sicher ist sie ein bisschen in mich verknallt. Aber ich mach nichts mit einer Sekretärin. Sekretärinnen sind unter meinem Niveau.«

»Und wenn es Liebe auf den ersten Blick wär?«

»Dann würde ich schnell feststellen, dass mein erster Eindruck falsch war.«

»Aha«, sagte ich nur.

Und John wusste, was ich dachte: »In dich hab ich mich zuerst zufällig verliebt und dann mit voller Absicht.«

Das war wohl der Moment, in dem ich mich wirklich in John verliebte.

John rief Golds Büro an und lachte. Auch noch, als ich erzählte, wer übermorgen kommt. »Ja wunderbar, da freu ich mich.«

»Und wo soll sie wohnen? Wir haben nur ein Bett.«

»Du besorgst schnell noch eins und alles, was dazugehört. Sag, es muss sofort geliefert werden.«

Typisch John. Wofür andere Wochen brauchen, solche wie Steffen sogar Jahre, für John Angelegenheiten von Minuten.

»Aber dieses Wochenende ist das Treffen mit Daphne.«

»Ausgezeichnet, kann ich das mit ehrlichem Gewissen absagen. Deine Mutter ist mein Gast, keine Widerrede. Daphne sag ich, sie sei Prominentengast von Francis, dann ist mein Nichterscheinen durch höhere Gewalt legitimiert.«

Meine Mutter war bereits beeindruckt, als ich ihr Taxi vom Flughafen bezahlte und mir eine Quittung geben ließ, John konnte sie absetzen.

Sie war beeindruckt von meinem Büro mit Baustellenpanoramablick. Beeindruckt von der edlen blau-weiß gestreiften Bettwäsche in »unserem« Gästezimmer, die ich gestern samt

Decken und Kissen per Taxi herbeigeschleppt hatte, weil der Fahrer des Bettengeschäfts seine Zeit nicht so frei einteilen konnte wie ich und die Lieferung zwei Tage gedauert hätte. In einem andern Luxusladen hatte ich eine Schlafcouch geordert, praktischer und schöner als ein Bett, sie war morgens geliefert worden. Alles klappte auf die letzte Minute.

John kam extra früher aus dem Büro, mit tollem Anzug und Krawatte von Armani, hatte ich ausgesucht, und er erzählte meiner Mutter sofort, wie glücklich er sei, die Mutter seiner Liebe auf den ersten Blick kennen zu lernen.

Er hatte im besonders vornehmen Restaurant First Floor einen Tisch reserviert, bat meine Mutter, sie als Expertin möge das Essen und den Wein auswählen – was sie huldvoll tat. Trotzdem war sie überzeugt, dieser Mann musste einen Haken haben. »Waren Sie schon mal verheiratet?«, fing sie an.

»Er ist es sogar noch«, sagte ich cool. Da war er schon, der Haken, groß wie an einem Baukran.

»Und Sie können sich aus finanziellen Gründen nicht scheiden lassen«, sagte meine Mutter und machte ein Tausendmal-gehört-Gesicht.

»Geld spielt keine Rolle«, lächelte John, »alles ist nur eine Frage der Taktik.«

Meine Mutter lächelte, als würde ihr ein Alkoholiker erzählen, er trinkt nur Apfelschnaps, weil Äpfel so gesund sind. Eine Dame diskutiert nicht über die Wahrheit, sie wechselt das Thema. »Übrigens, habe ich dir schon erzählt, dass Julia wieder heiraten wird?«

»Wie schön.«

»Ich hab es erst gestern gehört von ihrem Vater. Ihr Bankier will sie unbedingt noch dieses Jahr heiraten, um Steuern zu sparen.«

»Ich bin kein Steuersparmodell«, sagte ich cool.

John erklärte meiner Mutter unbeirrt freundlich: »Meine Noch-

Frau möchte nun ausschließlich ihrer Selbstfindung frönen. Sie meint, wir haben so viel Geld, da soll ich meinen Beruf aufgeben und mich ausschließlich um unsere Tochter kümmern. Denn für uns kommt es nicht in Frage, unser Kind von Fremden aufziehen zu lassen, von unqualifizierten Aupairmädchen. Ich weigere mich jedoch, hauptberuflich Vater zu werden, und solang wir nicht geschieden sind, hat sie automatisch das Sorgerecht. Außerdem gehört ein Mädchen sowieso zur Mutter.«

Meine Mutter nickte nun innig, obwohl sie fand, dass vor allem ein Sohn zur Mutter gehört.

»Als Taktiker kann ich warten«, lächelte John. »Sehen Sie, während des Studiums hatte ich lange Haare, worüber sich mein Vater endlos aufregte. Irgendwann gefielen mir die langen Haare selbst nicht mehr, ich ging zum Frisör, nahm die abgeschnittenen Haare mit und schenkte sie meinem Vater zum Geburtstag. Seither erzählt er, das sei sein schönstes Geburtstagsgeschenk gewesen. Als Gegengabe bekam ich zum Geburtstag einen neuen BMW.«

Meine Mutter nickte beeindruckt.

»Wie ich Daphne kenne, wird es nicht lang dauern, bis sie da ist, wo ich sie haben will«, lächelte John.

Nun begann meine Mutter, John mit ihren Malte-Problemen zu nerven. Sie hatte gelesen, wenn ein Paar lang zusammenlebt, gelten sogar Kinder, die nicht vom Mann sind, gesetzlich als gemeinsame Kinder – falls die Mutter jahrelang keinen anderen Vater angab. Und genau das wollte Sisi nicht, sie wollte nichts mehr mit Sigi zu tun haben, der sei ihr zu blöd. Und sie will jetzt selbstständig und unabhängig sein. Meine Mutter schüttelte verzweifelt die Frisur. »Sisi besitzt nur ein Sparbuch mit ein paar hundert Mark. Und davon will sie sich ein Tattoo machen lassen, mit dem Namen des Babys.«

»Hat sie Angst, dass sie den Namen sonst vergisst?« Ich wurde ignoriert.

»Verstehe«, sagte John. »Und Malte soll Sisi für den Rest ihres Lebens finanzieren.«

Meine Mutter jammerte: »Sisi behauptet, das Baby kostet nichts, weil sie stillen will. Und spielen kann das Baby mit ihren Plüschtieren. Nur Führerschein will sie noch machen, damit sie das Baby spazieren fahren kann. Und mein Malte wartet ab in philosophischer Ruhe.«

»Bei Malte ist es Philosophie, wenn er sagt: Schaun mer mal«, erklärte ich John. Ich wurde wieder ignoriert.

John sagte: »Wenn ich Ihnen einen Vorschlag machen darf, schenken Sie Sisi zur Geburt das Geld für den Führerschein, wenn sie dafür diesen Siegfried als Vater eintragen lässt. Dann ist es für das Mädchen nicht mehr eine Frage der Moral, sondern des Führerscheins, und daran ist nichts Unmoralisches. Wenn das Mädchen weiterhin bei Ihnen lebt, müssen Sie den Führerschein sowieso indirekt finanzieren.«

»Natürlich«, meine Mutter war beeindruckt, »von Ihnen kann man lernen, wie man Geld sinnvoll investiert.«

John sagte bescheiden: »In meiner Familie lernt man das von der Pike auf.«

»Und die Familie Ihrer Frau?«, fragte meine Mutter wie unschuldig. Sie hat so eine Art, Leute auszufragen, dass ihr keiner die Ausfragerei übel nimmt, im Gegenteil, die meisten sind dankbar für ihr herzliches Interesse.

Trotzdem warf ich ihr einen warnenden Blick zu. John wollte nie über Daphne sprechen, verständlich.

Aber John reagierte ganz locker: »Daphnes Familie besteht nur noch aus ihrer Mutter und die ist so reich, dass man sie für verrückt halten würde, wär sie nicht so reich.« Und erzählte diese Geschichte: Daphne war auf einer Schauspielschule gewesen, bekanntlich kein akademisches Studium, trotzdem war ihre Mutter auf die Idee gekommen, Daphne zur Hochzeit als Geschenk von bleibendem Wert einen Doktortitel zu kaufen. Und weil der Titelhändler sagte, wenn die Braut einen Doktortitel hat, sei es angemessen, dass der Bräutigam einen Professorentitel hat, wollte sie den John schenken. John hatte das verhindert, mit gekauftem Titel macht man sich lächerlich. John lachte: »Noch so eine Geschichte: Als das neue Verlagshaus fertig war, sagte Daphnes Mutter, in den Besprechungsräumen mit diesen Lichtinstallationen sollten nur rote, blaue, gelbe, Neonröhren angebracht werden, aber keine Neonröhren in Grün, zu unnatürlich. Das war ihr einziger Kommentar zu dem Millionenprojekt.«

Ich konnte es nicht fassen. »Was hat Daphne mit dem Verlag zu tun?!«

»Daphne ist eine geborene Burhier, ihrer Familie gehört noch ein Anteil des Burhier-Konzerns.« John überlegte: »Habe ich dir das nicht gesagt? Wahrscheinlich nicht, weil es überhaupt keine Rolle für dich spielt.«

»Aber wenn Daphne erfährt, dass ich dort arbeite!«

»Man spricht ruhig in einem Restaurant«, tadelte mich meine Mutter.

»Daphne hat kein Mitspracherecht und kein Interesse. Nur ihre Mutter trifft sich ab und zu mit Herrn Lever. Für mich war die Beziehung zum Konzern natürlich vorteilhaft, hat meine Karriere beschleunigt. Ich werde noch etwas Karriere machen, dann auf hoher Ebene zu einem anderen Konzern wechseln.«

Meine Mutter nickte beifällig. »Beziehungen sind das Wichtigste.«

Ein Rosenverkäufer kam. Andere Männer sehen dann unter den Tisch, als müssten sie sorgfältig prüfen, ob ihre Schuhe geputzt sind, Brillenträger nehmen die Brille ab, um Blindheit darzustellen, aber John winkte den Rosenverkäufer zu sich, kaufte nicht eine, sondern ein Dutzend, schenkte sie nicht mir, sondern meiner reizenden Mutter. Sie war so verwirrt, als hätte er ihr einen Heiratsantrag gemacht, sie sagte: »Ich finde, heutzutage muss man nicht mehr heiraten.«

»Wozu nicht?«, fragte ich drohend.

»Du weißt schon …«

John lächelte. »Ich weiß, was Sie meinen.« Er sah ihr in die Augen: »Frau Silber, mein Motto ist: Alles ist machbar.«

Sie sah ihn begeistert an.

Ausgerechnet an diesem Abend musste John unbedingt mit mehr Krach als üblich die Längst-nicht-mehr-Verheirateten-vorbehaltene-Tätigkeit ausüben und das eindrucksvoll ausdauernd. Es war so peinlich, weil meine Mutter, nur durch ein Neubauwändchen von uns getrennt, alles hörte. Und ich konnte nicht sagen, dass er sofort aufhören soll, Sekundensex hätte auch peinlich gewirkt. Als würde er meiner Mutter demonstrieren, wie rundum vorteilhaft er für mich ist.

Am nächsten Morgen sagte sie: »Das ist der erste deiner Männer, der mir wirklich gefällt.«

83. Kapitel

Meine Mutter wollte ins KaDeWe, um für Maître Moser, den sie neuerdings Moserle nannte – was aber in Schwaben nichts zu bedeuten hat –, echt französische Pflaumen in echt französischem Armagnac zu kaufen und sonstige kulinarische Extravaganzen. Wir fuhren mit dem Taxi, vorbei am Potsdamer Platz, der größten Baustelle der Welt, sah aus wie eine Seenlandschaft, denn es wurde unter dem Grundwasserspiegel gebaut. Ein Baukran, groß wie ein Fernsehturm, versenkte in einem Wasserloch einen gigantischen Betonring, da sagte meine Mutter: »Heutzutage braucht man keine Ringe mehr.« Es stellte sich heraus, sie meinte nicht Betonringe, sondern Eheringe. Verschärfte Alarmstufe. Sie verband alles und jedes mit ihrem Thema.

Ich giftete: »Man muss heute nicht mehr heiraten, um ein Kind zu bekommen, ganz im Gegenteil, heute bekommt man ein Kind, um geheiratet zu werden.«

Meine Mutter tat, als müsste sie mich trösten: »Tilla, auch wenn dein John dich jetzt nicht heiraten kann, du wirst für ihn die Frau seines Lebens sein, wenn du ihm seinen ersten Sohn schenkst.«

»Und falls ich ihm nur die zweite Tochter andrehe?«

Sogar dieses Risiko hatte sie sich überlegt: »Du kannst noch genug Kinder bekommen.« Und zitierte sogar John: »Alles ist machbar.«

»Aber John ist nicht heiratbar.«

»Tilla, er ist die Chance deines Lebens. Dieser Mann kann dir wirklich was bieten. Dein Lehrer war Hausmannskost, dieser ist ein Gourmet-Menü.«

Schön, wenn man klare Kriterien hat. Nur waren es nicht meine Kriterien. »Zum letzten Mal: Wenn ich ein Kind will, gibt es dafür nur einen Grund, weil ich ein Kind will. Und wenn ich mal heirate, dann aus dem gleichen Grund, weil ich heiraten will. Kapiert?!«

Sie schwieg beleidigt, leider nicht lang. Als ich mir eine Quittung fürs Taxi geben ließ, sagte sie: »Siehst du. Dieser Mann kann dich auch unverheiratet absetzen. Das ist das Wichtigste.«

In der Lebensmittelabteilung rief sie plötzlich, als hätte sie eine Vision, die den Weg zu meinem Glück weist: »Kannst du überhaupt kochen?«

Ich gehöre nicht zu jenen, die ohne Dosenöffner verhungern, aber kochen können konnte mans kaum nennen.

»Sisi lernt jetzt kochen bei Moserle, sie ist sehr begabt. Er kann dir auch in zwei, drei Wochen das Wichtigste beibringen. Wenn eine Frau einen Mann halten will, muss sie kochen können. Liebe geht immer noch durch den Magen.«

»Heute müssen Frauen nicht mehr kochen können, dafür

machen sie Oralsex, so geht Liebe auch durch den Magen.«
Nein, das sagte ich nicht, giftete nur: »Ich als Topfmanagerin
für den Topmanager. Dann stimmt das Preis-Leistungs-Ver-
hältnis in der Beziehung.«

Ausnahmsweise war ich froh, dass meine Mutter zum Thema
Malte kam. Weil wir so schöne Bettwäsche hatten, aber der
arme Malte seit Jahren nur Bezüge mit dem Emblem seines
Fußballvereins, kaufte sie für ihn und Sisi stinkteure in seinen
Vereinsfarben blau-weiß-rot gestreift, doch ohne Emblem,
um ihn schrittweise auf Erwachsenen-Bettbezüge hinzufüh-
ren. Typisch: Malte bekam Mitbringsel für teures Geld, ich
Ratschläge zum Nulltarif.

Immerhin hatte sie nicht vergessen, dass ich demnächst Geburtstag habe. Sie wollte mir was Anständiges zum Anziehen
kaufen. In der Damenabteilung des KaDeWe hat jeder Modedesigner einen eigenen Stand. Meine Mutter ratschlagte: »Bevorzuge Designer, die Frauen bevorzugen, Schwule designen
für Tunten oder Tanten, nicht für uns.« Politisch korrekt fügte
sie hinzu: »Natürlich hab ich nichts gegen Schwule, einige
meiner besten Gäste sind Schwule.« Dank ihrer Magazine war
sie über das Sexleben der Modedesigner informiert, kannte
einige Nicht-Schwule und sogar zwei Frauen, die für Frauen
Mode machen.

Aber ich fand alles zu teuer. Ich hatte eine praktischere Idee:
»Als Journalistin brauche ich einen guten Fotoapparat.« Ich
wusste schon welchen, hatte ihn in einem Fachgeschäft gesehen, ein zwei Jahre altes Modell, deshalb nur der halbe Preis.
Meine Mutter bezahlte ihn mit demonstrativem Desinteresse
an Fotoapparaten generell und an den vielen Unterschieden bei
Fotoapparaten speziell. Sie schwieg beleidigt.

Als ginge es darum, meiner Mutter zu bestätigen, dass ich
jeder Zeit ein Kind haben könnte, wollte John in dieser Nacht
wieder bumsen, wieder extra laut. Kurz vor seinem Orgasmus

klingelte was, kein himmlisches Glöckchen, nur das Telefon, dann hörte ich meine Mutter im Wohnzimmer: »Ich bin Tillas Mutter … Ich kann jetzt nicht stören … Ich arbeite nicht hier …«

Und John hörte es auch und rannte raus, nackt, wie er war, riss meiner Mutter das Telefon aus der Hand, drückte es aus.

Und meine Mutter starrte John an, starrte weg: »Ich hörte ein Kind weinen auf eurem Anrufbeantworter und deshalb habe ich abgehoben, dann war deine Frau dran und ich musste ihr erklären, was ich nachts in deiner Wohnung mache, sie dachte, ich sei die Putzfrau …«

»Woher hat sie die Nummer?!« Jetzt merkte John, dass die Fensterscheiben wie ein Spiegel wirkten, und obwohl meine Mutter demonstrativ in die andere Richtung starrte, sah sie in den spiegelnden Fensterscheiben, dass sein Schwanz gut aussah. John flitzte ins Schlafzimmer.

Ich trug bereits Nachthemd. »Wenn Daphne weiß, dass ich hier wohne, erzählt sie in der Redaktion, ich hätte mich hochgeschlafen!«

John war angezogen wieder da. »Das ist kein Problem, das wird sowieso von jeder Frau behauptet. Aber wenn die Deutelmoserdelrio ihr die Nummer gegeben hat, fliegt sie raus.« Er spulte den Anrufbeantworter zurück. Es ging los mit Chloes Geheul, dann Daphne: »Jawohl, ich habe jetzt deine Nummer, wenn du dich nicht an die Abmachung hältst, werde ich es auch nicht tun …« John war stocksauer.

Sonntag früh um zehn wieder das Telefon. Meine Mutter war lernfähig und ließ die Finger davon.

Es war Johns Mutter, sie sagte sanft: »Mein lieber John, Daphne wird dich heute sicher anrufen, ich musste ihr gestern deine Nummer geben, nachdem du das Treffen mit Chloe abgesagt hast. Sie hat mitten in der Nacht bei uns am Kap angerufen. Dein Vater braucht seine Ruhe vor den Golfturnieren. Du möchtest doch deine Probleme allein lösen, lieber John. Wir wollen uns da nicht einmischen, das weißt du …«

»Meine eigene Mutter verrät mich!«, stöhnte John. »Und schafft es trotzdem, moralisch im Recht zu sein.«

Er rief Daphne an. Sie befahl, das Treffen hätte nächsten Samstag stattzufinden, sollte John es wagen, nicht zu erscheinen … Hatte er nicht vor, wenn Daphne Ärger machte, machte sie Ärger.

Meine Mutter hatte ein schlechtes Gewissen und war froh, dass sie abends zurückflog. Vornehm wie Johns Mutter sagte sie: »Ich will mich nicht in dein Privatleben drängen.« Obwohl sie das prima hingekriegt hatte.

Zum Abschied sah sie mir bedeutungsvoll in die Augen: »Dieser Mann ist ein Sechser im Lotto. Mit Zusatzzahl.«

Ich sah bedeutungsvoll zurück, sagte: »Du hast einen Silberblick.« Wenn man Silber heißt, weiß man, früher war Silber gleichbedeutend mit Geld, deshalb ist ein Silberblick eigentlich das Schielen nach dem Geld.

Meine Mutter sagte cool: »Sei nicht so naiv. Dass Geld allein nicht glücklich macht, bedeutet nicht, dass Geld unglücklich macht.«

84. Kapitel

Ich bin Till Gold. Männersicht hat nichts mit den Augen zu tun, die bessere Bezeichnung wäre »Penis-Perspektive«. Den Penis muss man immer vor Augen haben, er steht im Mittelpunkt aller Betrachtungen. Sogar das Lieblingsthema meiner Mutter ließ sich leicht aus Männersicht bearbeiten.

Till Gold schrieb:

»Die Krönung im Leben jedes Mannes ist ein Sohn. Leider bekommen manche Frauen trotzdem Töchter. Sogar die Natur unterstützt den Wunsch nach einem Sohn, denn es ist biologisch vorgegeben, dass pro 100 Mädchen jeweils 105 Jungs geboren werden.

Sepp Herberger, einer der größten deutschen Philosophen, sagte: »Vor dem Spiel ist nach dem Spiel«, seine Weisheit ist das Motto vieler Frauen, die eine Tochter geboren haben: »Nach der Schwangerschaft ist vor der Schwangerschaft.«

Würden sich nun alle Frauen konsequent an die Regel Gebären-bis-es-ein-Junge-ist halten und dann auf weitere Schwangerschaften verzichten, wie würde sich das Verhältnis von Jungs zu Mädchen ändern?

Das natürliche Verhältnis ist 1,05:1, gehen wir bei der Berechnung der Einfachheit halber vom Verhältnis 1:1 aus. Werden bei 100 Geburten 50 Jungs geboren und werden nur die Mütter der Mädchen wieder schwanger, ergibt das als Zweitkinder wieder 25 Jungs. Die dritte Schwangerschaft beschert dann 12,5 Jungs. Da es keine halben Jungs gibt, rechnen wir weiter, dass nur 12 Mütter zum vierten Mal schwanger werden: wieder 6 Jungs. Die fünfte Schwangerschaft bringt 3 Jungs. Die sechste Schwangerschaft: 1,5 Jungs, rechnen wir nun zum Ausgleich einen halben Jungen mehr, also 2. Eine der beiden Mütter erreicht mit der siebten Schwangerschaft das Ziel. Und bei der achten wird auch die letzte Mutter eines Sohns. Das ergibt insgesamt an Geburten: 100+50+25+12+6+3+2+1+1=200. Und davon sind nun Söhne: 50+25+12+6+3+2+1+1=100. Und die restlichen 100 sind Töchter!

Das ist der Beweis, dass diese Geschlechtsplanung nicht funktioniert. Wie das Sprichwort sagt: »Der Wunsch nach einem Sohn ist der Vater vieler Töchter.« Das Verhältnis von Jungs zu Mädchen bleibt, wie es ist.

Man muss zu effektiveren Mitteln greifen. Im Mittelalter wurden neugeborene Mädchen mit der Nabelschnur erwürgt, denn so lang das Kind mit der Mutter verbunden war, galt es nicht als Tötung, sondern als Totgeburt. Als das strafbar wurde, fand man unauffälligere Methoden, gab zum Beispiel dem Baby wochenlang Kamillentee zur Beruhigung, bis es verhungert war.

Heute gibt es viel einfachere Möglichkeiten. Dank Ultraschall und sonstigen Untersuchungen wird vor der Geburt festgestellt, ob das Kind das richtige Geschlecht hat. Wird es ein Mädchen, wird es abgetrieben. Weltweit werden heute ständig mehr Jungs geboren dank selektiver Abtreibung.«

Stopp. Ich überlegte: Das war die Wahrheit, Prof. Fürhaupt hatte einwandfreie Belege zitiert, aber so brutal darf man das nicht schreiben. Ich musste den journalistischen Dreh finden, musste statt »selektive Abtreibung« positive Worte benutzen. Und die Worte waren »freie Geschlechterwahl«.

Till Gold schrieb weiter: »Die freie Geschlechterwahl, die wir dem modernen Fortschritt verdanken, erweist sich für die Frau rundum als Vorteil. Frustrierte Eltern, die nur Töchter haben, wird es in Zukunft nicht mehr geben. Vor allem wird dadurch die gesellschaftliche Situation der Frauen besser, denn statt verachtete Mehrheit zu bleiben, werden Frauen zu einer begehrten Minderheit. Wenn in den nächsten Generationen dank der freien Geschlechterwahl auf eine Frau mindestens fünf Männer kommen, wird für Frauen alles besser. Alte Frauen werden junge Männer haben …«

Das allerdings war nicht mehr aus Männersicht. Und das Thema war zu brisant. Ich legte die Idee beiseite. Aber irgendwann würde ich sie verwenden.

85. Kapitel

Daphne war die Supermutter, entsprechend viele Vorschriften gab es: keine Süßigkeiten, kein Fernsehen, nur pädagogisch wertvolles Spielzeug, strikte Schlafenszeiten, alles war geregelt. Denn Daphne hatte durch diverse Therapeuten herausgefunden, dass ihre Probleme dadurch entstanden, dass sie schon als Kind bestimmen musste, was sie wollte. Dieses Schicksal sollte ihrem Kind erspart bleiben, deshalb war Chloe alles verboten.

John, der Stratege, entwickelte folgenden Gegenplan: Er würde Chloe alles erlauben, dann wäre Chloe begeistert von Papi, dann wäre Daphne eifersüchtig auf ihn und würde Chloe wieder fernhalten. John grinste: »Daphnes Wille geschehe.«

Daphne hatte natürlich verboten, dass Chloe mich zu sehen bekam, nichts durfte bei Chloe die Angst schüren, es gebe für ihren Papi irgendetwas anderes auf der Welt als Chloe. Deshalb saß ich für den Fall, dass Daphne uns überwachte, schon eine halbe Stunde vor der Übergabe von Chloe im Café am Botanischen Garten. John kam zehn Minuten später, setzte sich zwei Tische entfernt, ohne mich anzusehen.

Ich hatte gehofft, dass ich Daphne auf den ersten Blick unsympathisch finde, leider sah sie mir ziemlich ähnlich, gleiche Größe, gleiche Figur, ähnliche Frisur. Andererseits fand ich die Ähnlichkeit beruhigend. Ja, ich war eben Johns Typ. Deshalb hatte er sich auf den ersten Blick in mich verliebt.

Daphne trug weite Leinenhosen, ein weites Leinenhemd und Espadrillos. Wie John mir angekündigt hatte, trug sie Grün. Tannengrün oder Waldgrün, jedenfalls Daphnegrün. An ihrer Hand Chloe in hellem Maigrün, ein wunderschönes Kleidchen mit grünen Blättern bestickt. Chloe hatte blonde Löckchen und zwei Zöpfchen, die nach oben abstanden wie Fühler, weil sie mit grünen Bändern umwickelt waren. Chloe sah aus wie ein göttliches Insekt.

Daphne blieb stehen, breitete beide Arme ganz aus wie eine Priesterin, sagte sehr laut, sehr deutlich, als wäre es der Höhepunkt eines Dramas: »Mein Kind, da ist dein Vater.«

Sie blieb mit ausgebreiteten Armen stehen, bis John Chloe auf den Arm genommen hatte. Sie ließ die Arme sinken, dann ging sie wie verabredet, ohne weitere Show und ohne Chloe nachzuwinken, zu ihrem größten BMW, und fuhr, wie verabredet, sofort weg.

Als erstes bekam Chloe den prachtvollsten Eisbecher, den das Café zu bieten hatte. Chloe strahlte, bei Mama durfte sie kein Eis essen, denn davon bekommt man Karies.

John grinste hochzufrieden. Der nächste Knaller war sein Geschenk. Ich hatte es besorgt, hatte tagelang überlegt, was strategisch optimal wäre.

Chloe jubelte: »Eine Barbiepuppe!« In einem rosa Nylon-Abendkleid. Tja, mal was anderes als pädagogisch wertvolle Holzklötzchen.

Chloe hatte auch ein Geschenk für Papi. Sie holte aus ihrem grünen Wildlederumhängetäschchen ein Bild. John hielt es in meine Richtung, damit ich es auch sehen konnte. Mit Buntstiften hatte Chloe ein schwarzes Strichmännchen gemalt, daneben eine grüne Figur, dazwischen aufgeklebt ein roter Kreis, er war in der Mitte zerrissen. Chloe zeigte auf das schwarze Strichmännchen: »Das bist du.« Dann auf das grüne: »Das ist Mami. Und in der Mitte bin ich, das zerrissene Kind.«

»Wunderschön hast du das gemacht«, sagte John.

Chloe strahlte so glücklich.

Wunderschön ausgedacht von Mami, dachte ich.

Dann gingen John und Chloe und Barbie in den Botanischen Garten. Ich in Sicherheitsabstand hinterher. Am ersten Kiosk wollte Chloe eine Cola. Ich stellte mich daneben, um sie langsam an meinen Anblick zu gewöhnen, ich trug nicht zufällig mein Hoffnungsgrünes. Ich kaufte altmodische Erdnüsse, die man selbst schälen muss. Chloe wollte Popcorn, rosa gefärbt. Chloe wollte getragen werden, legte ihre Ärmchen um Johns Hals, drückte ihr Lockenköpfchen an sein Gesicht und sah allerliebst aus. John schwitzte.

Als wir in einen Steingarten kamen mit kreisrundem Weg, ging John nach links, ich nach rechts. Auf der anderen Seite des Kreises war eine Bank, da wollte ich mich hinsetzen, ideal um Kind und Vater wie zufällig kennen zu lernen.

Auf der Bank saß schon jemand, ein Eichhörnchen. Und ich hatte Erdnüsse. Wunderbar, ich würde Chloe meine Erdnüsse geben zum Eichhörnchen füttern. Leider wusste das Eichhörnchen das nicht und huschte weg. Ich warf ihm hektisch eine Erdnuss nach, um es wieder anzulocken. Es kam, holte sie, huschte weg.

John kam, grinste: »Dürfen wir uns zu Ihnen setzen?« Er platzierte Chloe zwischen uns.

Das Glück lachte, das Eichhörnchen kam wieder. Machte Männchen direkt vor Chloe.

»Willst du es füttern?«, fragte ich mit singender Stimme, die bekanntlich kindgemäß ist. Ich schob Chloe die Erdnüsse hin. Sie grabschte nach den Erdnüssen und brüllte: »Hau ab!« Das Eichhörnchen war sicher, dass es nicht gemeint war und blieb erwartungsvoll sitzen. Chloe sprang von der Bank, stapfte mit dem Fuß. »Hau ab!« Eichhörnchen floh in Panik.

»Warum verjagst du das niedliche Eichhörnchen?«, fragte John.

»Weil mir keiner was wegnehmen darf.« Sie legte das Lockenköpfchen an seinen Arm und lächelte zufrieden. »Ich will meinen Papi für mich allein.«

Ich bin nicht blöder als ein Eichhörnchen, ich ging auch.

John sagte laut: »Spätestens um vier müssen wir im Café sein.«

Sie kamen nicht lange nach mir ins Café, setzten sich schräg gegenüber. Chloe wollte Pommes mit Ketchup und Cola und Kinderschnitzel.

Dann musste Chloe aufs Kloe.

John seufzte: »Ich kann nicht mit dir aufs Damenklo und du nicht mit mir aufs Herrenklo, was machen wir da?«

Chloe rubbelte sich drohend zwischen den Beinen.

Ich ging hinüber zu ihrem Tisch: »Wenn ich Ihnen helfen darf?«

Aber Chloe wollte nur mit ihrem Papi auf Klo. Ewigkeiten kamen sie nicht wieder. Ich ging auch hinaus.

John stand verzweifelt vorm Damenklo: »Sie kommt nicht raus.«

Chloe war in der hintersten Kabine und rief: »Bäh, bäh, bäh.« Sie bekam den Riegel nicht auf. Ich musste mich auf den versifften Boden legen, durch den Spalt mit ihr reden …

So lernte mich Daphne kennen.

Als sie neben mir vor der Klotür kniete, sah ich die steile Falte zwischen ihren Augen, eine Falte, die sagte: Ich nehme alles sehr ernst, vor allem mich selbst.

Chloe schrie: »Bäh, bäh, bäh«, Daphne versuchte, durch den hohen Türspalt zu ihrem Kind zu kriechen.

Ich rief, dass ich jemand hole, der die Tür aufschließt, rannte raus. Als ich mit einer Bedienung, ausgestattet mit Universalschlüssel für die Klotüren, zurückkam, zog Daphne Chloe gerade unter der Klotür raus. Chloe hatte gekotzt, natürlich nicht ins Klo, sondern aufs Kleid und auf den Boden und war nun von Haarschleifchen bis Schuhchen mit Kotzbröckchen von Popcorn und Pommes frites gesprenkelt. Natürlich drückte Daphne nach der dramatischen Rettungsaktion ihre Tochter an sich, weshalb auch Daphnes Priesterinnenoutfit angekotzt war.

Ich spülte nur die Klobodenbakterien von meinem Gesicht und machte, dass ich rauskam. Ich zischte John zu: »Das wird dauern, bis die wieder kommen.«

Es dauerte. Chloe stürzte sich auf ihren Papi mit dem vollgekotzten Kleid. John rief: »Halt!«

Daphne schrie: »Jetzt kannst du das Kind nicht zurückweisen!« Und Chloe weinte herzzerreißend und wollte alles wieder essen, was sie ausgekotzt hatte.

Daphne rannte zu ihrem BMW, brachte eine herrliche grüne

Wolldecke, wickelte Chloe ein, als wäre sie eine Schwerverletzte, befahl John, das Kind zum Auto zu tragen, er müsse mitfahren, das Kind halten. John sagte, das geht nicht, sein Auto ist hier.

Daphne schrie, es sei ungeheuerlich, dass er in dieser Situation überhaupt an sein scheiß Auto denkt. Und Chloe schrie: »Papa, Mama, Papa, Mama,« wie eine hängengebliebene Schallplatte.

John sah mich verzweifelt an, ich nickte beruhigend, malte ein U in die Luft, sollte bedeuten, ich fahr mit der U-Bahn zurück.

Die Bedienung kam angerannt, reichte die bekotzte Barbie ins Auto.

Daphne, die von Ekel geschüttelt wurde, als sie erkannte, was sie in ihrer Hand hielt, rief: »Das gehört nicht meiner Tochter« und schmiss Barbie aus dem Auto.

Chloe schrie: »Barbie, Mami, Papa, Barbie …« Sie fuhren weg. Sofort kam ein Riesenhund, leckte Barbie ab und nahm sie mit. Das gab Aufruhr, einige Café-Gäste glaubten, der Hund hätte ein Kind überfallen. Der Hundebesitzer lallte erschrocken: »Dell wolltel nurll spielln«, und versuchte dem knurrenden Hund Barbie zu entreißen. Ich rief ihm zu, sein Hund könne Barbie behalten.

John kam erst spätabends, völlig fertig. Da er nicht in Daphnes Wohnung durfte, musste er Ewigkeiten in ihrem Auto warten, bis Chloe gebadet und in frisches Maigrün gekleidet war. Dann hatten sie ihn zu seinem Auto gefahren, wobei ihm Daphne ihre neuesten Forderungen mitteilte: John sollte Chloe auch an Werktagen betreuen, damit sie nicht mit einem Sonntagspapi aufwachsen musste. Denn Daphnes neueste Therapeutin hatte deutlich gesagt, weil Daphne in einer Traumwelt lebe, müsse Chloes Vater die Realwelt übernehmen. John erzählte es weiß vor Wut.

»Und wenn du nicht tust, was Daphne will?«

»Hab ich noch mehr Ärger.« Er musste nun übernächste Woche drei Tage frei nehmen, zur Ganztagsbetreuung von Chloe von zehn Uhr bis neunzehn Uhr. Meine Anwesenheit war selbstverständlich verboten.

Allmählich beruhigte sich John wieder und beruhigte auch mich: Man musste nur abwarten, bis Daphne ihre Meinung wieder änderte. Ein Naturereignis, sicher wie der nächste Haufen Hundescheiße. Und alles würde schneller gehen, als man denkt.

Er hatte ja so Recht.

86. Kapitel

Auf dem Anrufbeantworter großes Gebrüll von was Kleinem. Lauter als Chloe, aber kleiner. Es waren ein Baby und meine Mutter. Ich nahm ab.

»Drei Wochen zu früh! Alles ging so schnell! Um 15 Uhr gings los, um 19 Uhr wars da. Malte hat Sisi ins Krankenhaus gefahren, aber er war bei der Geburt nicht dabei, ich hab ihn gewarnt, es würde ihm schlecht …« Als wärs ein Auto, erging sie sich in technischen Daten: Erstzulassung, Größe, Gewicht ging alles unter im Gebrüll des Babys, bis es vom Telefon entfernt wurde.

Meine Mutter hatte Kindsvater Siegfried angerufen, der kam erst ins Krankenhaus, als alles längst vorbei war, und war sauer, dass Sisi mit der Geburt nicht auf ihn gewartet hatte. Er war noch saurer, als er hörte, dass er immer noch der Kindsvater war, er hatte gedacht, das sei nun Malte.

Meine Mutter frohlockte: Sisi hatte, wie versprochen, Siegfried als Vater angegeben. Dafür bekam sie nun den Führerschein bezahlt und das Tattoo. Es sollte ein Delfin werden oder ein Herz oder eine Rose, darunter der Name des Babys.

»Ist es ein Mädchen?«

Natürlich. Sonst hätte meine Mutter gleich gesagt, dass es ein Junge ist. Sicher, Malte war etwas enttäuscht, kein Fußballspieler. Man hatte ihn getröstet, bis das Kind groß ist, wird auch im Damenfußball viel verdient. Eindeutig war meiner Mutter ein Mädchen lieber, ein Junge hätte ihren Widerstand gegen einen fremd gezeugten Enkel auf eine härtere Belastungsprobe gestellt. So blieb ihr die Hoffnung, Malte würde den wirklich wahren Enkel zeugen.

»Wie heißt es?«

»Dieser Siegfried hat gefordert, dass seine Tochter Paloma heißt, wie die Tochter von Picasso. Sisi ist dagegen, sie findet, dass Paloma nicht zu ihrem Nachnamen ›Half‹ passt. Sie ist für Diana, aus Solidarität mit der armen, gerade geschiedenen Prinzessin. Malte will, dass es Lolita heißt, wie die Frau seines Lieblingsfußballers. Sisi findet Lolita auch süß. Da bin ich strikt dagegen, Malte und Sisi kennen diesen unmoralischen Roman natürlich nicht und wissen nicht, dass Lolita die Bezeichnung ist für kleine Mädchen, die mit älteren Männern, du weißt schon …«

»… übernachten. Das passt doch zu Sisi.«

»Wenn es Lolita heißt, zahle ich die Tätowierung nicht.«

Das war der Stand der Dinge. Aber heute Abend wollte Kindsvater Siegfried vorbeikommen zur Lösung des Namensproblems, er hatte eine geniale Idee angekündigt. Meine Mutter würde mich sofort anrufen, wenn die Entscheidung gefallen war.

Es dauerte zwei Tage.

Dann erfuhr ich: Siegfried hatte die geniale Idee gehabt, einen Sponsor für seine Tochter zu finden, und wollte sie Ikea nennen. Der Möbelhersteller IKEA könnte seine Tochter Ikea zur Werbefigur aufbauen. Er hatte bei IKEA angerufen, war blöderweise an einen Geschäftsführer geraten, der von Werbung keine Ahnung hatte und sich deshalb nicht für Siegfrieds Angebot begeistern konnte. Der Geschäftsführer meinte, dann müsste IKEA jedem Kind, das Björn heißt, eine Kommode schenken und jedem Billy ein Regal, er wollte sich informieren, hatte bisher nicht zurückgerufen. Es eilte: Der Name muss beim Standesamt innerhalb von sieben Tagen gemeldet werden.

Die Kindsmutter hatte sich mittlerweile für Maria entschieden. Maria war der absolute Modehit in Sisis Universum und passe super zu ihrem Nachnamen »Half«. Dagegen hatte meine Mutter nichts. Auch nicht, als ich lästerte: »Passt super, bei der Jungfrau Maria waren Kindsvater und Lebensgefährte auch nicht derselbe.«

Siegfried fand »Maria Half« oberspießig und total daneben. Hatte er als Zweiundvierzigjähriger die Hilfe Marias nötig gehabt, um eine Siebzehnjährige zu schwängern? Er war stockwütend abgerauscht. Er hatte getobt, Sisi soll bleiben, wo sie will, er hätte sich entschlossen, wieder mit seinem Sohn und seiner Ex zusammenzuleben, die Ex sei intelligenter als Sisi.

Meine Mutter seufzte: »Hat er lang gebraucht, um das zu merken. Vermutlich ist jede intelligenter als Sisi.«

Ich: »Da passt sie ideal zu Malte.«

87. Kapitel

Am Vormittag meines Geburtstags rief Thomas an. Wir quatschten, was es bedeutet, neunundzwanzig zu sein, was man gegen Altersdepressionen unternimmt und über unser sonstiges Leben.

Das Bild, das Thomas zur Auktion eingeliefert hatte, war nicht verkauft worden. Kein Problem, würde es bei der nächsten Auktion wieder angeboten. Thomas sagte: »Es ist wie bei dir mit deinen Männern. Nimmt mich nicht der, nehm ich den nächsten.«

»Und bei dir, mit deinen Frauen, wie ist es da?«

»Ich lass mich überall auf die Warteliste setzen. Wenn man selbst nicht weiß, was man will, muss man warten, bis andere wissen, was sie wollen.«

»Was ist mit Veronika? – macht sie beim Vögeln noch Trallala?«

»Veronika – längst nicht mehr da. Sie hat sich geirrt. Sie glaubte, ich sei der Erbe des Auktionshauses. Als ich sie auf die Tatsache aufmerksam machte, dass der Chef nur mein Onkel ist und seine Firma nicht meine, weinte sie sogar aus moralischer Entrüstung. Ich hätte ihr gleich sagen müssen, dass ich es nicht ernst mit ihr meine. Sie wäre bereit gewesen, ihre Jugend, ihre Karriere und was sonst noch für mich zu opfern. Ich will keine Opfer, ich bin kein Altar.«

Und ich sagte nicht ohne Stolz: »Ich bin kein Opferlamm geworden. Deine Prognose war falsch.«

Thomas sagte zum Abschied: »Bleibe glücklich.«

John hatte mir um Mitternacht einen sehr edlen Fünfhundertmarkschein geschenkt, eigentlich wollte er gemeinsam mit mir das Geburtstagsgeschenk kaufen, aber er hatte keine Zeit, und rührend hatte er gesagt: »Ohne dich will ich nichts für dich kaufen, du hast einen viel besseren Geschmack als ich.«

Ich hatte Lust auf Luxus. Im KaDeWe, wie in jedem Kaufhaus, beginnt die Welt des Luxus mit Kosmetik. Jeder Kosmetikkonzern hat einen eigenen Stand, einer schöner als der andere, und jede Kosmetikverkäuferin schöner als die andere.

Am Stand von Lauder wurde ich mit einem blumigen Parfüm besprüht, am Stand von Guerlain mit einem noch blumigeren. Nein, ich liebte das Eau Sauvage von Dior, das John hatte, das gabs gratis, und er fands toll, dass ich roch wie er. Bei YSL sah ich einen traumhaften Lippenstift in einer glatten eckig goldenen Hülse, sehr praktisch, man konnte die Hülse als Spiegel benutzen. Leider sehr teuer.

Es fiel mir ein, dass in allen Frauenzeitschriften all die schönen Kosmetiksachen immer so fotografiert sind, als wäre es Müll. Abgebrochene, zermatschte Lippenstifte, zerbröselter Lidschatten, ausgelaufener Nagellack, immer muss ich an Fleckentfernung denken, wenn ich das sehe. Und immer frage ich mich, warum das so fotografiert wird. Jeder weiß, dass Lippenstifte Phallus-Symbole sind, hassen Fotografen Lippenstifte, weil sie so mickrige Pimmel darstellen? Oder wollten die Fotografen damit zeigen, dass Frauen, die Kosmetikartikel kaufen, Geld für Mist verschwenden? Okay, es war nicht vernünftig, ich verabschiedete mich von dem Luxuslippenstift, ging weiter zur Billigkosmetik, es gibt auch Lippenstifte für fünf Mark.

Und plötzlich stand ich mitten im KaDeWe vor einem Lamborghini. Da stand er auf einem roten Teppich und glänzte vor sich hin. An der Windschutzscheibe ein Schild: »In der 5. Etage erwartet Sie gerne unsere Kreditabteilung.« Wie viele billige Lippenstifte muss man kaufen, bis man einen Lamborghini gespart hat? Ich ging zurück und leistete mir den YSL-Lippenstift.

Und es kam mir die Idee für einen Artikel: Luxusprodukte für Männer, so fotografiert, wie Männer Luxusartikel für Frauen fotografieren: zermatschte Lamborghinis, abgebrochene Zigarren, Fußballhemden als Putzlappen. Frauen können genauso kreativ sein wie Männer.

Beschwingt begab ich mich in die Abteilung Dessous. Jetzt konnte auch ich zu diesen Frauen gehören, die von ihren Männern mit edler Unterwäsche überhäuft werden.

Für 500 Mark bekommt man zehn Kilo brave Unterhosen, oder hundert Gramm Edeldessous. Da war ein Slip für

98 Mark, dessen Rückseite aus einem Faden bestand, vorn aus einer aufgeplusterten Spitzenrose. Wahnsinn. Als Kind wurde mir gepredigt, »täglich eine frische Unterhose«, denn falls ich plötzlich ins Krankenhaus müsste, gäbs nichts Peinlicheres als eine schmutzige Unterhose. Ich fragte mich, was denken die im Krankenhaus, wenn man so ein Fädchen im Hintern mit aufgeplusterter Spitzenrose trägt? Aber so was trägt man nicht bei Tätigkeiten, die einen plötzlich ins Krankenhaus bringen, so was zieht man erst an, wenn man sich ausgezogen hat. Brauchte ich so ein Ding?

Ich hatte erwartet, in der Dessousabteilung ein Heer von Männern zu treffen, denen nichts zu teuer war. Es waren nur Frauen da. Sie kramten bei den Baumwollslips. Nur eine hielt Boxershorts aus Seide in die Höhe, betrachtete das eingenähte Etikett, stöhnte: »Handwäsche! Bügeln!«, ließ sie fallen. Endlich erschien ein junger Mann. Als er merkte, dass ich ihn beobachtete, zischte er: »Glotz nicht so, du Quarktasche. Nie einen Schwulen gesehen?« Und ließ dabei ein lila Sliplein um den Finger kreiseln.

Wie viel aufregender wird Sex, wenn man teure Dessous trägt? Und für wen aufregender? Als Frau, die unter dem Existenzminimum verdient und neben ihrem Manager-Lebenspartner trotzdem wie ein Yuppie wirken muss, konnte ich mir nicht leisten, so viel Geld auszugeben für etwas, was nur derjenige sieht, der sowieso weiß, dass ich kein Geld habe.

In einem Ramschladen fand ich Reizwäsche für sozial Schwache: Statt Seide und Spitze eben Plaste und Elaste. Das Stück für 4,95 DM. Ich kaufte zwei. Das genügte. Dessous gehören zu den inneren Werten. Ich brauchte demnächst neue Winterstiefel, äußere Werte. Dafür wolle ich den Rest meines Geburtstagsgelds sparen.

Aber John wäre enttäuscht, wenn ich keine Blumen für mich kaufen würde. Also 29 Rosen der mittelteuren Sorte. Es war das dritte Mal, dass mir ein Mann Rosen schenkte. Leider hatte ich das komische Gefühl, ich hätte sie von meinem eigenen Geld bezahlt.

Aber abends beim Luxus-Italiener sagte John: »Du weißt gar nicht, wie froh ich bin, dass du die Rosen selbst besorgt hast. Wie meine Mutter, die managt das auch alles perfekt. Ich brauche eine Frau wie dich.«

88. Kapitel

Frau Norden kam Ende September aus ihrem vielwöchigen Urlaub zurück und machte sofort an allen Ecken Krach. Sie forderte von Herrn Lever die endgültige Zusage für das Projekt W. Sonst gehe sie zur Konkurrenz.

Sie verlangte sogar von John, weitere Till-Gold-Artikel für W. zur Verfügung zu stellen! John fragte sie, was soll ein Till Gold bei einer Zeitschrift, die Frauen allein machen wollen? Sie sagte in ihrer stutenbissigen Art, nie hätte sie gesagt, dass in ihrer Zeitschrift keine Männer schreiben dürfen, das sei die abgedroschene Unterstellung, wer für Frauen ist, sei gegen Männer. Aber John hatte ihr gesagt, Herr Gold hätte sich zu Recht für die etablierte Francis entschieden.

Mir sagte John: »Die Zeitschrift, von der Frau Norden träumt, ist vielleicht nur eine Eintagsfliege. Warten wir noch etwas. Vielleicht geht die Norden ganz weg.«

Die nächste Show zog Daphne ab. »Ich bins«, meldete sie sich auf dem Anrufbeantworter. Sie hatte es nicht nötig, ihren Namen zu sagen. Es war ihr egal, dass ich jetzt hier wohne, auch ich sollte ihr Publikum sein. Daphne klagte schauspielerinnenmäßig laut: »Meine Mutter macht in Wien auf Charity, tanzt auf einem Wohltätigkeitsball für kranke Kinder, statt für ihr gesundes Enkelkind ihre Großmutterrolle zu spielen. Und deine Mutter ist in Südafrika zum Golfspielen. Diese Gesellschaft ist unnatürlich.« Und Chloe kreischte zustimmend.

Eine halbe Stunde später war Daphnes laute Stimme noch lauter: »Ich bins. Ich habe mit meinem Stimmtherapeuten gesprochen. Meine Stimme ist Ausdruck meiner Stimmung, und wenn meine Stimmung schlecht wird, stimmt meine Stimme nicht mehr. Das ist unnatürlich. In diesen beengenden Verhältnissen kann sich meine Stimme nicht entfalten.« Und Chloe kreischte zustimmend.

Eine Stunde später die Neuigkeit: »Ich bins. Ich habe mit meinem Anwalt gesprochen, ich habe bisher praktisch allein für Chloe gesorgt. Ich soll dich daran erinnern, sagt der Anwalt, du bist ebenso verantwortlich, andernfalls sind sämtliche Vereinbarungen zu deinen Gunsten ungültig.« Und Chloe kreischte zustimmend.

Nächster Anruf: »Ich bins. Ich habe mit meiner Therapeutin gesprochen. Wenn ich meine Selbstverwirklichung opfern muss, um mein Kind als Selbstverwirklichung erleben zu können, entsteht ein emotionales Ungleichgewicht. Du hast gesagt, je mehr ich mit dem Kind mache, desto mehr gibt mir das Kind zurück. Du hast mich belogen, ich bin das Opfer.« Und Chloe kreischte zustimmend.

John hatte keine Lust, das in ganzer Länge abzuhören. Er sagte: »Regen wir uns nicht auf. Irgendwann hat sie sich ausgequatscht. Daphne ist in der Selbstmitleidskrise. Das ist ein gutes Zeichen, da wird sich das sensible Gewächs mit ihrem Ableger bald aus dieser unnatürlichen Gesellschaft zurückziehen. Dann ist wieder Ruhe.«

Abwarten war angesagt.

89. Kapitel

Ende Oktober kam John freudestrahlend aus dem Büro:
»Es war die heißeste Konferenz des Jahres! Die Norden ist ab
Januar Chefredaktrice des neuen Blatts, die Entscheidung ist
endlich gefallen!« John strahlte endlos. Mein Job war frei!
Schön, dass er sich so für mich freut. »Und rat mal: Wer wird
dann Chefredakteur von Francis?«

»Wieso? Geht Herr Lever auch weg?«

»Da Frau Norden aufsteigt, muss auch Herr Lever aufsteigen.
Er wird künftig ein Wirtschaftsmagazin leiten. Und Chefredakteur von Francis werde ich!«

»Du?«

»Ich.«

»Wieso du?! Du bist kein Journalist.«

»Ich habe den Lever endlich überzeugt, dass die Werbung
wichtiger ist als der Inhalt, Francis wird sich unter meiner Leitung eindeutiger nach dem Frauenbild der Werbung richten.«
Er rieb sich die Hände, wie es Leute tun, die andere reingelegt
haben. »Ich habe Lever überzeugt, dass bewiesen wäre, dass
Frauen eine von einem Mann geführte Zeitschrift bevorzugen, das gibt ihnen die Sicherheit, nicht feministisch
indoktriniert zu werden. Und die Deutelmoserdelrio sagte
deutlich, sie arbeitet nicht unter einer Frau, denn dann glauben die Männer, sie hätte Probleme mit Männern. Außerdem
hat unser Bildredakteur mit Kündigung gedroht, falls er Frau
Norden als Vorgesetzte bekommt.«

»Und ich? Bewerbe ich mich jetzt bei Francis oder bei Frau
Norden?«

»Das müssen wir klären«, nickte John. »Aus irgendwelchen
Gründen hat sich in der Redaktion der Glaube festgesetzt,
die Till-Gold-Artikel wären von mir. Obwohl ich das nie
behauptet habe. Ich schwör es dir. Aber alles ist nur vorteilhaft für dich. Denn jetzt als Chefredakteur verdiene ich ein

bisschen mehr, und du sollst viel mehr bekommen. Ich habe mir Folgendes überlegt: Wir müssen zuerst das Problem Daphne und Chloe in den Griff bekommen. Bis Januar kann ich jeweils Urlaub nehmen, um Chloe zu betreuen. Danach kann ich als Chef durchsetzen, dass ich zwei Tage pro Woche zu Hause arbeite, ich kann von hier telefonieren. Das werden die Tage, an denen ich Chloe betreue. Wenn sich Chloe an dich gewöhnt hat, wird Daphne dich akzeptieren. Du bist kein Aupairmädchen, du hast studiert, Daphne kann froh sein, eine so qualifizierte Betreuerin für Chloe zu haben. Und für dich ist das auch kein Problem: Chloe ist schon stubenrein.«
John lächelte mich aufmunternd an, als wollte er sagen: Wenn eine Frau den Beruf fürs Kind aufgibt, muss es ja nicht unbedingt das eigene Kind sein.

Aber ich wollte meine Zukunftspläne nicht so schnell aufgeben. »Ich will endlich als Tilla Silber schreiben.«

»Du willst doch nicht bei Frau Norden gegen mich arbeiten?« Er schaffte es, noch enttäuschter als ich zu gucken. »Ich muss nun zwangsläufig gegen sie konkurrieren. Wäre die Norden nicht, würde ich dich sofort bei Francis einstellen, aber sobald die rausbekommt, dass wir zusammen sind, wird sie dich im ganzen Verlag schlecht machen. Aber glaub mir, in ein paar Monaten ist die weg vom Fenster. Ich werde alles dafür tun. Solange bleibst du meine freie Autorin.«

Und John redete und redete, alles ist machbar. Und auf ein paar Monate kam es nicht an. Und Daphne und ich könnten sogar Freundinnen werden. »Du lässt dir von ihr erklären, was du mit Chloe machen darfst und was du alles nicht darfst … Dann regelt sich das.« Und John hielt es für wahrscheinlich, dass mich Daphne, wenn ich mich bewährt hatte, sogar an anderen Tagen engagiert. Und sagte: »Daphne ist nicht kleinlich, sie ist eine hervorragende Einnahmequelle.«

Für mich war auf jeden Fall blendend gesorgt. Und wir tranken Champagner auf seine Beförderung.

Das Telefon klingelte. Der Anrufbeantworter schrie: »Ich bins.«
John verdrehte die Augen, ging ran. »Wir hatten vereinbart,
dass du hier nicht anrufst.«

Ich konnte über den Anrufbeantworter mithören: »Du hast
dich auch nicht an die Vereinbarungen gehalten, als du den
Termin mit Chloe verschoben hast. Nun Folgendes: Du musst
mit Chloe zum Frisör. Der Termin ist Mittwoch. Chloe geht
zur Kinderfrisörin Struwwelpetra, sie hat mit ihr darüber geredet, dass Haare wachsen, aber auch geschnitten werden
müssen. Struwwelpetra versteht intuitiv auf Chloes Wünsche
einzugehen. Du musst dabeibleiben, falls Chloe eine Idee hat,
die diskutiert werden muss …«

John stimmte allem gehorsam zu. Hinterher strahlte er mich
an: »Wir werden Daphne gemeinsam um den Finger wickeln.«
Vielleicht hatte ich zuviel Champagner getrunken, jedenfalls
fühlte ich mich stark und mutig: »Ich werde mit Daphne reden.«

90. Kapitel

»Duell mit Daphne« war das Thema. Als würde ich einen
Artikel schreiben, listete ich meine Forderungen auf, Johns
Forderungen, analysierte unsere Schwachpunkte, analysierte
Daphnes Machtposition. Meine Gedanken wurden immer
klarer. Immer klarer.

Als ich Daphne anrief, zitterte ich vor Aufregung oder der
Eiseskälte, die Daphne sogar durchs Telefon strahlte. Sie fragte
nicht, warum ich sie sprechen wollte, sie hielt es für selbstverständlich, dass ich als neue Untergebene ihr die Aufwartung
mache, um ihre Anweisungen entgegenzunehmen. Sie gab mir
einen Termin für 14 Uhr 15, ich durfte aber nicht klingeln,
Chloe schlief ab 14 Uhr, Daphne würde pünktlich die Tür
öffnen.

Sie wohnte in Schöneberg, fünf S-Bahn-Stationen entfernt. Schon der grün-weiß gestrichene Flur war groß wie ein Zimmer, in einer Ecke stand ein Pony mit echtem Ponyfell, ponygroß. Im Wohnzimmer rasengrüner Teppichboden, zwei grüne große Sofas und zwei lebensgroße Wollschafe, ein lebensgroßer Plüschpinguin, lebensgroße Plüschenten, Plüschkatzen, Plüschhunde, ein Plüscheichhörnchen, ein drei Meter großes Plüschkrokodil. Daphne erklärte: »Chloe soll nicht mit Puppen spielen, sie soll das Leben als Mutter nicht für ein Kinderspiel halten. Wenn Chloe einmal Kinder haben will, wird sie diesen Schritt viel bewusster machen als ich. Chloe soll es einmal besser haben.«

Ich sagte »ja, ja, ja«, nickte ohne Ende zustimmend.

In ihrem Selbstmitleid bestätigt, wurde sie freundlicher: »Wenn du frisch gepressten Orangensaft willst, darfst du dir in der Küche eine Orange auspressen.«

»Darf ich auch Wasser trinken?«, fragte ich vorsichtig.

Ja, ich durfte. Welch herrliche Küche, grün, und überall grünte was. Daphne wies mich darauf hin, dass ich das Wasser zuerst filtern muss. Ich gab ihr in allem Recht. So blieb Daphne nichts anderes übrig, als mir in allem Recht zu geben. Und dann unterbreitete ich ihr mein Angebot.

Sie war überraschend schnell einverstanden. Sie zeigte mir einen quadratmetergroßen Stundenplan, in dem eingetragen war, was mit Chloe anzustellen ist: Freitagabends, 19 Uhr, werden die Fußnägel geschnitten. Vorher wird 10 Minuten gebadet, wie jeden Abend. Danach 30 Minuten Vorlesen, Chloe besitzt jedes pädagogisch wertvolle Kinderbuch, danach wird 15 Minuten über das Vorgelesene gesprochen. Dann sagt Chloe ihr Nachtgebet aus Bali auf, in dem sie allen Lebewesen ihre Dankbarkeit für ihre Dienste ausspricht. Dann ist es 20 Uhr und Chloe schläft. Wenn sie nicht schläft, darf sie noch meditieren.

Es gibt auch einen Jahresplan: 4 x zum Zahnarzt, 5 x zum Kinderarzt. Nächste Woche wird Winterkleidung gekauft, nur Naturfasern in Farben der Natur. Und ab nächsten Monat geht Chloe in einen Kindergarten, elitär und selbstverständlich autoritär. Er ist mindestens eine halbe Stunde entfernt, fängt schon um halb acht an, Chloe ist pünktlich abzuliefern. Ich sagte immer wieder, John kann alles so gut organisieren, er wird auch dies gut organisieren können.

Zum Abschied seufzte Daphne: »Ich habe genug Sorgen. Ich brauche das Sorgerecht nicht.«

91. Kapitel

Daphne befahl John, dass er vor dem Frisörtermin ab 14 Uhr in seiner Wohnung ist, sie würde dann anrufen zwecks Übergabe von Chloe. John wollte gleich einen Treffpunkt vereinbaren, aber Daphnes vielfältige Aktivitäten ließen sich im Voraus nicht so exakt festlegen wie Johns Bürotätigkeit.

Mit mir hatte Daphne vereinbart, dass sie um zwölf Uhr kommt. Sie hielt sich an die Abmachung, die Wohnung nicht zu betreten, ließ mich alles allein ausladen aus dem geliehenen VW-Bus, ihr BMW wäre zu klein gewesen. Sie ging mit Chloe spazieren, während ich fast zwei Stunden die Kartons mit Chloes Kram nach oben schaffte. Eine Nachbarin erschrak schrecklich, als die Tür des Fahrstuhls aufging und sie einem wie echten Pony gegenüberstand, um das sich eine wie echte Würgeschlange ringelte.

Halb zwei kamen Daphne und Chloe zurück. Ich brachte Chloe in ihr neues Biotop. Chloe war sofort bereit, ein neues Leben mit Fernsehen zu beginnen.

Als John vor dem Haus vorfuhr, ging ich. Die liebe Chloe versprach, ihrem Papi meinen Brief zu geben.

Ich stand mit Daphne im Treppenhaus eine halbe Etage

höher, wir beobachteten, wie John die Tür aufschloss und hörten, wie er aufschrie, als er im Flur das Krokodil sah. »Was ist hier los?! Tilla!«

Chloe schrie begeistert: »Sie ist weggefahren. Mit Mami.«

Die Spanier benutzen ein kopfstehendes Fragezeichen am Anfang eines Satzes, um von vornherein das Nachfolgende als Frage zu kennzeichnen, und benutzen ein umgekehrtes Ausrufezeichen, wenn ein Ausruf kommt. Ich hätte meinen Brief an John gern angefangen mit einem umgekehrten Totenkopf: »Mit mir ist nichts mehr machbar ...«

92. Kapitel

Die Gebrauchsanweisungen für Chloe hatte ich an die Wand genagelt. Daphne hatte noch die Zeiten eingetragen, an denen sie täglich mit Chloe telefonieren wird, um zu kontrollieren, dass ihre Anweisungen eingehalten werden. Bei Zuwiderhandlungen droht eine hohe Geldstrafe namens Scheidung. Nicht, dass er ihr was zahlen müsste, er müsste lediglich die Raten für die Wohnung selbst bezahlen, das Auto zurückgeben, auf Unterhaltszahlungen und einige sonstige Annehmlichkeiten verzichten.

Außer meinen Koffern hatte ich nur vier Kartons für meine Sachen gebraucht. Alles war erledigt. Alles im Computer gelöscht. Nur zwei Till-Gold-Artikel lagen auf dem Schreibtisch, druckfertig.

Daphne fand es selbstverständlich, dass ich John verlasse. Wenn sie ihren Willen durchsetzen will, muss eben jeder Opfer bringen.

Daphne sagte: »Ich muss zurück nach Bali. Meine innere Stimme reinigen. Das Leben auf Bali ist so viel natürlicher. Ich habe mit den Einheimischen sehr zufriedenstellende Kontakte, sie sind sehr fleißig und sauber. Alle wollen gern bei mir arbeiten.« Dabei fiel ihr John ein: »Es wird eine interessante Zeit für ihn. Und Chloe braucht das Erlebnis Vater.« Damit war sie wieder bei ihren Problemen. So schnell wie möglich wollte Daphne weg, Berlin im November war unzumutbar für ihre Stimmung. Und damit die Welt wusste, dass es nicht nur eine kurze Wahnidee war, würde sie ihre Wohnung aufgeben. Zwei ihrer Bekannten stritten schon darüber, wer die Wohnung bekam. Leider hat ihre Putzfrau zu wenig Zeit, ihr zu helfen, sonst ginge alles noch schneller.

Zeit war das Einzige, was ich hatte. Ich hatte angerufen bei der Hausverwaltung dieser teuren Apartments, konnte wieder dort einziehen. Aber nun machte ich Daphne den Vorschlag, dass ich ihr helfe und dafür so lang bei ihr umsonst wohne. So konnte sie auch kontrollieren, dass ich nicht heimlich zu John zurückkehre. Daphne akzeptierte erfreut.

Ich durfte in Chloes einstigem Spielzimmer einziehen, es ist hellgrün und rosa. Das dritte Zimmer, Daphnes und Chloes ehemals gemeinsames Schlafzimmer, ist dunkelblau und grün. Dazwischen das grüne Wohnzimmer. Grün gefällt mir.

Die Wohnung ist wunderbar, die Miete überraschend niedrig, 550 Mark, dank komplizierter Mietpreisbindung, aber die Wohnung hat einen Haken, der heißt »Abstandszahlung«. Ein Berliner Gesetz macht es möglich, dass ein Mieter, der auszieht, vom nächsten Mieter Geld verlangen kann, nur dafür, dass er ihn dem Vermieter als Nachmieter vorschlägt. Denn der Vermieter muss einen der vorgeschlagenen Nachmieter nehmen. Der alte Mieter lässt als offizielle Gegenleistung für die Abstandszahlung einige alte Möbel in der Wohnung – damit ist der Deal legal. Daphne hatte an den vorherigen Mieter 20 000 Mark gezahlt für Gerümpel, das sie sofort wegwerfen ließ. Dieses Geld wollte sie wiederhaben vom nächsten Mieter. Und keine Frage, ihre Bekannten würden ihr das Geld sofort geben, um diese Wohnung zu bekommen.

Außerdem will sie ihre grünen Möbel und die grünen Teppiche nicht mit nach Bali nehmen. Fast alles sollte da bleiben für weitere 5 000 Mark. Das war supergünstig.

Wie konnte ich sie überreden, mir die Wohnung zu überlassen? »Wenn du mir die Wohnung gibst, bist du sicher, dass ich nie mehr zu John zurückgehe.«

Das Argument gefiel Daphne, denn für John war es wichtig, dass er die neue Situation allein meisterte. Sie fragte nicht, ob ich das Geld hatte, das war für Daphne selbstverständlich.

Ich wollte es riskieren, wollte in Berlin bleiben, wenn nicht beim Burhier-Verlag, dann anderswo. Am nächsten Morgen ging ich zur Bank. Verkaufte über die Hälfte meiner Aktien. Sie hatten in der Zwischenzeit sogar zwei Prozent zugelegt. Außerdem war es mir gelungen, in den letzten Monaten 200 Mark zu sparen. So viel verdient man als vollfinanziertes Luxusweibchen mit gewinnbringender Nebentätigkeit für den Halter des Luxusweibchens. Und ich dachte: Ein Mann muss nicht fremdgehen, um dich zu betrügen, es geht auch ganz anders.

Zwei Tage später war der Termin bei der Hausbesitzerin Frau Valloise. Sie wohnt im noblen Dahlem, ist, wenig überraschend, eine Bekannte von Daphnes Mutter, besitzt einige Mietshäuser, weshalb sie es sich leisten kann, angezogen zu sein wie eine arme Bäuerin. Ihre Strickjacke war vermutlich ein Familienerbstück, mit sehr verschiedenen Hornknöpfen und an den Ellenbogen mit Lederflecken repariert.

Daphne verkündete ihr pathetisch: »Ich habe John das größte Geschenk, das er mir gemacht hat, zurückgegeben.«

Sie sagte ungerührt: »Du meinst Chloe.«

Daphne deklamierte: »Was ich in den letzten Monaten durchgemacht habe, machen andere im ganzen Leben nicht durch.«

»Übertreib nicht so, Daphne,« sagte Frau Valloise, »in einem halben Jahr hast du solche Sehnsucht nach Chloe, dass du wiederkommst.«

»Niemals!«, deklamierte Daphne. »Dann hole ich Chloe zu mir. Und meinen Stimmtherapeuten.«

Wir kamen trotzdem zum Geschäftlichen. Frau Valloise sagte: »Nun regeln Sie bitte die Abstandszahlung unter sich.«

Daphne hatte mir gesagt, ich hätte ihr bei Frau Valloise die Abstandszahlung bar zu geben, die sei dann Zeugin. Fertig vor Aufregung gab ich Daphne mein Geldbündel, sie zählte sorgfältig nach.

Frau Valloise nickte zustimmend. »Ich bekomme von Ihnen, Frau Silber, nun drei Monatsmieten Kaution in bar, die Miete überweisen Sie dann. Was sind Sie von Beruf?«

Zitternd überreichte ich das nächste Geldbündel, auch sie zählte nach. »Journalistin«, piepste ich.

»Ach«, sagte Daphne, es war ihr völlig neu. »Arbeitest du auch beim Burhier-Konzern?«

»Ich bin freiberuflich«, sagte ich ausweichend.

»Ach«, sagte Daphne total desinteressiert. »Möchtest du meine Putzfrau übernehmen?«

Ich wollte nicht vor der Hausbesitzerin sagen, dass ich mir das nicht leisten kann. Ich sagte: »Gern. Aber John braucht sie dringender, und sicher ist Chloe an eure Putzfrau gewöhnt.«

»Gute Idee«, lobte mich Daphne. »Ich werde sie hinschicken.«

Frau Valloise überreichte mir den unterschriebenen Mietvertrag!

In den nächsten Tagen durfte ich für Daphne abmelden, was beim Umzug abgemeldet werden muss, und gleichzeitig für mich anmelden. Und half Daphne beim Einpacken. Nach Bali nahm sie nur das Nötigste mit. Nur zwanzig Paar Schuhe, fast alle von der Nobelmarke Bally, und sie klagte: »leider gibts auf Bali keine Bally-Schuhe.« Ihre Bali-untauglichen Klamotten, ihr mit grünen Blättern bemaltes Meissner Porzellan, die schweren Silberleuchter, all ihre edlen Stücke und ihre

Antiquitäten werden per Spedition in den Familienwohnsitz geschickt. Daphne kennt den Preis der Dinge. Sie ist großzügig, schenkt mir viel, aber sie lässt nichts in der Wohnung, was wertvoll bleibt.

Abends durfte ich bei ihrer Telefonüberwachung zuhören. Chloe gefiel es prima bei Papi. Chloe hatte ferngesehen! John wurde zur Rechenschaft gezogen. Chloe hatte nur die Sendung mit der Maus gesehen, da wurde erklärt, wie die Löcher in den Käse kommen. John hielt das für pädagogisch wertvoll. Und anschließend hatten sie Käse gekauft und darüber gesprochen. Daphne sagte: »Der Balkon deiner Wohnung muss kindersicher verkleidet werden.«

John hielt das für überflüssig, Daphne nicht.

Und dann fragte John nach mir, denn Daphne sagte wunschgemäß: »Nach unbekannt verzogen.« Und sagte noch: »Keine Ahnung, mit wem.« Damit war ich als Thema erledigt.

Und John erzählte, er würde jetzt zu Hause arbeiten und wolle ein Buch schreiben über sein Leben als allein erziehender Vater, und das Buch würde garantiert ein Bestseller ... und tat, als wäre er der erste allein erziehende Vater der Welt.

Unbeeindruckt sagte Daphne hinterher zu mir: »Da Chloes Kindergarten am anderen Ende der Stadt ist und nur vormittags stattfindet, kann er zwischen Hinbringen und Abholen im Auto warten und da schreiben.«

Als Daphne schließlich abfuhr, waren wir fast Freundinnen geworden.

Ihr Stimmtherapeut durfte sie zum Flughafen chauffieren. Ich durfte nicht mit, winkte ihr vor dem Haus hinterher: »Danke Daphne!«

93. Kapitel

Ich konnte wieder von vorn anfangen. Ich rief Johns Deutelmoser-del Rio an, sagte mit verstellter Stimme: »Guten Tag, hier ist Treuebriezel-Hammelswald-Obergrummbach vom BFADSKM. Wir machen Information Research, ist Herr Monz in den nächsten Tagen in seinem Büro?«

Prompt sagte sie: »Er hat Urlaub bis Ende des Monats.« Dann fiel ihr ein, dass sie wissen wollte, wer das wissen wollte.

Statt zu verraten, BFADSKM heißt Büro-Für-Abkürzungen-Die-Sich-Keiner-Merkt, sagte ich routiniert: »Wir melden uns zu gegebenem Zeitpunkt wieder und wünschen Ihnen einen schönen Verlauf des heutigen Tages.«

Der nächste Anruf war schwieriger. Ich wollte den Oberboss, Herrn Lever, sprechen. Für seine Sekretärin brauchte ich eine bessere Begründung als eine dämliche Abkürzung, ich sagte: »Da Herr Monz bis Ende des Monats Urlaub hat, um seine Tochter Chloe zu betreuen, muss ich in einer dringenden Sache, für die Herr Monz zuständig wäre, Herrn Lever sprechen.«

Levers Sekretärin merkte, dass ich Insiderinformationen hatte, teilte dies Herrn Lever mit und verband mich.

Herr Lever, sehr freundlich: »Was kann ich für Sie tun, Frau Silber?« Als hätte er sonst nichts zu tun.

»Ich hatte mit Herrn Monz einige Vereinbarungen getroffen, kann ich mit Ihnen kurz darüber reden?« Ich bekam einen kurzen Termin für nachmittags.

Herr Lever ist ein wichtiger Mann. Ich hatte mir vorgestellt, so einer müsste ein Mann sein wie ein Baum. Aber wenn dieser Mann ein Baum war, dann ein Bonsai. Er war klein, grau, älter. Als ich erzählte, dass ich schon mal in seinem Büro mit den Mikado-Neonröhren war, als Herr Monz mich einstellen wollte, sagte er nichts, nur ein Bitte-kommen-Sie-zur-Sache-Blick.

Ich sagte ihm, was Sache ist: »Ich habe die Till-Gold-Artikel geschrieben. Sie sind in Wahrheit von Tilla Silber.«

Er nickt freundlich. »Verstehe, Sie haben die Artikel für ihn abgetippt, und nun wollen Sie sich als Sekretärin bewerben. Verstehe, Ihr Name brachte Herrn Monz auf die Idee des Pseudonyms, sehr hübsch.«

»Nein. Ich schrieb die Artikel. Von Anfang bis Ende allein.«

Natürlich glaubte er es nicht. Mein nächstes Argument: »Da Herr Monz sich künftig seiner Tochter widmen will, kann er keine Artikel mehr schreiben.«

»Tatsächlich?«, es war keine Frage, es war Ironie. »Herr Monz kann auch nebenher schreiben, er hat bereits zwei weitere Artikel geliefert.«

Nein, ich war nicht erstaunt. Ich war erfreut. »Haben Sie die gelesen?«

»Ich lese keine Frauenzeitschriften, wenn Sie gestatten. Es genügt mir, zu wissen, dass seine Artikel bei unseren Leserinnen viel Anklang finden.«

»Diese beiden Artikel werden den Leserinnen weniger gefallen.«

»Warum nicht?«

»Weil ich die nicht mehr geschrieben habe«, log ich. Ich hatte sie sogar extra für John neu bearbeitet.

Der Oberboss hatte nun eine Idee, die eines Oberbosses würdig war, er ließ von seiner Sekretärin bei Frau Norden anrufen, Frau Norden möge die neuen Artikel von Herrn Monz lesen und ihre Meinung äußern, falls es möglich wäre, bitte sofort. Wir warteten. Auf seinem Schreibtisch lagen mehrere Zeitungen, die FAZ aufgeschlagen beim Sportteil. Ich musste mich profilieren. »Ist es nicht erstaunlich, dass sogar jene Zeitungen, die als intellektuell gelten, täglich zu einem Drittel aus Sport bestehen?«

Sein Blick sagte, dass er nur die Frage erstaunlich fand.

»Keine intelligente Frau würde so viel Modeberichte ertra-

347

gen wie Männer Sportberichte. Stellen Sie sich vor, Sie müssten täglich lesen: Diors Röcke jetzt mit drei Abnähern! Sanders kann auch anders! Kenzo macht Frauen froh! Joop designt Kondoome! Neuer Rekord im schlechten Geschmack! Bikini jetzt mit Reißverschluss! Lange Gesichter wegen kurzer Jacken!« Ich hätte noch viel sagen können, ich war vorbereitet.

Herr Lever schüttelte den Kopf. »Mode ist mit Sport nicht vergleichbar. Sport ist viel komplexer.«

Damit war das Thema für ihn schon erledigt. Aber nicht für mich: »Angeblich können Frauen die Fußballregeln nicht verstehen, aber ich könnte sie Ihren Leserinnen erklären. Zum Beispiel ist die angeblich schwierige Abseitsregel leicht zu verstehen, wenn man sich ihren Sinn klar macht: Spieler dürfen nicht einfach vor dem Tor ihres Gegners warten, bis der Ball kommt. Wenn einer ins Tor schießt, müssen mindestens zwei von der gegnerischen Mannschaft vor ihm sein, sonst ist das Tor ungültig. Es wäre ja zu einfach, in ein Tor zu treffen, das keiner verteidigt. Und nur der Torwart als Verteidiger ist zu wenig, es muss mindestens noch ein zweiter vor dem Angreifer sein, damit überhaupt angegriffen werden darf. Wenn keiner das Tor verteidigt, ist der Angreifer abseits vom Spiel, daher der Name Abseits.«

Herr Lever gab widerwillig zu, so einfach könne man es natürlich auch darstellen. »Komplexere Vorgänge allerdings, wie die Strategie der Abseitsfalle …«

»Bei der Abseitsfalle rennen die Spieler beim Angriff vom eigenen Tor weg, statt es zu verteidigen, denn wenn es keiner verteidigt, gilt kein Treffer. Ist aber riskant, denn falls nicht alle schnell genug wegkommen, und noch zwei vor dem Angreifer sind, im Moment, wenn er kickt, dann gilt das Tor.«

Herr Lever sah mich an, als müsste man für derartige Kenntnisse nicht nur über eine höhere Art von Intelligenz verfügen, sondern über eine andere Art von Gehirn. Er fuhr das schwerste Geschütz auf: »Warum wollen Sie schreiben wie ein Mann? Sind Sie nicht gern Frau?«

FrauenratgeberInnen warnen: Diese Frage wird oft gestellt, es geht aber nie um das Frausein, sondern um Machtverhältnisse. Wer sagt, sie sei gern Frau, wird belehrt, eine, die gern Frau ist, würde aber nicht gern wie ein Mann sein. Ist eine ungern Frau, ist sie sowieso unzurechnungsfähig. Ich sagte cool: »Ich bin keine richtige Frau. Ich bin mal eine richtige Frau gewesen, aber das ist vorbei.«

Er starrte auf meine geschlechtslosen Hosenbeine, als wäre ich ein verkleideter Mann.

Wie eine Löwin erschien Frau Norden, löwenmähnig, schweres Make-up, schwere Goldketten überm bebenden Busen, und sie fauchte: »Es ist ungeheuer!«

Ich nickte ihr zustimmend zu.

»Ich lese vor!«, rief Frau Norden, sie winkte wild mit den Till-Gold-Artikeln, die ich John neben den Computer gelegt hatte als letzten Gruß:

»Da findet eine Frau in einer Herrentoilette ein gebrauchtes Kondom und befruchtet sich höchst trickreich selbst. Ein kleiner Mensch erblickt das Licht der Welt. Die Mutter nennt beim Antrag auf Sozialhilfe einen unschuldigen Mann als Vater, um sich für irgendeine verletzte Eitelkeit zu rächen. Auch wenn sich nach aufwändigen Untersuchungen herausstellt, dass er nicht der Vater ist, ist sein Ruf geschädigt. Bekanntlich sind allein erziehende Mütter nicht gerade jene Frauen, die als Schönheiten gerühmt werden. Würde generell auf den Vaterschaftsnachweis verzichtet, wenn sich kein Mann freiwillig als Vater bekennen mag, wäre das auch für Frauen vorteilhaft, sie würden mit der Mutterschaft automatisch Sozialhilfeempfängerinnen.«

Frau Norden tat, als könnte sie vor Empörung nicht weiterlesen, sie fauchte Herrn Lever an: »Was sagen Sie dazu!«

»Ist das eine schlechte Idee?«, frage Herr Lever irritiert.

»Das bedeutet, dass wir unseren Leserinnen unterstellen, sie wären allesamt Sozialhilfeempfängerinnen, hässlich und so verrückt, dass sie sich mit weggeworfenen Kondomen selbst schwängern. Und der andere Artikel ist noch ungeheuerlicher in seinem Frauenhass. Monz propagiert eine sogenannte freie Geschlechterwahl, nämlich die gezielte Abtreibung von Mädchen. Der Artikel kann uns eine Anzeige bringen!«, fauchte Frau Norden.

»Anzeigen sind immer gut«, sagte Herr Lever.

»Ich meine eine Anzeige beim Staatsanwalt.«

Herr Lever sagte: »Die Sekretärin von Herrn Monz bitte.«

Kaum hatte er es gesagt, war sie schon da, oder war sie schon länger da? Auftritt Dolores Deutelmoser-del Rio. Rothaarig, langhaarig, schwarze durchsichtige Strümpfe, ein Rock wie aus Gummi. Sie hielt die Arme angewinkelt, das brachte ihren Busen noch besser raus. Sie sah heiß aus. Aber es nützte ihr nichts, nicht bei John. Denn eine Sekretärin nützte ihm nichts. Sie schritt zum Telefon, wählte: »John, der Chef will dich sprechen.« Sie überreichte Herrn Lever den Hörer.

Herr Lever fragte John, ob er die Artikel geschrieben hätte, die Antwort war ja. Auf Levers Frage, ob er sich der gewissen Problematik bewusst sei, schien John die Antwort sehr schwer zu fallen – wahrscheinlich hatte er die Artikel gar nicht gelesen, sondern so abgeschickt, wie ich sie ihm hingelegt hatte. Herr Lever sagte, es müsse eine gewisse Unklarheit geklärt werden. Man melde sich wieder.

Ich näherte mich Frau Norden, sagte wie in meinen Cultural-Guide-Zeiten: »Guten Tag, ich bin Tilla Silber, ich habe die andern Till-Gold-Artikel geschrieben.«

»Von Ihnen sind die Artikel, die während meines Urlaubs ungeplant ins Heft kamen? Na also, ich habe nie geglaubt, dass Monz plötzlich schreiben kann.« Und zu Herrn Lever giftete sie: »Das wird interessant, wenn Herr Monz Chef von Francis ist.«

»Herr Monz hat zurzeit andere Pläne«, sagte Herr Lever. »Wir müssen neue Lösungen suchen.«

»Warum können Sie nicht für meine Zeitschrift W schreiben?«, fragte mich Frau Norden.

»Kann ich. Sehr gern.«

»Und warum nicht unter Ihrem richtigen Namen?«

»Das wollte ich Ihnen gerade vorschlagen.«

Der Rest war wie ein Traum. Als Chefredakteurin von W war Frau Norden für meine Einstellung zuständig. Fest angestellt ab 1. Januar. Zu den gleichen Bedingungen, die mir John damals geboten hatte. Aber über ihn sprach man nicht mehr. Ich wollte Frau Norden nicht erzählen, wie mich John reingelegt hatte. Wie wenig ich mir selbst zugetraut hatte.

Frau Norden zeigte mir meinen künftigen Arbeitsplatz zwei Etagen tiefer. Ein eigenes Zimmer. Klein, ein Fenster breit, Schreibtisch, Regal, Pinnwand. Mit Blick auf eine Baustelle, mir kamen die Tränen. Virginia Woolf schrieb einst, eine Frau brauche ein eigenes Zimmer, um eigene Gedanken haben zu können. Wenn eine Frau ein eigenes Büro hat, hat sie sogar ein eigenes Leben.

Meinen künftigen Kolleginnen und Kollegen der alten und der neuen Redaktion werde ich demnächst vorgestellt.

Frau Norden übernimmt drei Kolleginnen von Francis und wird noch drei einstellen, unbedingt auch eine Bildredakteurin, die statt der üblichen männlichen Klischees den weiblichen Blick in die Zeitschrift bringt. Wir redeten endlos.

Sie erklärte mir ihr Konzept: »Früher hieß es, Frauen können nicht Auto fahren, heute heißt es nur noch, Frauen können nicht rückwärts einparken – das ist ein Fortschritt, aber mit solchen beliebigen Unterschieden wollen wir uns nicht befassen, wir wollen selbst entscheiden, was wir als Unterschied akzeptieren.«

Als mich Frau Norden zum Aufzug brachte, las ich auf einem

Türschild: Dolores Deutelmoser-del Rio. Ihre Tür war nicht ganz geschlossen, ich hörte ihre Stimme: »Ich habs genau gehört, die Silber hat gesagt: Ich bin keine richtige Frau …«

94. Kapitel

Meine Mutter war erwartungsgemäß fassungslos. Sie hatte schon bei John angerufen, hatte mir was sehr Wichtiges sagen wollen, er hatte ihr höflich mitgeteilt, dass ich einen unbekannten Aufenthaltsort vorgezogen hatte. Nicht entführt, sondern freiwillig. Und sicher sei ich noch am Leben, er hätte zu weiteren Erklärungen allerdings keine Zeit gehabt, es waren gerade Handwerker gekommen, um den Balkon kindersicher mit bruchsicherem Plexiglas zu verkleiden. Meine Mutter heulte fast ins Telefon: »Er war so höflich, er hat kein schlechtes Wort über dich gesagt! Du bist zu anspruchsvoll. Auch ein Neuer ist am Ende nicht besser. Kommst du jetzt zurück?«

»Ich hab jetzt einen neuen Job.«

Es gibt ein Schweigen, das reine Enttäuschung bedeutet. Dies war so ein Schweigen.

»Und eine wunderbare neue Wohnung.«

Schweigen.

Dann: »Steffen hat bei uns angerufen.«

»Steffen! Was wollte er?« Wollte er mich zurück?!

»Er wollte die alte Waschmaschine zurückgeben. Er müsste sonst für den Abtransport bezahlen. Malte hat die Maschine abgeholt, das ist praktisch, um die Babywäsche extra zu waschen. Du wirst staunen, wie toll Malte mit Maria umgeht. Als wäre er der Vater.«

War das die bedeutende Mitteilung? »Es interessiert mich nicht, dass Steffen jetzt eine neue hat«, sagte ich cool. Warum sonst würde er die alte zurückgeben?

»Julia wird am 31. Dezember heiraten. Bei uns im Restaurant. Ihre Eltern richten die Hochzeit aus. Und du bist auch eingeladen und du sollst John mitbringen. Ich habe ihren Eltern von ihm erzählt ...«

Kommentarlos legte ich auf.

Mitten in der Nacht rief ich Steffen an. Ich musste es lang klingeln lassen. »Herzlichen Glückwunsch zu deiner neuen Waschmaschine.«

»Wer is'n da?«, nuschelte er verpennt.

»Wer hat sie bezahlt?«

Er nuschelte: »Magdalena«, dann plötzlich wacher: »Nein, Tilla!«

»Nein, Tilla hat sie nicht bezahlt. Hoffentlich hat deine neue auch einen Trockner«, sagte ich und legte gleichzeitig auf.

Magdalena! Steffen nahm einfach die nächste, die ihn um jeden Preis will. Und Magdalena war in einem früheren Leben vermutlich Aasgeier. Blieb nur die Frage, was länger hält: die Beziehung oder die Waschmaschine? Steffen interessierte mich überhaupt nicht mehr. Ich war damit beschäftigt, nicht mehr an John zu denken. Und wenn ich mich fragte, was John denkt, wenn er an mich denkt, dachte ich, er wird nicht lang leiden. Dem genügt ein Blick, und schon ist es wieder Liebe. In meinem Herz war Trauer, dass etwas, was so gut angefangen hatte, so schlecht endete. In meinem Kopf war die Wut, auf ihn und auf mich selbst, weil ich nicht früher gemerkt hatte, was läuft.

Manchmal ist man erst hinterher ganz sicher, dass es Liebe war, denn Liebe macht blind.

95. Kapitel

Die erste Post, die mir an meine neue Adresse nachgeschickt wurde, kam von den Stadtnachrichten. Eine Geburtsanzeige von Frau Richter! Eine Faltkarte, außen stand:

> Endlich ist er bei mir:
> Lukas von Bellmar
> Geboren im Sternzeichen Jungfrau
> Wir sind unendlich glücklich

Innen ein Foto der strahlenden Frau Richter, auf ihrem Arm das niedlichste Hundebaby. Puschlig wie ein Teddybär.

So werden Astrologinnen-Träume wahr. Uff. Beziehungsweise Wuff.

Und dann der Brief von Professor Fürhaupt. Sie schrieb: »Natürlich müssen Sie nicht Nein sagen, wenn Sie nur unter einem Männernamen schreiben dürfen. Große Ziele erreicht man nur schrittweise.

Das Geheimnis der Freiheit ist es, Nein zu sagen, aber man darf nicht zu schnell Nein sagen. Denn wenn man das Nein bereut, ist die Freiheit keine Freude. Und was das Geheimnis des Glücks betrifft, ich glaube, es bedeutet, Ja zu sagen und zu wissen, dass man es nicht bereuen wird ...«

96. Kapitel

Am Freitag, den 13. Dezember, rief Frau Norden an.

»Frau Silber, ich muss Ihnen mitteilen, dass Herr Monz einen Brief an Herrn Lever schrieb, der gab ihn mir, ich muss die Sache erledigen.«

Zitternd fragte ich: »Was müssen Sie mir mitteilen?«

»Ich lese Ihnen den Brief vor. Die Vorreden sparen wir uns, also Herr Monz schreibt:

»Die bedauerlichen Vorfälle um Frau Tilla Silber zwingen mich zu einer Stellungnahme. Wie ich erfuhr, gelang es Frau Silber, sich in unsere Redaktion einzuschleichen, ohne mein Wissen und selbstverständlich ohne meine Zustimmung. Ich war mit Frau Silber befreundet, nicht ahnend, dass sie mich lediglich benutzte, um ihre Karriere voranzutreiben. Frau Silber war bei mir als private, von mir persönlich bezahlte Schreibkraft beschäftigt, sie nutzte diese Vertrauensposition schamlos aus, um meine Artikel als eigene Arbeiten auszugeben.

Wie ich aus zuverlässiger Quelle erfuhr, hat sie Ihnen gegenüber, um selbst als Journalistin arbeiten zu können, sogar behauptet, sie sei keine richtige Frau. Das ist eine infame Lüge, entstanden aus ihrem Geltungsbedürfnis. Ich beurkunde es hiermit schriftlich: Frau Tilla Silber ist eine richtige Frau. Sie schreckt vor nichts zurück, um ihre Ziele zu erreichen.«

Frau Norden holte Luft.

»Und jetzt?«, flüsterte ich.

»Jetzt kann ich diesen Brief wegwerfen«, sagte Frau Norden.

Ich holte Luft: »Endlich weiß ich, dass ich eine richtige Frau bin.«

»Und jetzt vergessen Sie diesen Brief und diesen Mann.« Und Frau Norden erzählte, was sich sonst ereignet hatte: John war bis Jahresende beurlaubt und danach nicht mehr im Konzern tätig. Nach kurzer Suche war bereits ein neuer Chefredakteur für Francis gefunden worden: ein Mann, der bisher eine Bastelzeitung für Kinder gemacht hatte. Wie John wollte er eine Zeitschrift, die dem Frauenbild der Werbung entspricht. Er hatte in einer Redaktionskonferenz sein Konzept vorgestellt, im ersten Heft unter seiner Leitung sollte es Anleitungen geben, wie man aus Seife Teddybärchen gießt, mit Bestellmöglichkeit für die Teddybärchenförmchen und die Seife zum Gießen, und Seifendosen konnte man bestellen, auch mit Teddybärchen bekleben. Und Anleitungen, wie man aus Handtüchern Teddybären faltet, wie man Servietten mit Teddybären beklebt, und Klopapier Blatt für Blatt … Und einen Artikel darüber, dass Frauen Nippesfigürchen sammeln, weil sie in Urzeiten Nahrungsmittel sammelten. Und einen Artikel, dass Frauen Pelzmäntel brauchen, weil sie noch unter ihrer urzeitlichen Erfahrung leiden, weniger Körperhaare als Männer zu haben.

»Er will die Zeitschrift für die hobbytätige Luxusfrau«, lästerte Frau Norden, »mit solcher Konzeption bekommt er sofort viele Werbeaufträge, die Frage ist nur, wie viele hobbytätige Luxusfrauen es gibt. Wenn sich herausstellt, dass diese Frauen fast ausgestorben sind, dann ist auch sein Blatt vom Markt. Aber um diesen Mann muss ich mir keine Sorgen machen.« Sie lachte: »Er übernimmt die Deutelmoser-del Rio, die hat überall erzählt, sie wolle auf keinen Fall eine Frau als Vorgesetzte, Frauen seien immer so zickig und intrigant.«

Und dann sagte sie: »Wollen Sie einen Artikel darüber schreiben, dass Frauen, die sich mit einem Vorgesetzten liieren, entgegen allgemeiner Meinung sich nicht hochschlafen, sondern runterschlafen?«

»Gute Idee.« Das wollte ich gern.

Und sie erklärte mir weiter: »Das alte Erfolgsrezept für Frauenzeitschriften sind die 4 K: Kinder, Küche, Klamotten, Kosmetik. Und für Männer die 4 F: Finanzen, Fußball, Fahrzeuge, Frauen – Letzteres wird gern deutlicher gesagt. Aber heute interessieren sich auch Männer für Klamotten und auch Frauen für Finanzen. Und das letzte F muss bei Frauen nicht zwangsläufig Frustration bedeuten. Ich möchte eine Serie darüber, was Frauen beim Sex wollen. Sie muss so geschrieben sein, dass es sogar Männer kapieren.«

97. Kapitel

So entstand meine Serie »Machen Sie das Beste aus Ihrem Liebhaber.«

Ich saß am Küchentisch und dachte an die Worte von Textchef Schwarz: »Schwierige Sachverhalte einfach darzustellen, das ist die Kunst des Journalisten.« Wie konnte ich alles so erklären, dass es sogar jeder Mann kapierte?

Ich musste ganz von vorn anfangen, zuerst mal das Was und Wo einer Frau erklären, wie ich es einst Thomas erklärt hatte. Natürlich ist das viel schwieriger, wenn man es so unpersönlich schreiben muss, statt einen Finger durchs sexuelle Areal zu führen. Ich starrte auf eine grüne Teetasse aus Daphnes Hinterlassenschaft. Plötzlich, als würde die Tasse zu mir sprechen, schrieb ich:

»Nehmen Sie eine Teetasse in die Hand. Halten Sie die Tasse vor Ihre Augen, betrachten Sie sie von der Seite. Bei einer normal großen Teetasse ist eine Seite zwischen Tassenrand und Tassenboden so gewölbt, und etwa so lang wie die großen äußeren Schamlippen. Die Klitoris ist etwa so groß wir der Henkel der Tasse. Aber die Klitoris steht nicht vor wie ein Henkel, sie ist unter den großen Schamlippen verborgen. Trotzdem leicht zu finden, nämlich direkt darunter. Der Kitzler liegt am höchsten Punkt des Henkels, im Anschluss daran sind die kleinen inneren Schamlippen. Hier ist das Zentrum weiblicher Erregung. Männer bitte merken: Was der Henkel bei der Tasse, ist die Klitoris bei der Frau – da fasst man sie an. Wenn Sie Ihre Tasse zu ängstlich anfassen, rutscht sie Ihnen aus der Hand, sind Sie zu grob, geht sie kaputt. Üben Sie mit Ihrer Tasse. Nehmen Sie den Henkel in den Mund.«

Dann fiel mir auf, das Beispiel mit der Tasse hatte einen Haken: »Der Eingang zur Vagina ist nicht das Loch im Henkel!« Vor meinem geistigen Auge sah ich Männer verständnislos in Tassen starren, auf der Suche nach dem Eingang zur Vagina.

Ich durchsuchte die Küche nach Beispielen, an denen sich die gesamte Ausstattung einer Möse erklären läßt. Ein Mösensymbol. Noch ein Problem: Möse ist ein unseriöses Wort, und Vagina ist das falsche, weil es nur ein Teil davon ist. Das wahre Gegenstück zu einem Phallussymbol muss ein Vulva-Symbol sein. In den Schubladen des Küchenschranks viele Dinge, die Daphne zurückgelassen hatte, als baliuntauglich oder unwürdig, in die Villa ihrer Mutter gebracht zu werden. Ich fand eine Spritztüte für Schlagsahne – eindeutig ein Phallussymbol. Einen Korkenzieher, auch phallisch. Was ist eine Klebstofftube? Eher phallisch. In der nächsten Schublade ausgerechnet Kerzen, phallischer gehts nicht. Daneben ein Feuerzeug, sah aus wie ein platter Phallus. Entnervt von Phallussymbolen, zündete ich zur Beruhigung eine Kerze an, starrte auf die Flamme des Feuerzeugs, die wie ein Phallus hochschoss. Als die Flamme erlosch, sah ich es …

»Liebe Männer, nehmen Sie ein Feuerzeug, ein gasgefülltes Einwegfeuerzeug. Sie dürfen sich vorstellen, die Flamme sei Ihr Penis. Nun betrachten Sie das Feuerzeug von oben – bitte ohne Flamme. Das Loch, aus dem die Flamme kommt, ist die Vagina. Sie, beziehungsweise das Flammenloch, ist integriert in eine halbovale Fassung, das sind die äußeren großen Schamlippen. Innerhalb dieser Fassung ist das Zündrad mit den beiden höheren Rädern: die sind die beiden kleinen inneren Schamlippen. Das Gaspedal vorn ist der Kitzler. Männer merkt: Ohne Zündrad, ohne Gaspedal gibt es kein Feuer – keinen Orgasmus bei ihr. Nur das Gaspedal drücken, reicht nicht, bringt zwar viel Erregung, die verpufft aber zu schnell. Damit die Funken wirklich sprühen, muss das Zündrad erregt werden, also die kleinen Schamlippen. Und zwar genauso wie beim Feuerzeug und in die gleiche Richtung: von vorn nach hinten, nicht seitlich hin und her. Und bitte nicht kitzeln, nicht stochern, sondern reiben. Der Druck, mit dem ein Feuerzeug angemacht wird, ist auch klitoral ideal, nicht zu soft, nicht zu brutal.

Am Feuerzeug lässt sich auch der Eingang zur Harnröhre lokalisieren, es ist der kleine Spalt zwischen Feuerloch und Zündrad. (Bei manchen Feuerzeugen ist vor oder unter dem Feuerloch noch ein größerer Schlitz, diese Öffnung gehört nicht mehr zum Areal der Vulva.)

Bei durchsichtigen Feuerzeugen können Sie sogar sehen, wo der G-Punkt ist. Im durchsichtigen Plastikbehälter sehen Sie einen Plastikschlauch, er entspricht dem hinteren Teil der Vagina. Daneben das viel kürzere Röhrchen, das den Zündstein enthält, das ist der innere Teil der Klitoris. Wie der Schlauch ist auch die Vagina biegsam (sie hat aber kein starres Gewinde wie das Feuerzeug), deshalb kann die Vagina an die Klitoris stoßen. Die Kontaktstelle von Vagina und Klitoris: Das ist der G-Punkt! Das ist die neueste Erkenntnis der Sexualforschung, dass der G-Punkt kein Reizareal der Vagina ist, sondern die innenliegende Seite der Klitoris stimuliert. Allerdings ist es beim Geschlechtsverkehr nicht in jeder Position möglich, dass Ihr Penis in der Vagina die Vagina Richtung Klitoris drückt. Betrachten Sie das Feuerzeug und finden Sie selbst heraus, welche Positionen geeignet sind. Auf jeden Fall werden Sie erkennen: Der Weg zu ihrem Orgasmus ist auch für den kürzesten Penis nicht zu weit.

Probieren Sie es aus. Und wenns nicht klappt, denken Sie daran: Viel einfacher und viel stärker stimulieren Sie die Klitoris von außen. Das klappt immer.

Uff. War nun alles erklärt, wirklich männersicher? Nein, noch eine Anmerkung: »Allerdings ist eine Vulva größer als die Oberseite eines Feuerzeugs. Nur das Gaspedal hat etwa die Originalgröße eines Kitzlers im Ruhezustand. Sie kann viel größer werden. Wieviel größer? Das müssen Sie mit eigenen Augen sehen.«

Zur weiteren Inspiration las ich einige Tage später in einem Café sämtliche Illustrierten und stieß auf den Artikel eines Urologen, er schrieb: »Bei älteren Männern ist die Erektion oft nicht mehr so stark, dass sie einfach eindringen können, sie können sich behelfen, indem sie zur Einführung ihres Penisses die Hände zur Hilfe nehmen.«

Und ich schrieb: »Das ist das ganze Geheimnis, warum manche Frauen behaupten, ältere Männer seien bessere Liebhaber. Aber es ist Männern jeden Alters zu empfehlen, die Hände zu Hilfe zu nehmen. Leider benehmen sich viele Männer, als hätten sie gerade Fahrrad fahren gelernt: Guck mal Mami, freihändig! Denken Sie daran: Im Bett fährt man nicht Fahrrad.

Jeder Penis ist blind. Es ist für Ungeübte sogar empfehlenswert, zur Einführung zusätzlich die Augen zu Hilfe zu nehmen. Sollten Sie oder Ihr Penis, aus welchen Gründen auch immer, das Licht scheuen, halten Sie ihn mit einer Hand, während Ihre andere Hand sich an der Öffnung der Vagina befindet. Da es jeder Mann schafft, mit der rechten Hand die linke Hand zu finden, kann jeder Mann mit diesem Trick die Vagina finden, sogar im Dunkeln.«

Mein nächster Artikel hieß: Neues probieren ist besser als Orgasmus simulieren. Und ich schrieb: »Bekanntlich geht ein Penis nicht automatisch hoch, wenn die Unterhose runter geht. Genauso bekannt sollte sein, dass sich Schamlippen nicht automatisch öffnen, wenn eine Frau die Beine spreizt. Deshalb nie vergessen: zuerst die großen Schamlippen öffnen. Man öffnet sie, wie man ein Buch aufschlägt, nicht zu sanft, nicht gewalttätig.

Anweisung für Frauen: Falls er es nicht kapiert, auch Sie haben zwei Hände. Damit können Sie genau das Gleiche machen.«

Und ich schrieb über den Penisneid der Männer. »Die Sage, dass Männer mit den längsten Schwänzen die besten Liebhaber sind, beruht auf einem jahrhundertealten Irrtum, auf der Verwechslung von Maßeinheiten, der Verwechslung von Längenmaß und Zeitmaß, von Zentimeter mit Minuten. Ein guter Lover ist nicht der, dessen Arbeitsgerät 20 Zentimeter lang ist, sondern der, der es 20 Minuten sinnvoll nutzen kann. Wie lang ein Penis ist, das ist so unwichtig wie die Entfernung, aus der ein Fußballspieler ein Tor schoss. Grundregel: Es kommt nicht darauf an, wie tief er in die Vagina reinkommt, sondern dass er direkt an die Klitoris rankommt.

Tipp für Frauen: Wenn Sie trotzdem an der Länge hängen, legen Sie Ihre Beine auf seine Schultern, so wirkt er am längsten.«

Ich schrieb darüber, warum einer, der nur den eigenen Orgasmus zustande bringt, nicht besser ist als einer, der nur Eigentore schießt. Und weil gute Liebhaber nicht geboren werden, sondern trainiert, muss man ihnen beibringen, was Frauen wollen. »Frauen und Männer sind viel ähnlicher, als sie zu hoffen wagen. Männer sagen, sie hätten nur eine erogene Zone, aber Frauen hätten beliebig viele erogene Zonen – solche Männer scheinen nicht zu wissen, dass zwischen Erregung und Orgasmus ein Unterschied besteht. Noch nie bekam eine Frau einen Orgasmus allein durch Stimulation der Brustwarzen. Wenn Ihre Partnerin sagt, es sei ihr egal, wo sie stimuliert wird, bedeutet das in Wahrheit: Sie sind an der falschen Stelle. Genauso wie es einen Mann nervt, wenn die Frau überall an ihm herumfummelt, nur nicht da, wo er es für dringend hält, nervt es die Frau, wenn er überall herumfummelt, nur nicht an der Klitoris. Und hier gibt es einen wesentlichen Unterschied zwischen Männern und Frauen: Bei Männern kann eine Erektion ohne alle äußeren Reize zustande kommen, einfach automatisch. Bei Frauen ist die Erektion der Klitoris immer vom direkten Reiz auf die Klitoris abhängig. Merke: Ein Penis wird oft von allein hart, aber kaum von allein feucht. Eine Klitoris wird oft von allein feucht, aber nicht von allein hart. Also: Konzentration auf das Wesentliche. Guter Sex ist kein Geduldspiel.

Praktischer Tipp: Ist der Penis in der Vagina, stimuliert er gleichzeitig die Klitoris mit seiner Hand. In manchen Positionen ist das nicht möglich, er würde sich die Hand einklemmen, dann wird die Klitoris stimuliert durch Reibung an seiner Körperpartie oberhalb des Penisses. Bei Frauen heißt die Partie oberhalb der Klitoris »Venushügel«, leider gibt es keine griffige Bezeichnung für das entsprechende männliche Areal. Weil jeder Mann geschmeichelt ist, wenn Sie sein bestes Teil »Stoßstange« nennen, wäre die passendste Bezeichnung für das Stück darüber »Kotflügel«. Das Erfolgsrezept für ihren Orgasmus: »Venushügel stößt an Kotflügel.« Die wichtigste Regel für Männer: Wenn die Klitoris nicht am Spiel beteiligt ist, steht er im Abseits. Dann gilt kein Tor, weil es keinen Orgasmus gibt.

Die Überschrift zu diesem Artikel: KliTOOORis!

Um es vorweg zu sagen, die Serie wurde ein großer Erfolg. Wir bekamen massenhaft Dankschreiben von Männern, die endlich den Weg gefunden hatten, nach dem sie nie zu fragen wagten, und endlich die Abseitsregel beim Sex kapiert hatten.

98. Kapitel

In meiner neuen Heimat Berlin-Schöneberg ist weit und breit kein Berg. Aber es ist eine schöne Gegend, mit vielen alten Läden, in denen es Trödel und Gerümpel jeder Art gibt, manches sogar antik. In einem solchen Laden entdeckte ich ein grünes Glas. Auf den ersten Blick wie das Glas, das Thomas auf dem Osterflohmarkt kaufte. Auf den zweiten Blick nur eine billige Imitation.

Es war nicht so, dass mir Thomas erst wieder einfiel, als ich das Glas sah. Ich hatte oft versucht ihn anzurufen, seit ich die neue Wohnung hatte, aber er war nie da. Ich wollte ihm schreiben, aber ich hatte zu viel zu erzählen für einen Brief. Doch an diesem Abend bekam ich ihn endlich ans Telefon: »Wo warst du?«

Er war in Genf gewesen und in Berlin. Hatte hier bei einer Auktion viel gekauft. Berlin war jetzt der beste Markt für Kunstkäufe, es kam viel aus dem Osten, günstig, konnte in Schwaben oder in der Schweiz sehr vorteilhaft weiterverkauft werden. Und bei dieser Auktion wurde seine Berliner Stadtszene verkauft für 8 000 Mark, einiges mehr als erwartet. Und ich merkte, dass er herumredete. Und endlich sagte er, dass er bei John angerufen hatte, dreimal aufgelegt, weil immer John am Apparat war, hatte schließlich doch John nach mir gefragt, der hatte gesagt: »Frau Silber lebt nicht mehr hier. Sie ist auf und davon, keine Ahnung mit wem.« Und John hatte aufgelegt. Ohne Knall.

Ich erzählte ihm den Rest. Obwohl ich mir vorgenommen hatte, nie mehr über John zu sprechen. Thomas staunte, wie raffiniert mich John für seine Ziele benutzt hatte. Umso toller, dass ich trotz John den Job bekommen hatte. »Du kannst stolz auf dich sein«, sagte er.

Ja, das war ich auch. »Endlich habe ich eine Zukunft. Und von nun an bleibt es meine Zukunft.«

Und wir quatschten herum und stellten fest, dass ich keine Lust hatte, Weihnachten meine Mutter zu besuchen, und auf gar keinen Fall Lust hatte, am 30. Dezember auf Julias zweiter Hochzeit rumzujubeln, und Thomas hatte keine Lust, seinen Geburtstag am 20. Dezember zu Hause zu feiern. Als ich ihm den Vorschlag machte, mich zu besuchen, war er sofort bereit.

Er würde mit dem Auto kommen und ein Gemälde für die nächste Auktion mitbringen, ein Aktgemälde des 19. Jahrhunderts, viel zu üppig fürs solide schwäbische Gemüt, aber in Berlin gab es Käufer dafür, neuerdings waren die progressiven Werbeagenturen wild auf alte Kunst, denn die neue Kunst war viel teurer, sah trotzdem billiger aus, und im Grunde wussten die Leute nie, ob es wirklich Kunst war oder nur abstrakt.

Schließlich fragte er: »Wo soll ich übernachten?«

Ich lachte nur: »Im neuen Hotel Silber.«

Und ich ging wieder in den Trödelladen und kaufte das giftgrüne Glas. Und der Trödler kannte einen Glasschleifer. Der Glasschleifer sagte: »Da lohnt sich nicht, was in das billige Glas zu schleifen.«

Ich wollte es trotzdem, bestellte in altertümlicher Schnörkelschrift ein Wort: Nein. Ich musste im Voraus bezahlen. Das Schleifen war viel teurer als das Glas.

Der Glasschleifer sagte missbilligend: »Sie lassen sich Ihr Nein was kosten.«

Meine Mutter rief an, total aufgelöst: »Julias Hochzeit wurde abgesagt. Ihr Vater fand heraus, dass ihr Bankier gar keine Steuern sparen muss, und er ist kein Bankier, nur Banker, und ist pleite. Und der Mercedes, den er ihr geschenkt hat, war nur geleast. Was sagst du dazu?«

»Wie schön.« Ich meinte es ehrlich.

»Über hundert Gäste waren geladen.«

»Ich wäre sowieso nicht …« Meine Mutter unterbrach mich: »Wir haben Folgendes beschlossen: Weil für Malte und Sisi und Mariale die Wohnung von Malte zu klein ist und für Moserle die Wohnung überm Restaurant zu groß, tauschen Malte und Moserle. Und Moserle meinte, eigentlich muss ein Restaurant wie unseres von einem Ehepaar geführt werden.

Und da wir schon so viel bestellt haben für Julias Hochzeit, machen wir daraus unser Fest. Und du bringst John mit.«

»?!?!«

»Sagte ich doch gerade: Moserle und ich heiraten.« Und weshalb? Um einen besseren Eindruck zu machen bei der Menschheit. Und Moserle und meine Mutter konnten auch Steuern sparen. Je älter man wird, desto mehr Gründe gibt es, verheiratet zu sein.

Das Nein war geschliffen. Nein auf Giftgrün. Ich betrachtete es entzückt. Der Glasschleifer betrachtete es missmutig. Er sagte, als wärs die größte Weisheit: »Glück und Glas, wie leicht bricht das.«

Ich sagte: »Ich will es einem Freund schenken. Nein ist das Geheimnis menschlicher Freiheit.« Und ich dachte: Die Liebe löst nicht alle Probleme, die meisten Probleme schafft sie erst.

99. Kapitel

Ich könnte meine Geschichte hier enden lassen, dann wäre sie literarisch wertvoller. Denn in einem literarisch wertvollen Roman muss das Leben einer Frau im Unglück enden oder wenigstens in unerfüllter Hoffnung, ein Happyend ist eine Banalität. Als wäre es so einfach, glücklich zu enden.

Aber das Ende eines Romans ist nicht das Ende der Roman-heldin, jedenfalls nicht, solang sie noch lebt. So lang ist jedes Ende Ungewissheit.

Aber jetzt bin ich glücklich. Bei meiner Mutter und Moserles Hochzeit war sogar meine Mutter auf mich stolz.

Da für Julia ein großes Fest geplant gewesen war, hatte das Ersatz-Ehepaar beschlossen, genau so pompös zu feiern und sämtliche Stammgäste eingeladen. Julia war zwar nicht zuzumuten, auf eine Hochzeit zu gehen, die ihre eigene hätte sein sollen, doch ihre Eltern kamen, um den anderen Honoratioren der Stadt zu zeigen, wie nebensächlich der letzte Heiratskandidat ihrer Tochter gewesen war. Aber Julias Vater sagte zu mir: »Ich wünschte, unsere Tochter wäre so vernünftig wie Sie.«

Weihrauch kam persönlich, um von der Hochzeit des inserateträchtigen Zwitscherbaum-Ehepaars zu berichten. In den Stadtnachrichten stand: »Tochter Tilla, deren Karriere bei unseren Stadtnachrichten begann, ist nun aufstrebende Journalistin in Berlin …«

Mehrere Augenblicke hatte ich überlegt, Steffen einzuladen. Aus Neugier, um zu erfahren, ob er noch von Magdalena versorgt wurde. Zugegeben, nicht nur aus Neugier, auch aus Rache, damit er sah, wie gut es mir jetzt geht.

Meine Mutter hätte ihn sofort eingeladen, vor allem wollte sie Kindsvater Siegfried einladen, aber Sisi war dagegen. Ich hatte mir eine Woche vor der Hochzeit ein langes Klagelied meiner Mutter anhören müssen: Meine Mutter wollte Siegfried grundsätzlich in die väterlichen Pflichten einbeziehen – natürlich um Malte zu entlasten. Aber Sisi sagte stur, es gehe ihr doch jetzt so toll, und bei Siegfried seis ihr schlecht gegangen, wenn sie ihn wiedersehen würde, würde es ihr nur schlecht. Ja, Sisi hatte mal wieder die Wahrheit gesagt. An Rache denkt man nur, solang man nichts Besseres hat. Hat man was Besseres, ist es Rache genug, dass man auf das Schlechtere dankend verzichtet.

Es kam sogar Professor Fürhaupt, ich hatte sie angerufen. Sie kam todschick in einem silbernen Kleid mit ihrem todschicken Mann und sagte: »Sie haben alles richtig gemacht. Es kommt nicht darauf an, nach den Kriterien anderer eine richtige Frau zu sein, Sie müssen für sich selbst die richtigen Ziele haben.«

Meine Mutter stand daneben und nickte stolz, als hätte sie das schon immer gesagt! Sie hatte es dank einer gnadenlosen Hungerwoche geschafft, in ihr rosa-goldenes Escada-Kostüm zu passen. Sie jammerte trotzdem, sie hätte sich lieber was Neues gekauft, aber dies war nun mal Moserles Lieblingskostüm.

Übrigens trug ich das perfekt klebende Trägerlose, dieses Kleid, das man nur tragen kann, wenn man den richtigen Mann dazu hat.

Denn zehn Tage vorher ereignete sich der Anfang vom Ende.

100. Kapitel

Thomas kam schon am 19. Dezember am späten Nachmittag. Er bestaunte mein grün-grünes Wohnzimmer, mein grün-rosa Arbeitszimmer, mein grün-blaues Schlafzimmer, meine grün-weiße Küche. Er sagte: »Ich hab ein Geschenk für dich. Es ist grün.« Es waren zwei Päckchen.

Im ersten eine grüne Flasche Champagner. Im zweiten das grüne Glas vom Osterflohmarkt. Eingraviert war:

»Werde glücklich mit mir.«

Ich konnte nichts sagen.

Er sagte: »Sag was.«

Ich sagte aber nichts.

Also sagte Thomas: »Früher konnten wir nicht zusammen bleiben, weil wir keine Zukunft hatten. Jetzt haben wir eine Zukunft.«

»Aber an verschiedenen Orten. Ich werde meinen Ort nicht verlassen, dann habe ich wieder keine Zukunft.«

»Genau. Aber für mich wäre es kein Opfer, wenn ich meinen Ort verlasse. Soll ich zu dir kommen?«

Das Glas leuchtete grün wie die Hoffnung. Die Hoffnung sagte: »Werde glücklich mit mir.«

»Ich hol noch ein Glas«, sagte ich, ging in die Küche, holte das giftgrüne Nein aus dem Schrank. Ich stand da, sah es an und überlegte. Erfahrungen macht man, um Fehler zu machen. Um zu erkennen, was falsch ist, aber man erkennt auch, was richtig ist. Ich wusste immer noch nicht, was Liebe alles ist. Aber ich wusste, wie Liebe bleibt: wenn man eine Zukunft hat, eine eigene.

Ich handelte cool und vernünftig. Ich öffnete das Fenster, warf das Nein hinaus. Hervorragend, es zersplitterte genau neben den Mülltonnen.

Thomas fand es auch passender, gemeinsam aus einem Glas zu trinken. Aus unserm Glas.

»Auf das Gefühl, dass man wieder von vorn anfangen will.«

ENDE